JOY FIELDING
Das Verhängnis

Buch

Suzy Bigelow ist neu in Miami Beach, Florida – erst kürzlich ist sie mit ihrem Mann Dave, der als Arzt eine Anstellung in einer Klinik bekommen hat, hierhergezogen. Doch ihre Ehe ist nicht glücklich, denn Dave erweist sich zunehmend als Choleriker, der Suzy mit seinen unberechenbaren Wutausbrüchen das Leben zur Hölle macht. Eines Abends beschließt sie, in einer Bar einen Drink zu nehmen, um sich ein wenig von ihren Sorgen abzulenken. Schnell zieht die attraktive Unbekannte die Aufmerksamkeit von drei Männern auf sich, die am Tresen stehen – und plötzlich kommt einer von ihnen auf die Idee, eine Wette darüber abzuschließen, wer aus der Runde es schafft, Suzy noch am selben Abend zu verführen. Doch was zunächst beginnt wie ein harmloses Spiel, entwickelt sich mehr und mehr zu einer gefährlichen Gratwanderung – und schlägt schließlich um in eine wahrhafte Katastrophe …

Autorin

Joy Fielding gehört zu den absoluten Spitzenautorinnen Amerikas. Mit ihrem Psychothriller »Lauf, Jane, lauf« gelang ihr international der große Durchbruch, seither waren alle ihre Bücher Bestseller. Joy Fielding lebt mit ihrem Mann und zwei Töchtern in Toronto, Kanada und in Palm Beach, Florida. Weitere Informationen unter www.joy-fielding.de.

Außerdem von Joy Fielding bei Goldmann lieferbar:

Lauf, Jane, lauf! (41333) · Schau dich nicht um (43087)
Lebenslang ist nicht genug (42869) · Ein mörderischer Sommer (42870)
Flieh wenn du kannst (43262) · Am seidenen Faden (44370)
Zähl nicht die Stunden (45405) · Nur wenn du mich liebst (45642)
Bevor der Abend kommt (45734)
Schlaf nicht, wenn es dunkel wird (46173)
Tanz, Püppchen, tanz (46536) · Träume süß, mein Mädchen (46659)
Nur der Tod kann dich retten (46810) · Sag Mami Goodbye (47197)
Die Katze (46784) · Im Koma (47349)
Herzstoß (geb. Ausgabe 31206)

Joy Fielding
Das Verhängnis

Roman

Deutsch
von Kristian Lutze

GOLDMANN

Die amerikanische Originalausgabe
erschien 2010 unter dem Titel »The Wild Zone«
bei Atria Books, New York.

Verlagsgruppe Random House FSC-DEU-0100
Das FSC®-zertifizierte Papier *München Super* für dieses Buch
liefert Arctic Paper Mochenwangen GmbH.

5. Auflage
Taschenbuchausgabe März 2012
Copyright © der Originalausgabe 2010 by Joy Fielding, Inc.
Copyright © dieser Ausgabe 2010
by Wilhelm Goldmann Verlag, München,
in der Verlagsgruppe Random House GmbH
Umschlaggestaltung: UNO Werbeagentur, München
Umschlagmotiv: © Getty Images / Emmanuelle Brisson
AG · Herstellung: Str.
Druck und Bindung: GGP Media GmbH, Pößneck
Printed in Germany
ISBN 978-3-442-47350-2

www.goldmann-verlag.de

KAPITEL 1

So fängt es an.

Mit einem Witz.

»Also, kommt ein Mann in eine Bar«, begann Jeff und gluckste schon. »Er sieht einen anderen Mann, der griesgrämig an der Theke sitzt und an seinem Drink nippt. Vor ihm stehen eine Flasche Whiskey und ein winziges Klavier, auf dem ein ebenso winziger Mann spielt. ›Was ist los?‹, fragt der erste Mann. ›Trinken Sie einen mit‹, lädt ihn der zweite ein. Der erste Mann nimmt die Flasche und will sich gerade einen Schluck eingießen, als mit einer großen Rauchwolke ein Flaschengeist aus der Flasche aufsteigt. ›Wünsch dir was‹, weist der Flaschengeist den Mann an. ›Du sollst bekommen, was immer du begehrst.‹ ›Das ist leicht‹, sagt der Mann. ›Ich will zehn Millionen in kleinen Scheinen.‹ Der Flaschengeist nickt und verschwindet in einer weiteren Rauchwolke. Im nächsten Moment liegen zehn gegrillte Ferkel mit jeweils einer Melone im Maul vor dem Mann. ›Was zum Teufel soll das?‹, fragt der Mann wütend. ›Bist du taub? Ich hab gesagt zehn *Millionen* in kleinen *Scheinen*. Nicht zehn *Melonen* in kleinen *Schweinen*.‹ Beschwörend sieht er den Mann neben sich an. Der zuckt mit den Achseln und weist mit dem Kopf auf den kleinen Klavierspieler auf dem Tresen. ›Was? Glauben Sie, ich hätte mir einen dreißig Zentimeter langen Pianisten gewünscht?‹«

Nach kurzer Pause folgte eine laute Lachsalve, und die Art, wie sie lachten, war jeweils durchaus typisch für die drei Männer, die an der Theke der vollen Bar standen. Jeff, mit 32 der Älteste der drei, lachte am lautesten. Sein Lachen war wie er selbst – beinahe zu groß für den kleinen Raum; es übertönte die Rockmusik, die aus einer altmodischen Musikbox neben der Eingangstür dröhnte, hing über dem langen, glänzenden, schwarzen Marmortresen und drohte zarte Gläser umzuschmeißen und den Spiegel hinter den aufgereihten Flaschen zu zersplittern. Sein Freund Tom lachte beinahe genauso laut, auch wenn seinem Lachen Jeffs Resonanz und Leichtigkeit fehlte, was er durch längere Dauer und Tremolo in der Stimme wettzumachen suchte. »Der ist gut«, japste Tom immer noch schnaufend und glucksend. »Der ist echt gut.«

Das Lachen des dritten Mannes war zurückhaltender, aber genauso ehrlich. Ein bewunderndes Lächeln spannte seinen von Natur aus beinahe mädchenhaften Schmollmund bis zu seinen großen braunen Augen. Will hatte den Witz schon einmal gehört, vor fünf Jahren, um genau zu sein, als er noch ein nervöser Studienanfänger in Princeton gewesen war, doch das würde er Jeff gegenüber nie erwähnen. Außerdem hatte Jeff den Witz besser erzählt. Sein Bruder konnte fast alles besser als die meisten Leute, dachte Will und machte Kristin ein Zeichen, ihnen noch eine Runde zu bringen. Kristin warf lächelnd ihr langes, glattes, blondes Haar von einer Schulter auf die andere, wie es die sonnenverwöhnten Frauen von South Beach offensichtlich zu tun pflegten. Will sinnierte darüber, ob das eine spezielle Marotte in Miami oder in südlichen Klimazonen generell üblich war. Er konnte sich jedenfalls nicht daran erinnern, dass die jungen Frauen in New Jersey so oft und nachdrücklich ihr Haar geschüttelt hatten. Andererseits war er vielleicht auch nur zu beschäftigt oder zu schüchtern gewesen, um es zu bemerken.

Will beobachtete, wie Kristin drei große Gläser vollzapfte und sie routiniert über die Theke schob, wobei sie sich gerade weit genug vorbeugte, um den anderen Männern an der Bar einen kurzen Blick in den Ausschnitt ihrer Leopardenmuster-Bluse zu gönnen. Wenn man ein bisschen Fleisch zeigte, kriegte man mehr Trinkgeld, hatte sie ihm neulich anvertraut und behauptet, auf die Weise an manchen Abenden bis zu dreihundert Dollar zu verdienen. Nicht schlecht für einen kleinen Laden wie das Wild Zone, in dem höchstens vierzig Gäste bequem sitzen und vielleicht weitere dreißig an der immer belebten Bar stehen konnten.

YOU ARE IN THE WILD ZONE verkündete eine provokativ blinkende orangefarbene Neonschrift über dem Spiegel hinter dem Tresen. ENTER AT YOUR OWN RISK.

Ein entsprechendes Schild hatte der Besitzer des Lokals auch neben irgendeinem Highway in Florida gesehen und entschieden, dass Wild Zone der perfekte Name für die Nobelbar war, die er am Ocean Drive eröffnen wollte. Sein Instinkt hatte sich als richtig erwiesen. Im Oktober hatte das Wild Zone seine schweren Stahltüren geöffnet, gerade rechtzeitig für Miamis geschäftige Wintersaison, und acht Monate später brummte der Laden trotz drückender Hitze und der Abreise der meisten Touristen immer noch. Will liebte den Namen und seine Andeutung von Gefahr und Verantwortungslosigkeit. Und er musste bloß an dieser Theke stehen, um sich ein wenig verwegen zu fühlen. Er lächelte seinen Bruder an und dankte ihm stumm dafür, dass er ihn mitgenommen hatte.

Wenn Jeff das Lächeln seines Bruders bemerkte, zeigte er es nicht. Stattdessen griff er hinter ihn und nahm sein frisches Bier. »Und was würdet ihr Pappnasen euch wünschen, wenn ein Flaschengeist euch die Erfüllung eines Wunsches garantieren würde? Und es darf nicht irgendein Kitsch sein wie der

Weltfrieden oder das Ende des Hungers«, fügte er hinzu. »Es muss etwas Persönliches sein. Etwas Egoistisches.«

»Zum Beispiel ein dreißig Zentimeter langer Penis«, sagte Tom lauter als nötig, fand Will. Etliche Männer, die in der Nähe standen, wandten den Kopf in ihre Richtung, auch wenn sie so taten, als würden sie nicht lauschen.

»Den hab ich schon«, sagte Jeff, kippte sein halbes Bier in einem langen Schluck herunter und lächelte einer Rothaarigen zu, die am anderen Ende des Tresens stand.

»Das stimmt«, bestätigte Tom lachend. »Ich hab ihn unter der Dusche gesehen.«

»Aber vielleicht wünsche ich ein paar Zentimeter mehr für dich«, sagte Jeff, und Tom lachte wieder, wenngleich nicht ganz so laut. »Und was ist mit dir, kleiner Bruder? Brauchst du magische Unterstützung?«

»Ich komm ganz gut so zurecht, danke.« Trotz der eiskalten Lüftung begann Will unter seinem blauen Button-down-Hemd zu schwitzen und konzentrierte sich auf den großen grünen Neon-Alligator an der gegenüberliegenden Backsteinwand, um nicht rot zu werden.

»Oh, ich bring dich doch nicht etwa in Verlegenheit«, neckte Jeff. »Scheiße, Mann. Der Kleine hat einen Doktor in Philosophie aus Harvard und wird rot wie ein kleines Mädchen.«

»Princeton«, verbesserte Will ihn. »Und ich habe meine Doktorarbeit noch nicht abgeschlossen.« Er spürte, wie die Röte von seinen Wangen bis zu seiner Stirn stieg, und war froh, dass der Raum nur schwach beleuchtet war. Ich müsste längst mit dieser verdammten Dissertation fertig sein, dachte er.

»Lass gut sein, Jeff«, ermahnte Kristin ihn von der anderen Seite der Theke. »Achte gar nicht auf ihn, Will. Er ist einfach mal wieder ein Arschloch wie üblich.«

»Willst du mir erzählen, dass es nicht auf die Größe ankommt?«, fragte Jeff.

»Ich sage nur, dass Penisse total überbewertet sind«, antwortete Kristin.

Eine Frau in der Nähe lachte. »Das kann man wohl sagen«, murmelte sie in ihr Glas.

»Na, du musst es ja wissen«, sagte Jeff zu Kristin. »Hey, Will, hab ich dir schon von dem Dreier mit Kristin und einer Freundin erzählt?«

Will wandte den Blick ab, ließ ihn über die dunklen Bodendielen und die Wand gegenüber gleiten, ohne irgendwo zu verharren, bis er schließlich am Foto eines Löwen hängen blieb, der eine Gazelle riss. Das ganze Prahlen und Feixen über Sex, in dem Jeff und seine Freunde sich offenbar gegenseitig zu übertreffen suchten, war ihm schon immer unbehaglich gewesen, aber er entschied, dass er sich nicht so anstellen durfte. War er nicht nach South Beach gekommen, um dem Stress des akademischen Lebens zu entfliehen, hinaus ins wirkliche Leben zu kommen und die Beziehung zu seinem älteren Bruder, den er jahrelang nicht gesehen hatte, wieder aufzufrischen? »Glaube nicht, dass du das erwähnt hast«, sagte er, stieß ein gepresstes Lachen hervor und wünschte, er wäre nicht so erregt, wie er es war.

»Sie war ein Superschuss, was, Krissie?«, fragte Jeff. »Wie hieß sie noch? Erinnerst du dich?«

»Heather, glaube ich«, antwortete Kristin leichthin, die Hände an den Seiten ihres kurzen, engen, schwarzen Rocks. Wenn es ihr peinlich war, ließ sie es sich nicht anmerken. »Noch ein Bier?«

»Ich nehme, was immer du uns auftischen willst.«

Kristin lächelte, ein wissendes, angedeutetes Grinsen, das ihre Mundwinkel umspielte, und warf ihr Haar von der rechten auf die linke Schulter. »Eine Runde Miller kommt sofort.«

»Braves Mädchen.« Wieder erfüllte Jeffs kräftiges Lachen den Raum.

Eine junge Frau drängte sich zwischen den Gästen an die Theke. Sie war Ende zwanzig, mittelgroß, ein wenig zu dünn mit schulterlangem dunklem Haar, das ihr ins Gesicht fiel, sodass man ihre Züge nur schwer erkennen konnte. Sie trug eine schwarze Hose und eine teuer aussehende, weiße Bluse. Wahrscheinlich Seide, dachte Will. »Ich hätte gern einen Granatapfel-Martini, bitte.«

»Kommt sofort«, sagte Kristin.

»Lassen Sie sich Zeit.« Die Frau strich eine Haarsträhne hinter ihr linkes Ohr, sodass man einen zierlichen Perlenohrring und ihr hübsches Profil sehen konnte. »Ich setze mich dort drüben hin.« Sie zeigte auf einen leeren Tisch in der Ecke unter einem Aquarell von einer galoppierenden Elefantenherde.

»Was zum Henker ist ein Granatapfel-Martini?«, fragte Tom.

»Klingt widerlich«, meinte Jeff.

»Schmeckt aber ziemlich gut.« Kristin räumte Jeffs leeres Bierglas ab und stellte ihm ein volles hin.

»Ach wirklich? Okay, dann probieren wir einen.« Jeff deutete an, dass die Bestellung auch Tom und Will mit einschloss. »Zehn Dollar für denjenigen, der seinen Granatapfel-Martini als Erster leer hat. Würgen verboten.«

»Abgemacht«, stimmte Tom eilfertig zu.

»Du bist verrückt.«

Als Antwort knallte Jeff einen Zehn-Dollar-Schein auf den Tresen, neben dem kurz darauf ein zweiter von Tom lag. Die beiden sahen Will erwartungsvoll an.

»Na gut«, sagte er, griff in die Tasche seiner grauen Hose und zog zwei Fünfer heraus.

Kristin beobachtete sie aus den Augenwinkeln, während sie der Frau, die an einem kleinen Tisch in der gegenüberliegenden Ecke Platz genommen hatte, den Granatapfel-Martini brachte. Von den drei Männern sah der wie immer ganz in Schwarz gekleidete Jeff mit seinen fein geschnittenen Zügen und seinem welligen, blonden Haar mit Abstand am besten aus. Kristin vermutete, dass er sich die Haare tönte, würde ihn jedoch nie danach fragen. Jeff war ziemlich jähzornig, und man wusste nie, was seine Wutausbrüche provozierte. Im Gegensatz zu Tom, dachte sie und ließ den Blick zu dem dünnen, dunkelhaarigen Mann in Jeans und kariertem Hemd wandern, der direkt rechts neben Jeff stand. Ihn provozierte alles. 1,85 Meter kaum kontrollierte Wut, dachte sie und fragte sich, wie Toms Frau das aushielt. »Seit Afghanistan ist er so«, hatte sie ihr erst in der vergangenen Woche anvertraut, als Jeff die Gäste an der Bar mit der Geschichte unterhielt, wie Tom, erzürnt über eine Schiedsrichterentscheidung, eine Pistole aus dem Hosenbund seiner Jeans gezogen und auf seinen brandneuen Plasmafernseher geschossen hatte, der noch nicht einmal ganz abbezahlt war. »Seit er zurück ist...«, hatte sie ihr in all dem Gelächter zugeraunt, das die Geschichte begleitet hatte, und den Gedanken unvollendet gelassen. Dass Tom seit fast fünf Jahren wieder zu Hause war, spielte offenbar keine Rolle.

Jeff und Tom waren seit der Highschool beste Freunde, die beiden Männer hatten sich gemeinsam bei der Armee gemeldet und mehrere Einsätze in Afghanistan absolviert. Jeff war als Held heimgekehrt, Tom in Schande, unehrenhaft entlassen, weil er ohne Grund einen unschuldigen Zivilisten angegriffen hatte. Das war eigentlich alles, was sie über die Zeit der beiden dort wusste. Weder Jeff noch Tom mochten darüber reden.

Sie stellte den pinkfarbenen Martini auf dem runden Holztisch vor der dunkelhaarigen jungen Frau ab und betrachtete beiläufig ihre makellose, wenngleich blasse Haut. War das ein Bluterguss an ihrem Kinn?

Die Frau gab ihr einen zerknüllten Zwanzig-Dollar-Schein. »Stimmt so«, sagte sie leise und wandte sich ab, bevor Kristin sich bedanken konnte.

Sie steckte das Geld hastig ein und ging zurück hinter die Bar. Die Knöchelriemen ihrer hochhackigen silbernen Sandaletten scheuerten auf ihrer nackten Haut. Die Männer wetteten mittlerweile, wer am längsten eine Erdnuss auf der Nase balancieren konnte. Das sollte Tom locker gewinnen, dachte sie. Seine Nase hatte an der Spitze eine natürliche Furche, die den beiden anderen fehlte. Jeffs Nase war schmal und gerade, so attraktiv gemeißelt wie der Rest von ihm, während Wills Nase breiter und ein wenig schief war, was den Eindruck verletzter Empfindlichkeit noch unterstrich. Sie fragte sich, woher diese Verletztheit rührte, und entschied, dass er wahrscheinlich nach seiner Mutter kam.

Jeff hingegen war seinem Vater wie aus dem Gesicht geschnitten. Das wusste sie, weil sie auf ein Foto der beiden gestoßen war, als sie kurz nach ihrem Einzug vor etwa einem Jahr eine Schublade im Schlafzimmer aufgeräumt hatte. »Wer ist das?«, hatte sie gefragt, als sie Jeff kommen hörte, und auf das Bild eines Mannes mit zerfurchtem Gesicht, welligem Haar und einem großspurigen Grinsen gezeigt, dessen Unterarm schwer auf den Schultern eines ernst aussehenden kleinen Jungen lag.

Jeff hatte ihr das Foto aus der Hand gerissen und in die Schublade zurückgelegt. »Was machst du da?«

»Ich versuche bloß ein wenig Platz für meine Sachen zu schaffen«, hatte sie gesagt und den warnenden Unterton seiner Stimme überhört. »Ist das dein Vater?«

»Ja.«

»Dachte ich mir. Du siehst genauso aus wie er.«

»Das hat meine Mutter auch immer gesagt.« Damit hatte er die Schublade polternd zugeschoben und war aus dem Zimmer gegangen.

»Ha, ha – gewonnen«, rief Tom jetzt und reckte triumphierend die Faust, als die Erdnuss, die Jeff auf der Nase balanciert hatte, an seinem Mund vorbei über sein Kinn kullerte und zu Boden fiel.

»Hey, Kristin«, sagte Jeff, und sein leicht gereizter Ton verriet, wie sehr er es hasste zu verlieren, selbst eine unbedeutende Wette wie diese. »Was ist eigentlich mit diesen Granaten-Martinis?«

»Granatapfel«, verbesserte Will ihn und wünschte sich sofort, er hätte es nicht getan. Wut blitzte in Jeffs Augen auf.

»Was zum Henker ist eigentlich ein Granatapfel?«, fragte Tom.

»Es ist eine rote Frucht mit harter Schale, tonnenweise Kernen und jeder Menge Antioxidantien«, antwortete Kristin. »Angeblich sehr gesund.« Sie stellte den ersten pinkfarbenen Martini vor ihnen ab.

Jeff hielt sich das Glas unter die Nase und schnupperte argwöhnisch daran.

»Was sind Antioxidantien?«, fragte Tom Will.

»Warum fragst du ihn?«, fauchte Jeff. »Er ist Philosoph und kein Naturwissenschaftler.«

»Lasst es euch schmecken«, sagte Kristin, als sie die beiden anderen Martinis auf den Tresen stellte.

Jeff hob sein Glas und wartete, bis Tom und Will es ihm nachtaten. »Auf den Gewinner«, sagte er. Alle drei Männer legten den Kopf in den Nacken und schluckten das Getränk, als würden sie nach Luft schnappen.

»Fertig«, johlte Jeff kurz darauf und stellte das Glas triumphierend wieder auf die Bar.

»Mein Gott, das Zeug ist ja grauenhaft«, sagte Tom eine halbe Sekunde später und verzog das Gesicht. »Wie können Leute solchen Mist trinken?«

»Was meinst du, kleiner Bruder?«, fragte Jeff, als Will sein Glas geleert hatte.

»Nicht übel«, sagte Will. Er mochte es, wenn Jeff ihn seinen kleinen Bruder nannte, obwohl sie streng genommen nur Halbbrüder waren. Derselbe Vater, verschiedene Mütter.

»Aber auch nicht gut«, sagte Jeff und zwinkerte niemandem Bestimmtem zu.

»*Ihr* scheint es zu schmecken.« Tom wies mit dem Kopf auf die Dunkelhaarige in der Ecke.

»Da fragt man sich doch, was ihr sonst noch so schmeckt«, sagte Jeff.

Will ertappte sich dabei, die traurigen Augen der Frau zu betrachten. Er erkannte selbst aus der Entfernung und in diesem Licht, dass sie traurig waren, an der Art, wie sie ihren Kopf an die Wand lehnte und ziellos ins Leere starrte. Er merkte, dass sie hübscher war, als er es auf den ersten Blick vermutet hatte. Nicht umwerfend schön wie Kristin mit ihren smaragdgrünen Augen, den hohen Wangenknochen eines Fotomodells und ihrem sinnlichen Körper. Nein, das Aussehen dieser Frau tendierte eher zum Gewöhnlichen. Hübsch, gewiss, aber ohne groß die Blicke auf sich zu ziehen. Ihre Augen waren das Einzige, was an ihr wirklich hervorstach: groß, dunkel und wahrscheinlich tiefseeblau. Sie sah aus, als hätte sie tiefschürfende Gedanken, dachte Will. Er beobachtete, wie ein Mann sie ansprach, und war unvermutet erleichtert, als er sah, dass sie den Kopf schüttelte und ihn abwies. »Was glaubt ihr, was das für eine Frau ist?«, hörte er sich laut fragen.

»Vielleicht die sitzen gelassene Geliebte eines britischen Prinzen«, spekulierte Jeff und trank den Rest seines Bieres. »Oder eine russische Agentin.«

Tom lachte. »Vielleicht ist sie auch nur eine gelangweilte Hausfrau, die ein bisschen Abwechslung sucht. Warum? Interesse?«

Will fragte sich, ob es das war. Er hatte schon seit ziemlich langer Zeit gar keine Freundin mehr gehabt. Seit Amy, dachte er und schauderte bei dem Gedanken daran, wie es geendet hatte. »Bloß neugierig«, hörte er sich sagen.

»Hey, Kristin«, rief Jeff, legte die Ellbogen auf die Theke und winkte Kristin heran. »Was kannst du mir über die Granatapfel-Lady erzählen?« Mit seinem kantigen Kinn wies er auf den Tisch in der Ecke.

»Nicht viel. Ich hab sie vor ein paar Tagen zum ersten Mal gesehen. Sie kommt rein, setzt sich in die Ecke, bestellt einen Granatapfel-Martini und gibt großzügig Trinkgeld.«

»Ist sie immer allein?«

»Ich hab sie noch nie mit jemandem zusammen gesehen. Warum?«

Jeff zuckte verspielt die Achseln. »Ich dachte, wir drei könnten uns vielleicht besser kennenlernen. Was meinst du?«

Will hielt unwillkürlich den Atem an.

»Sorry«, hörte er Kristin antworten, und erst dann konnte er den komprimierten Klumpen Luft in seinen Lungen wieder herauslassen. »Sie ist nicht direkt mein Typ. Aber, hey, lass dich nicht aufhalten.«

Jeff entblößte lächelnd seine makellosen, weißen Zähne, denen nicht einmal der afghanische Staub ihren Glanz hatte rauben können. »Ist es ein Wunder, dass ich dieses Mädchen liebe?«, fragte er seine Trinkkumpane, die beide staunend nickten, wobei Tom sich wünschte, dass Lainey in dieser Hinsicht mehr wie Kristin sein könnte, während Will nicht zum ersten Mal seit seiner Ankunft vor zehn Tagen darüber grübelte, was in Kristins Kopf eigentlich vor sich ging.

Von seinem eigenen ganz zu schweigen.

Vielleicht war Kristin einfach vorzeitig altersweise und nahm Jeff so, wie er war, ohne ihn umkrempeln zu wollen oder so zu tun, als wäre er anders.

»Ich hab eine Idee«, sagte Jeff. »Wir wetten.«

»Worauf?«

»Darauf, wer Miss Granatapfel als Erster flachlegt.«

»Was?« Toms Wiehern ließ den Raum beben.

»Was redest du da?«, fragte Will ungehalten.

»Einhundert Dollar«, sagte Jeff und legte zwei Fünfziger auf den Tresen.

»Was redest du da?«, fragte Will noch einmal.

»Ist doch ganz einfach. In der Ecke sitzt eine attraktive Frau ganz allein für sich und wartet nur darauf, von einem charmanten Prinzen angebaggert zu werden.«

»Wenn das kein Widerspruch in sich ist«, meinte Kristin.

»Vielleicht will sie einfach in Ruhe gelassen werden«, wandte Will ein.

»Welche Frau kommt in einen Laden wie das Wild Zone in der Hoffnung, dort in Ruhe gelassen zu werden?«

Eine durchaus vernünftige Frage, musste Will zugeben.

»Also gehen wir rüber, flirten mit ihr und gucken, wen von uns sie mit nach Hause nimmt. Einhundert Dollar darauf, dass ich es bin.«

»Abgemacht.« Tom kramte in seiner Hosentasche und fischte schließlich zwei Zwanziger und ein Bündel Ein-Dollar-Scheine heraus. »Für den Rest stehe ich auch gerade«, sagte er einfältig.

»Apropos nach Hause«, unterbrach Kristin sie und sah Tom

direkt an, »solltest du dich nicht langsam auf den Weg machen? Du willst doch nicht, dass es so endet wie letztes Mal.«

In Wahrheit war Kristin diejenige, die nicht wollte, dass es so endete wie beim letzten Mal. Wenn sie wütend war, war Lainey ebenso eine Naturgewalt wie ihr Mann und auch keineswegs zu stolz, die halbe Stadt zu wecken, um den Aufenthaltsort ihres streunenden Gatten in Erfahrung zu bringen.

»Heute Abend muss sich Lainey keine Sorgen machen«, erklärte Jeff selbstbewusst. »Miss Granatapfel wird sich kaum für seinen knochigen Arsch interessieren. Und bist du dabei?«, fragte er Will.

»Ich glaube nicht.«

»Ach, komm schon. Sei kein Spielverderber. Was ist los? Hast du Angst zu verlieren?«

Will sah sich noch einmal zu der Frau um, die nach wie vor ins Leere starrte. Ihr Glas war inzwischen leer. Warum hatte er seinem Bruder nicht einfach gesagt, dass er Interesse hatte? Und *hatte* er das? Oder hatte Jeff womöglich recht, und er hatte nur Angst zu verlieren. »Nimmst du auch Kreditkarte?«

Jeff schlug ihm lachend auf die Schulter. »Gesprochen wie ein wahrer Rydell. Daddy wäre stolz auf dich.«

»Und wie genau wollen wir es anfangen?«, fragte Tom, genervt von all der neuen brüderlichen Kameradschaft. In den zwei Jahrzehnten, die seine Freundschaft mit Jeff jetzt dauerte, war Will nichts weiter als ein Stachel im Fleisch seines Bruders gewesen. Er war nicht mal sein richtiger Bruder, nur ein Halbbruder, ebenso unerwünscht wie ungeliebt. Jeff hatte nichts mit ihm zu tun, er hatte seit Jahren nicht mehr mit ihm oder auch nur über ihn gesprochen. Und dann stand Will vor zehn Tagen plötzlich wie aus heiterem Himmel vor der Tür, und auf einmal hieß es »kleiner Bruder« hier und »kleiner Bruder« da, dass man am liebsten kotzen würde. Tom grinste Will breit an und wünschte, »kleiner Bruder« würde seine Taschen packen und sich wieder nach Princeton verziehen. »Ich meine, wir wollen schließlich nicht den Eindruck erwecken, sie zu überfallen.«

»Wer redet denn von überfallen? Wir gehen einfach rüber, bedanken uns, dass sie uns mit den Freuden von Antioxidantien mit Wodka-Geschmack vertraut gemacht hat, und laden sie zu einem weiteren Drink ein.«

»Ich habe eine bessere Idee«, schaltete Kristin sich ein. »Ich könnte zu ihr gehen, ein bisschen mit ihr plaudern und versuchen herauszukriegen, ob sie Interesse hat.«

»Zumindest ihren Namen könntest du herausfinden«, sagte Will und überlegte, wie er sich aus der Situation herauswinden konnte, ohne sich zum Idioten zu machen oder seinen Bruder zu verärgern.

»Um wie viel wollen wir wetten, dass ihr Name mit einem J anfängt?«, fragte Tom.

»Ich setze fünf Dollar dagegen.«

»Mit J fangen mehr Namen an als mit jedem anderen Buchstaben.«

»Trotzdem gibt es noch fünfundzwanzig andere im Alphabet«, sagte Will. »Ich halte es mit Jeff.«

»Logisch«, sagte Tom knapp.

»Okay, Jungs, ich geh jetzt rüber«, verkündete Kristin und kam auf die andere Seite der Theke. »Soll ich der Lady irgendwas Bestimmtes ausrichten?«

»Vielleicht sollten wir sie lieber nicht belästigen«, sagte Will. »Sie sieht aus, als würde ihr viel im Kopf herumgehen.«

»Sag ihr, ich hätte was, worüber sie nachdenken kann«, sagte Jeff und gab Kristin einen verspielten Klaps. Alle drei Männer folgten ihrem übertriebenen Hüftschwung mit den Augen, als sie zwischen den Tischen bis zum anderen Ende des Raumes schlenderte.

Will beobachtete, wie Kristin das leere Glas vom Tisch der Frau abräumte und dabei so leicht ins Gespräch mit ihr kam, als wären die beiden Frauen schon ein Leben lang Freundinnen. Er sah, dass sich Miss Granatapfel plötzlich in ihre Richtung drehte, den Kopf provokativ zur Seite geneigt, und sich ein Lächeln über ihr Gesicht breitete, während Kristin weitersprach. »Siehst du die drei Typen am Ende der Bar?«, stellte er sich vor, würde Kristin sagen. »Den gut aussehenden in Schwarz, den wütend aussehenden neben ihm und den sensibel aussehenden in dem blauen Button-down-Hemd? Such dir einen aus. Irgendeinen. Er gehört dir.«

»Sie kommt zurück«, sagte Jeff, als Kristin wenig später den Tisch der Frau verließ und den langsamen Rückweg zum Tresen antrat, wo ihr die drei Männer im selben Moment die Köpfe entgegenreckten.

»Sie heißt Suzy«, verkündete sie, ohne stehen zu bleiben.

»Damit schuldest du mir noch fünf Dollar mehr«, erklärte Jeff Tom.

»Das ist alles?«, fragte Tom Kristin. »In der ganzen Zeit, die du an ihrem Tisch warst, hast du nicht mehr rausgekriegt?«

»Sie ist vor ein paar Monaten von Fort Myers hierhergezogen.« Kristin kehrte auf ihre Seite der Theke zurück. »Ach ja. Das hätte ich fast vergessen«, fuhr sie fort und wandte sich mit einem breiten Lächeln an Will. »Sie hat dich ausgewählt.«

KAPITEL 2

»Was?« Will war sich sicher, dass er sie falsch verstanden hatte. Kristin sah ihn auch gar nicht richtig an. Ihr Lächeln galt offensichtlich Jeff. Es musste sich eindeutig um einen Fall von Wunschdenken handeln.

»Das ist ein Scherz, oder?«, fragte Jeff ebenso ungläubig.

Tom kicherte. »Sieht so aus, als wäre dein ›kleiner Bruder‹ der große Gewinner des Abends.«

»Bist du sicher, dass sie Will ausgewählt hat?«, fragte Jeff, als müsste er es noch einmal hören, um es zu glauben.

Kristin zuckte die Achseln. »Offenbar hatte sie schon immer eine Schwäche für Männer mit Button-down-Hemden.«

Tom lachte und genoss die unerwartete Wendung des Abends. Er hasste es genauso zu verlieren wie Jeff. Vor allem gegen einen blasierten Blödmann wie Will. »Der Auserwählte«, wie Jeff ihn immer genannt hatte. Das war er jetzt verdammt noch mal wirklich.

»Was gibt's da zu lachen?«, fauchte Jeff. »Du hast gerade hundert Dollar verloren, du Schwachkopf.«

»Du auch. Außerdem schmerzt es dein Ego mehr als dein Portemonnaie.« Tom lachte wieder. »Keine Sorge. Das passiert uns allen mal.« Es würde Jeff guttun, einmal zu spüren, wie sich die Zurückweisung anfühlte, die er fast sein ganzes Leben lang ertragen musste, dachte Tom. Ein bisschen Demut hatte noch keinem geschadet.

Jeff sagte nichts, aber sein finsterer Blick war beredt genug.

»Außerdem«, fuhr Tom fort und trank sein Bier aus, »haben wir noch keinen Cent verloren, bis er die Braut nicht klargemacht hat.«

Jeffs Schultern entspannten sich sofort wieder, als hätte er die Zurückweisung wie ein ungeliebtes Jackett abgeschüttelt. Sein Lächeln kehrte zurück. »Das stimmt, kleiner Bruder«, sagte er und klopfte Will vielleicht ein wenig zu heftig auf die Schulter. »Der Abend ist noch jung. Es bleibt noch viel zu tun. Deine Prüfung fängt gerade erst an.«

Wills Mund wurde trocken, seine Handflächen wurden feucht. Er hatte Prüfungen schon immer gehasst. Und diesmal war es kein verknöcherter alter Professor, der ihn beurteilen sollte, sondern sein geliebter älterer Bruder. Ein Bruder, den zu beeindrucken er sich jahrelang – vergeblich – bemüht hatte. »Was soll ich tun?«, flüsterte er, unsicher, ob er bei dieser speziellen Prüfung besser bestehen oder durchfallen sollte.

»Da kann ich dir auch nicht helfen, kleiner Bruder. Da musst du schon allein durch.«

»Du könnest sie vor unseren Augen auf dem Tisch durchbumsen«, schlug Tom grinsend vor.

»Warum bringst du ihr nicht diesen Drink«, sagte Kristin und hielt ihm einen frisch gemixten Granatapfel-Martini hin.

Will nahm ihr das Glas aus der Hand und schaffte es nur mit schierer Willenskraft, nichts zu verschütten. Es war schon schlimm genug, dass Jeff und Tom garantiert jede seiner Bewegungen beobachteten. Er wollte ihnen auf keinen Fall die Befriedigung gönnen, seine Hände zittern zu sehen. Er atmete tief ein, setzte ein gezwungenes Lächeln auf, drehte sich auf dem Absatz um und setzte einen Fuß vor den anderen wie ein Kleinkind, das laufen lernt.

»Sei nett zu ihr«, rief Tom ihm nach.

Was war nur mit ihm los, fragte Will sich. Er spürte alle Blicke auf sich gerichtet, als er den Raum durchquerte. Schließlich machte er so etwas nicht zum ersten Mal. Er war schon mit vielen Mädchen ausgegangen und beileibe keine Jungfrau mehr, obwohl es alles in allem doch nicht so viele Mädchen gewesen waren, wie er sich eingestehen musste. Und seit Amy gar keine mehr. Verdammt, warum musste er gerade jetzt an sie denken. Er wollte den Gedanken mit aller Macht vertreiben und stieß dabei unwillkürlich die rechte Hand vor, sodass pinkfarbene Flüssigkeit auf seine Finger tropfte.

Suzy beobachtete seinen Anmarsch von ihrem Stuhl hinter dem Tisch. Ihre Augen funkelten verspielt, als er näher kam. Will war immer noch überzeugt, dass ein Irrtum vorliegen musste. Sie hatte bestimmt gemeint, dass Kristin Jeff rüberschicken sollte. »Was willst du denn hier?«, konnte er sie förmlich fragen hören.

»Lächeln, Kleiner«, sagte sie stattdessen. »Nimm dir einen Stuhl.«

Will zögerte, wenn auch nur kurz, ehe er tat, was sie gesagt hatte. Er zog sich den nächstbesten Stuhl heran, ließ sich wie ein Idiot grinsend darauf sinken, stellte den Drink auf den Tisch und schob ihn zu ihr rüber. »Für dich.«

»Vielen Dank. Trinkst du nichts?«

Will merkte, dass er sein Bier an der Bar vergessen hatte. Auf keinen Fall würde er zurückgehen und es holen. »Ich bin Will Rydell«, sagte er. Nicht gerade genial, das wusste er selber. Jeff wäre bestimmt etwas Provokanteres eingefallen. Verdammt, wahrscheinlich hätte sogar Tom etwas Forscheres hingekriegt, als nur seinen Namen zu nennen.

»Suzy Bigelow.« Sie beugte sich vor, als hätte sie etwas Wichtiges mitzuteilen, also tat er es ihr nach. »Sollen wir gleich zur Sache kommen?«

»Okay«, sagte Will und dachte: Welche Sache? Wovon redete sie? Er hatte das Gefühl, in einen Film geraten zu sein, der schon seit zehn Minuten lief.

»Was ist der Einsatz?«, fragte sie.

»Was?«

»Soweit ich weiß, habt ihr Typen eine Wette laufen«, sagte sie und riss ihre leuchtenden blauen Augen auf, damit er bestätigte, was sie offensichtlich schon wusste.

»Was genau hat Kristin dir erzählt?«

»Die Kellnerin? Nicht viel.«

»Genau genommen ist sie Barkeeperin.« Will biss sich auf die Zunge. Musste er sich gleich als Besserwisser aufspielen? Wenn er nicht aufpasste, würde er alles vermasseln. »Was hat sie denn gesagt?«

»Dass ihr drei irgendeine Wette laufen habt und ich dich glücklich machen könnte, wenn ich dich auswähle.«

Will spürte ein flaues Gefühl im Magen, und der Mut verließ ihn. Erklärte sie ihm, dass Kristin das Ganze nur inszeniert hatte und er eigentlich gar nichts gewonnen hatte?

»Wie viel kriegst du, wenn wir zwei hier zusammen rausgehen?«

»Zweihundert Dollar«, gab Will kleinlaut zu.

Sie schien beeindruckt. »Wow. Nicht übel.«

»Es tut mir leid. Wir wollten dich nicht beleidigen.«

»Wer sagt denn, dass ich beleidigt bin? Das ist eine Menge Geld.«

»Wenn du möchtest, kann ich wieder gehen.«

»Wenn ich wollte, dass du gehst, hätte ich dich gar nicht erst gebeten zu kommen.«

Nun war Will verwirrter denn je. Was hatte es nur mit den Frauen auf sich? Waren sie genetisch bedingt außerstande, ein geradliniges Gespräch zu führen?

»Eins möchte ich gleich von vorneherein klarstellen«, fuhr sie fort. »Ich werde nicht mit dir schlafen, falls du das denkst. Das kannst du also gleich vergessen.«

»Schon passiert«, sagte er und spürte einen unerwarteten Stich der Enttäuschung.

»Aber ich bleibe gern noch auf einen Drink mit dir hier sitzen. Dann verlassen wir gemeinsam das Lokal, machen vielleicht noch einen Strandspaziergang und gehen dann unserer getrennten Wege. Wie hört sich das an?«

»Klingt fair«, sagte Will und dachte: Klingt beschissen. Aber was soll's, vielleicht konnte er sie noch umstimmen.

»Und ich werde meine Meinung auch bestimmt nicht ändern«, sagte sie, als hätte sie seinen Gedanken gelesen. »Aber deinen Kumpeln kannst du erzählen, was du willst.«

»Ein Gentleman genießt und schweigt. Oder er genießt *nicht* und schweigt auch«, fügte er hinzu, und sie lachte, wofür er unendlich dankbar war.

»Du bist irgendwie süß«, sagte sie. »Vielleicht schlafe ich doch mit dir. War nur ein Scherz«, fügte sie rasch hinzu. »Und willst du nichts trinken?«

»Doch, schon. Natürlich. Ein Miller vom Fass«, sagte er zu der Kellnerin, die gerade vorbeikam. »Ich habe gehört, Granatäpfel wären gesund.«

»Vor allem in Kombination mit Wodka«, sagte Suzy lachend und führte das Glas zum Mund.

Will entschied, dass er ihr Lachen mochte – es klang überraschend voll und kehlig.

»Ich glaube, Gesundheit ist vor allem eine Kombination aus Glück und guten Genen«, sagte sie.

»Biologie ist Schicksal«, stimmte Will ihr zu.
»Was?«
»Das glaube ich auch«, korrigierte Will sich hastig.
Suzy lächelte. »Und was machst du so?«
»Nichts.«
Ihr Lächeln wurde breiter, und zwei tiefe Grübchen rahmten ihren kleinen Mund. »Nichts?«
»Na ja, also nicht direkt nichts.«
»Nicht direkt nichts oder nichts direkt«, neckte sie ihn.
»Ich hör mich an wie ein absoluter Volltrottel, was?«, sprach Will seinen Gedanken laut aus. Das spielte jetzt auch keine Rolle mehr. Sie hatte ihm ja schon erklärt, dass sie nicht mit ihm schlafen würde, was also hatte er zu verlieren?
»Warum atmest du nicht ein paar Mal tief durch«, erklärte sie ihm. »Deine Wette hast du schon gewonnen. Du weißt, dass zwischen uns nichts laufen wird, also musst du dich nicht mehr so anstrengen, mich zu beeindrucken. Du kannst dich einfach entspannen und dir einen Spaß daraus machen.«
Wieder gehorchte Will ihr aufs Wort, atmete ein paar Mal tief durch und lehnte sich zurück. Entspannen war allerdings etwas anderes. Wann hatte er sich in Gegenwart einer Frau zuletzt richtig entspannen können? Ihm war vielmehr so, als wären die Wörter »entspannen« und »Frauen« überhaupt nicht in einem Satz unterzubringen.
»Und jetzt stelle ich dir die Frage noch mal. Was machst du so – wenn du nicht gerade nichts machst?«
Er könnte sich irgendwas ausdenken, dachte Will. Er konnte ihr erzählen, er sei Pilot oder Finanzberater, etwas, das entweder so offensichtlich war, dass er es nicht erklären musste, oder so kompliziert, dass sie es nicht erklärt haben wollte. »Ich bin Student«, entschied er sich für die Wahrheit. *Ich bin Will Rydell. Ich bin Student.* Rhetorisch wirklich brillant.

»Tatsächlich? Was studierst du denn?«
»Philosophie.«
»Was vermutlich die ›Biologie ist Schicksal‹-Bemerkung von eben erklärt«, bemerkte sie.

Nun war es an ihm zu lächeln. Sie hatte ihn also doch verstanden. »Genauer gesagt schreibe ich gerade meine Doktorarbeit.«

»Jetzt bin *ich* beeindruckt. Wo? An der University of Miami?«

»In Princeton.«

»Wow.«

»Heißt das, du überlegst es dir vielleicht doch noch mal, mit mir zu schlafen?«, fragte er.

»Keine Chance.«

»Dachte ich mir.«

Sie lachte wieder, und erneut kräuselten die reizenden Grübchen ihre blasse Haut. »Aber das war süß. Dafür gibt es Pluspunkte.«

»Danke.«

»Ernsthaft jetzt, du bist Student?«

»Ich bin ernsthaft ein ernsthafter Student«, sagte er. »Oder ich *war* es. Im Augenblick mache ich eine kleine Pause.«

»Für den Sommer.«

»Ich weiß noch nicht genau, wie lange.«

»Klingt so, als gäbe es einiges, was du nicht so genau weißt.«

Will versuchte, seinen Kopf ganz und gar zu leeren. Die Frau ihm gegenüber hatte eine unheimliche Gabe, seine Gedanken zu lesen. Er blickte zur Bar. Jeff starrte mit verschleiertem Blick zurück, während Tom sich zu ihm beugte und ihm etwas ins Ohr flüsterte.

»Tut mir leid, ich wollte nicht anmaßend sein«, sagte Suzy.

»Das warst du auch nicht.«

»Du bist schon ein rätselhafter Typ, was?«

»Rätselhaft, na klar.« Will lachte und fühlte sich unwillkürlich geschmeichelt. »Meine Mutter hat immer gesagt, ich sei wie ein offenes Buch.« Die Kellnerin kam mit seinem Bier.

»Mütter kennen ihre Kinder manchmal gar nicht besonders gut.«

Will hob sein Glas und stieß mit ihr an. »Darauf trinke ich.«

Sie tranken beide einen Schluck, und als sie ihre Gläser wieder abstellten, streiften ihre Finger versehentlich seine. Will verspürte ein so heftiges Zucken, dass seine Hand zu zittern begann und er sie in den Schoß legte, damit sie es nicht bemerkte.

»Und was führt dich nach Miami?«, fragte sie.

»Ich besuche meinen Bruder.«

»Wie nett. Ist er heute Abend auch hier?« Sie blickte zur Bar. Will nickte.

»Hat er auch mitgewettet?«

»Er war der Anstifter«, gab Will zu.

Suzy betrachtete die Gäste, die sich an der Bar drängelten. »Lass mich raten. Der gut aussehende in dem schwarzen T-Shirt?«

»Das ist er.« Natürlich war ihr Jeff aufgefallen, dachte Will und strengte sich an, nicht eifersüchtig zu sein. Natürlich fand sie ihn attraktiv. Wie könnte es anders sein? Ohne Kristins Hinweis hätte sie garantiert ihn erwählt. »Eigentlich sind wir nur Halbbrüder. Deswegen sehen wir uns auch nicht ähnlich.«

»Ach, ich kann eine gewisse Familienähnlichkeit erkennen«, sagte sie, während sie Jeffs Profil vielleicht einen Wimpernschlag zu lange betrachtete.

»Ich habe nicht so viel Muskeln wie er«, stellte Will das Offensichtliche fest.

»Und ich wette, er hat nicht so viel Verstand wie du«, entgegnete sie.

Will empfand dankbaren Stolz.

»Und was macht er, dein Bruder?«

Will schloss die Augen, und sein Stolz klappte in sich zusammen wie ein kaputter Regenschirm. Wie hieß es noch: Hochmut kommt vor dem Fall? »Bereust du deine Wahl schon?«, fragte er und wünschte sich im selben Moment, den Mund gehalten zu haben. »Tut mir leid, das muss sich unglaublich trotzig angehört haben?«

»›Unglaublich trotzig‹?«, wiederholte sie. »Das sind große Worte.«

»Tut mir leid«, sagte Will noch einmal.

»Ich hab bloß versucht, Konversation zu machen, Will. Du sprichst wohl nicht gerne über dich.«

»Mein Bruder ist Personal Trainer«, beantwortete Will ihre vorhergehende Frage.

Suzy nickte, und ihr Blick schweifte wie magnetisch angezogen zurück zu Jeff.

»Er lebt mit der Thekenkraft zusammen«, fügte Will hinzu.

»Die umwerfende Blondine, nehme ich an, nicht der fette Typ mit dem Goldkettchen.«

Will lachte. »Das ist der Besitzer.«

»Sie geben ein attraktives Paar ab«, sagte Suzy. »Dein Bruder und die Barkeeperin.«

»Ja, das finde ich auch.«

»Sie macht einen sehr netten Eindruck.«

»Das ist sie auch.«

Das Gespräch kam zum Erliegen. Suzy wandte sich wieder ihrem Drink zu.

»Kristin hat gesagt, du wärst aus Fort Myers hierhergezogen«, fragte Will nach einem verlegenen Schweigen.

»Kristin?«

»Jeffs Freundin.«

»Jeff?«

»Mein Bruder«, stellte Will klar. Was war mit ihm los? Hatte er sich bei Frauen schon immer so ungeschickt angestellt? Kein Wunder, dass Amy ihn abserviert hatte.

»Die Barkeeperin und der Bodybuilder«, stellte Suzy fest.

»Personal Trainer«, sagte Will und hätte sich am liebsten in den Hintern getreten. War er ein *kompletter* Idiot? »Was hat dich bewogen, von Fort Myers hierherzuziehen?«, fragte er.

»Warst du schon mal dort?«, fragte sie, als wäre das Antwort genug.

»Nein.«

»Es ist vermutlich eine ganz nette Stadt. Die Leute sind auf jeden Fall freundlich. Es war einfach Zeit für eine Veränderung.« Sie zuckte mit den Schultern und nippte wieder an ihrem Martini.

»Was sollte sich denn verändern?«

»Alles.«

»Und was hast du in Fort Myers gemacht?«

»Ich war stellvertretende Leiterin einer Bankfiliale.«

»Klingt interessant.«

»Sagen wir, es war *genauso* interessant, wie es sich anhört.«

Will lachte und spürte, wie er begann, sich wirklich zu entspannen, so als hätte er seinen Gürtel ein wenig weiter geschnallt. »Bist du hierher versetzt worden?«

»Nein, eine weitere Bank von innen zu sehen, ist so ziemlich das Letzte, was ich möchte. Es sei denn, um Geld einzuzahlen.«

»Und wo arbeitest du jetzt?«, fragte Will.

»Gar nicht. So ähnlich wie du, nehme ich an. Ich habe mir für den Sommer freigenommen.«

»Und danach?«

»Das habe ich noch nicht entschieden. Und bei dir?«

»Bei mir?«

»Was passiert, wenn der Sommer vorbei ist?«, fragte sie. »Bei deinem Bruder muss es doch auf Dauer ziemlich eng werden.«

Alle Wege führten immer zurück zu Jeff, dachte Will. »Ja, schon ein bisschen. Ich weiß nicht. Vielleicht gehe ich zurück zur Uni. Vielleicht reise ich nach Europa. Ich wollte schon immer mal nach Deutschland.«

»Wieso Deutschland?«

»Ich schreibe meine Doktorarbeit über einen deutschen Philosophen ... Martin Heidegger.«

»Glaube nicht, dass ich schon mal von ihm gehört habe.«

»Das hat kaum jemand. Er schreibt über den Tod und das Sterben.«

»Ja, die beiden gehören irgendwie zusammen.« Sie lächelte. »Klingt ein bisschen deprimierend.«

»Das sagen die Leute immer. Aber das stimmt eigentlich gar nicht. Ich meine, der Tod gehört zum Leben. Früher oder später sterben wir alle.«

»Lehrt man das in Princeton? Wenn ja, gehe ich garantiert nicht dorthin.«

Will lachte. »Es gibt nichts, wovor man sich fürchten muss.«

»Reden wir jetzt vom Tod oder von Princeton?«

»Glaubst du an Gott?«, fragte er und dachte an all die ernsten Diskussionen, die er in seinen ersten Semestern über die Frage geführt hatte, an die Debatten mit Amy ...

Suzy schüttelte den Kopf. »Nein.«

»Du klingst, als wärst du dir sehr sicher.«

»Du klingst überrascht.«

»Das bin ich wohl auch. Die meisten Menschen antworten umsichtiger.«

»Umsichtiger?«

»Vorsichtiger«, sagte er, obwohl er ahnte, dass sie genau wusste, was er meinte. »Zurückhaltender, sie halten sich alle Optionen offen. Sie sagen, sie wüssten es nicht. Oder dass sie gerne an Gott glauben *würden* oder an irgendeine höhere Macht, ob man sie nun Gott oder die Kraft des Lebens nennt...«

»Umsichtig war wohl nie meine Stärke.« Ihr Blick schweifte zu dem Ventilator, der sich an der Decke drehte.

»Du siehst aus, als hättest du wirklich tiefschürfende Gedanken«, wagte sich Will vor.

Suzy lachte und sah ihn wieder direkt an. »Den Vorwurf höre ich zum ersten Mal.«

»Ich meinte es als Kompliment.«

»Dann nehme ich es auch so. Warst du je verheiratet, Will?«

»Nein. Du?«

»Ja. Aber lass uns nicht darüber reden, okay?«

»Von mir aus gerne.«

»Gut.« Sie nahm noch einen Schluck von ihrem Drink. »Wenn ich den leer habe, verschwinden wir hier, was meinst du?«

»Wie du willst.«

»Meine drei Lieblingswörter.«

»Du bist wirklich sehr schön«, erklärte Will ihr und überraschte damit sie beide. Bis zu diesem Moment hatte er das nicht einmal gefunden.

»Nein. Ich bin zu dünn«, sagte sie. »Ich weiß, dass das gerade absolut in ist, aber ich habe mir immer Kurven gewünscht. So wie, was hast du gesagt, wie sie heißt? Kristin?«

»Ja, sie ist ziemlich scharf.«

»Und sie hat nichts dagegen, dass dein Bruder...«

»Was ist mit ihm?« Hatte er ihr nicht gerade erklärt, dass sie schön war? Warum fragte sie wieder nach Jeff?

»Na ja, du hast gesagt, er hätte die Wette angestiftet. Was, wenn ich ihn ausgewählt hätte? Hätte sie wirklich nichts dagegen gehabt?«

»Ich glaube, sie führen eine ziemlich offene Beziehung.«

»Ach, wirklich«, sagte sie, und es klang nicht wie eine Frage, sondern wie eine Feststellung.

»Hast du ausgetrunken«, fragte er, als er sah, dass Suzys Blick wieder zu Jeff schweifte. Er stand auf, um ihr die Sicht zu versperren.

Suzy nahm einen letzten Schluck und stellte das leere Glas auf den Tisch. »Fertig. Gehen Sie voran, Dr. Rydell.«

Will versuchte, den Klang der Worte nicht zu sehr zu genießen, als er einen Zwanzig-Dollar-Schein unter sein Bierglas schob und Suzy auf ihrem Zickzack-Kurs zwischen den Tischen hindurch zur Eingangstür folgte. Er sah, wie sie Jeff und Tom mit einem kurzen Nicken würdigte und im Hinausgehen Kristin winkte.

»Scheiße«, hörte er Tom murmeln. »Ist das zu fassen?«

Will wartete darauf, dass Jeff etwas sagen würde, aber der schwieg. An der Tür drehte sich Will noch einmal um und hoffte, dass sein Bruder ihm zumindest mit einem erhobenen Daumen Mut machen würde. Stattdessen starrte Jeff durch ihn hindurch, als wäre er gar nicht da. So starrte er immer noch, als Will sich wieder umdrehte und Suzy hinaus in den warmen Abend folgte.

KAPITEL 3

»Scheiße«, sagte Tom noch einmal. »Hast du das dämliche Grinsen in seinem Gesicht gesehen? Als ob er einen verdammten Kanarienvogel verschluckt hätte. Am liebsten würde ich ihm dieses Grinsen aus der Visage putzen, Mann.« Er schlug mit der Faust auf den Marmortresen.

»Lass gut sein«, ermahnte Jeff ihn.

»Bekommt ihr noch was da drüben?«, fragte Kristin vom anderen Ende der Bar.

Jeff schüttelte den Kopf.

»Ich meine, es ist eine Sache, die Wette zu gewinnen«, fuhr Tom fort. »Aber man muss es mit Stil machen. Man kann nicht rumlaufen wie die Wiederkunft Christi. Dieser angeberische Gang.«

Jeff hätte beinahe gelacht. Was wusste Tom über Stil? Trotzdem war er seltsam dankbar für Toms Wut, weil sie es ihm ersparte, mehr von seiner eigenen zu spüren. »Ich glaube, du schmeißt da ein paar Dinge durcheinander, Tommy-Boy.«

»Wovon zum Henker redest du? Willst du mir erzählen, du wärst nicht angepisst?«

»Was geschehen ist, ist geschehen.«

»Na, das wissen wir ja noch nicht so genau, oder?«

»Was soll das heißen?«

»Ich meine, wir wissen nicht, wo sie hingehen und was sie

dort machen«, erklärte Tom. »Vorausgesetzt sie machen irgendwas. Vielleicht schickt Suzy Granatapfel deinen kleinen Bruder in diesem Moment mit einem Küsschen nach Hause, und wie wollen wir das Gegenteil beweisen? Sollen wir ihm denn einfach so abkaufen, dass er bei ihr gelandet ist?«

»Glaubst du, er würde lügen?«

»Würdest du nicht lügen?«

»Ich müsste nicht lügen«, sagte Jeff.

»Ach ja? Aber dich hat sie nicht genommen, oder? Insofern ist es eine rein anämische Frage.«

»Ich nehme an, du meinst ›akademisch‹«, korrigierte Jeff ihn.

»Was auch immer«, sagte Tom und stieß sich vom Tresen ab.

»Wohin gehst du?«

»Ich werde ihnen folgen.«

»Was? Nein. Komm zurück. Setz dich. Du bist betrunken.«

»Na und?«

»Sie werden dich sehen.«

»Werden sie nicht. Meinst du, ich hätte in Afghanistan nichts gelernt?«

Jeff schwieg. Ehrlich gesagt dachte er, dass Tom in Afghanistan in der Tat rein gar nichts gelernt hatte.

»Kommst du?«, fragte Tom und trat ungeduldig von einem Fuß auf den anderen.

Jeff schüttelte den Kopf. Auf gar keinen Fall würde er seinem Bruder hinterherschleichen. Niemals würde er dem Kleinen die Befriedigung geben. Es war schlimm genug, dass Will ihn in ihren prägenden Jahren ständig in den Schatten gestellt und gedemütigt hatte. Aber all das noch einmal zu erleben, hier, auf seinem Terrain ... Ich hätte ihn nie wieder in mein Leben lassen dürfen, dachte Jeff und machte Kristin ein Zeichen, dass er noch etwas zu trinken haben wollte. Er hätte Will sagen sollen, dass er sich zum Teufel scheren konnte, als der vor zehn Tagen auf der Schwelle stand. Er hätte ihm die Tür vor der Nase zuschlagen sollen, vor seinem eifrig lächelnden Gesicht.

Jeff dachte an den Witz, den er vorhin erzählt hatte. »Wünsch dir was«, sagte der Flaschengeist. »Du sollst bekommen, was immer du begehrst.«

Ich will, dass er weg ist, dachte Jeff.

»Letzte Chance«, sagte Tom an der Tür.

»Lass dich nicht aufhalten«, sagte Jeff leise, als Tom die Tür aufstieß und in einer imaginären Rauchwolke verschwand.

Die warme, feuchte Luft hüllte Toms Körper sofort ein; wie Klarsichtfolie klebte sie an ihm, als er auf dem belebten Bürgersteig nach Will und Suzy Ausschau hielt. Wo waren sie? Wie waren sie so schnell weggekommen? Er blickte über die Straße zum Ozean, den er hören, aber im Dunkeln bis auf die Gischtkronen der mondbeschienenen Wellen, die unaufhörlich an Land rollten, nicht sehen konnte. Wohin zum Henker waren sie so fix verschwunden?

Es dauerte ein paar Sekunden, bis er sie entdeckte. Sie standen in einer Gruppe von Freitagsabend-Partygängern an der Ampel Ecke Ocean Drive und 10th Street. Er bewegte sich unsicher schwankend auf sie zu. Vielleicht hatte Jeff doch recht gehabt, dachte er, stolperte über seine eigenen Füße und taumelte in eine Gruppe kichernder Teenager in Miniröcken und 12-Zentimeter-Absätzen. Vielleicht war er wirklich zu betrunken, um sie zu verfolgen. Wohin wollten sie überhaupt?

Er beobachtete, wie Suzy plötzlich Wills Arm fasste, um sich abzustützen, während sie ihre sexy schwarzen Slingback-Sandalen abstreifte. Als sie Will wieder losließ, fasste er nach ihrer Hand, was sie jedoch ignorierte und stattdessen über die Straße

Richtung Meer rannte, als würde sie den steten Strom von Autos um sich herum nicht bemerken. Auf der anderen Straßenseite blieb sie stehen, drehte sich um und wartete auf Will, der seinerseits auf eine Lücke im Verkehr wartete. Sie strich sich ein paar Strähnen ihres dunklen Haares aus der Stirn, die ihr eine Brise vom Ozean ins Gesicht geweht hatte, und ließ ihren forschenden Blick in die Dunkelheit schweifen, bis er direkt auf Tom verharrte. Hatte sie ihn bemerkt, fragte Tom sich und duckte sich hinter ein Paar mittleren Alters, das in Shorts und Flip-Flops Arm in Arm über den Bürgersteig schlenderte. Er spürte, wie der Boden unter ihm schwankte, als hätte man ihn auf einem Laufband abgesetzt, und er hob beide Arme hüfthoch an, um das Gleichgewicht nicht zu verlieren.

Als er wieder hinsah, waren Will und Suzy verschwunden.

»Scheiße«, fluchte Tom laut genug, um missbilligende Blicke mehrerer Passanten zu ernten, die ihre Schritte beschleunigten, um möglichst schnell möglichst viel Abstand zu ihm zu gewinnen. »Wohin zum Henker seid ihr jetzt wieder verschwunden?«, fragte er und trat vom Bordstein vor ein nahendes Auto.

Der schwarze Nissan hupte und bremste kreischend, der Fahrer ließ das Seitenfenster herunter und zeigte Tom laut fluchend den Stinkefinger.

Normalerweise hätte Tom zurückgepöbelt und wäre vielleicht sogar auf den Beifahrersitz gesprungen, um dem Typen mehr zu verpassen als nur den Stinkefinger. Aber heute Abend war er auf einer Mission, und er durfte sich nicht ablenken lassen. Ablenkung konnte tödlich sein. Eine Sekunde Unachtsamkeit konnte reichen. In der trat man auf eine vergrabene Landmine, und *rums* – wurden einem die Beine weggerissen und flogen ohne den Rest des Körpers durch die Luft.

Das Ganze war eine bescheuerte Idee, dachte er, als seine

Schuhe in dem trockenen Sand versanken. Seit er aus jenem gottverlassenen Land zurück war, hasste er Sand. Lainey lag ihm ständig in den Ohren, er solle mit den Kindern zum Strand gehen. Aber das tat er nie. Er hatte genug Sand für sein ganzes Leben gesehen.

Und jetzt steckte er bis zu den Knöcheln in dem verdammten Zeug und würde sich seine brandneuen schwarzen Retro-Sneakers ruinieren, die fast dreihundert Dollar gekostet hatten oder *hätten*, wenn er sie tatsächlich bezahlt und nicht einfach angezogen hätte und damit aus dem Laden spaziert wäre. Tom drehte sich einmal langsam um die eigene Achse. Wo waren die beiden? Hatte Suzy ihn doch gesehen? Hatte sie Will erklärt, dass sie glaubte, sie würden verfolgt? Versteckten sie sich vielleicht hinter einer der großen Palmen, die den Strand wie Wachtposten säumten, lachten über ihn und warteten, was er als Nächstes tun würde?

Sollte er ihnen ein Spektakel bieten?

Tom griff glucksend nach der kleinen Pistole, die, verdeckt von seinem karierten Hemd, unter der silbernen Schnalle seines schweren, schwarzen Ledergürtels steckte. Jeff würde ausflippen, wenn er wüsste, dass Tom eine Waffe bei sich trug, aber sei's drum. Im Gegensatz dazu, was alle dachten, tat er nicht immer, was Jeff sagte.

Seit seiner Rückkehr aus Afghanistan hatte Tom vier Waffen erworben, alle unregistriert – zwei .44 Magnums, einen Harrington & Richardson-Revolver, neunschüssig, Kaliber 22, und eine alte Glock 23, die er in regelmäßigem Wechsel benutzte. Seine Lieblingswaffe war die 22er, eigentlich eher was für Mädchen, weil sie klein, leicht zu verstecken und relativ leicht war, obwohl es ihn jedes Mal aufs Neue erstaunte, wie schwer das verdammte Ding tatsächlich war. Er hatte sie Lainey zum ersten Hochzeitstag geschenkt, aber sie hatte sich natürlich geweigert, sie auch nur anzufassen. Waffen richteten nur Unglück an, da könne man die Uhr danach stellen, hatte sie ihn belehrt. Er hatte nicht widersprochen. Wozu auch? Lainey war sowieso fest überzeugt, in allem recht zu haben.

Tom ließ die Waffe stecken. Stattdessen legte er eine imaginäre Pistole an und drückte ab.

Und in diesem Moment sah er sie wieder.

Sie hüpften gut dreißig Meter vor ihm an der Flutkante entlang und spielten barfuß Fangen mit den Wellen. Tom zog eilig seine Sneakers aus und spürte mit einem Stöhnen die warmen Sandkörner zwischen den Zehen.

»Ich kann nicht glauben, dass es noch immer so warm ist«, hörte er Will sagen, weil der Wind seine Stimme über den breiten Strand trug.

»Für mich kann's gar nicht heiß genug sein«, kam Suzys Antwort.

Tom fragte sich, ob es sein konnte, dass sie tatsächlich über das Wetter redeten. Was für Idioten wurden in Princeton bloß zugelassen?

»Schon irgendwie seltsam, sich vorzustellen, dass da unten noch eine ganz andere, eigene Welt liegt«, sagte Suzy und blieb stehen, um aufs Meer zu blicken. Den in der Nähe lauernden Tom hatte sie offenbar nicht bemerkt.

»Aber auch irgendwie schön«, sagte Will.

Mein Gott, dachte Tom. Wie jämmerlich.

Vielleicht fand Suzy das auch. Jedenfalls beschleunigte sie ihre Schritte unvermittelt, ihre schmalen Waden schwankten auf dem unebenen Boden. Will lief ihr nach und zwang Tom so, ebenfalls zu rennen. Und dann blieb Will abrupt stehen und drehte sich um.

»Scheiße«, sagte Tom, ließ die Sneakers fallen und griff nach seiner Waffe, als Will forsch auf ihn zukam.

»Ich hab einen Socken verloren«, rief Will Suzy zu, sank auf die Knie und tastete über den Sand, bis er ihn gefunden hatte.

Suzy lachte, als Will zu ihr aufschloss und den schlaffen, sandigen Socken präsentierte wie einen toten Fisch. »Mein Held«, sagte sie, immer noch lachend.

Ich hätte ihr Held sein können, dachte Tom und beschloss, gleich morgen früh zu Brooks Brothers zu gehen und sich eins von diesen Popper-Hemden mit Button-down-Kragen zu kaufen. Er nahm seine Sneakers, klopfte den Sand ab und folgte den beiden.

Will und Suzy gingen mehrere Meilen am Strand entlang, zumeist schweigend, nur begleitet vom Plätschern der Wellen, während Tom Abstand hielt. Zum Glück genossen noch einige andere Leute den warmen Abend am Meer, sodass er nicht sofort auffiel.

»Lass uns einen Film anschauen«, schlug Suzy plötzlich vor.

»Jetzt?«, fragte Will.

»Warum nicht? Das ist bestimmt lustig. Gleich um die Ecke gibt es ein Kino, das die ganze Nacht geöffnet hat.«

Das ist nicht euer Ernst, stöhnte Tom stumm. Anstatt in ein Motel zu gehen, wollten sie ins Kino? Lainey würde stinkwütend sein.

»Klar. Ich bin dabei«, sagte Will.

»Scheiße«, murmelte Tom und folgte ihnen weiter. Lainey würde ihn umbringen.

An der Straße blieben sie kurz stehen, um sich die Schuhe wieder anzuziehen, und Tom tat das Gleiche. »Scheiße«, sagte er noch einmal, als der frische Sand in seinen Sneakers unter seinen Zehen klebte und stach wie tausend kleine Dolche. Mein Gott, wie er Sand hasste.

Er folgte den beiden mehrere Blocks und genoss das Gefühl des harten Pflasters unter seinen Sohlen. Wenig später beobachtete er aus dem Eingang eines uralten Ladens für Herrenbekleidung, wie sie an das Kassenhäuschen eines altmodischen Kinos traten. Fünf Minuten später kaufte er sich selbst eine Karte und ging hinein.

Es lief bereits die Vorschau, und für die Uhrzeit war der Kinosaal überraschend voll. Tom blieb hinten stehen, bis er sich an die Dunkelheit gewöhnt hatte. Nach einigen Minuten entdeckte er Suzy und Will in der dritten Reihe von vorne und setzte sich selbst auf einen Gangplatz in der letzten Reihe. Er fragte sich, welchen Film sie sich anschauten, und hoffte, dass es keine Liebesgeschichte war, weil er die nicht ausstehen konnte.

Zum Glück war es ein brutaler Actionfilm mit Angelina Jolie. Gab es etwas Schärferes, fragte er sich, als sie über die Leinwand wirbelte und aus einer Maschinenpistole mühelos Salven auf alles feuerte, was sich bewegte. Tom tätschelte die Waffe in seinem Hosenbund und genoss den Film so sehr, dass er Will und Suzy beinahe vergessen hätte, bis er sie etwa eine Stunde später den Gang hinaufkommen sah. Wo wollten sie hin? Er rutschte tief in seinen Sitz und schirmte sein Gesicht mit der Hand ab. Sie wollten doch nicht etwa schon gehen. Nicht vor Ende des Films.

Widerwillig erhob er sich und folgte ihnen in die Lobby. Er hoffte, sie an der Getränketheke zu entdecken, wo sie sich mit frischem Popcorn versorgten. Aber nein, sie gingen tatsächlich. »Zu brutal für mich«, hörte er Suzy beim Hinausgehen zu dem Kartenabreißer sagen.

»Scheiße«, fluchte Tom und folgte ihnen. Er war so sauer, dass es ihm beinahe egal war, ob sie ihn sahen. Wo zum Henker wollten sie jetzt hin?

»Mein Wagen steht an der Ecke 9th Street und Pennsylvania Avenue«, hörte er Suzy sagen.

Er überlegte, ob er seine Niederlage eingestehen, umkehren,

sich das Ende des Films ansehen und dann nach Hause fahren sollte. »Nee«, sagte er laut. Er konnte schließlich nicht mit leeren Händen zu Jeff zurückkehren. »Das geht gar nicht.« Also wartete er, bis die beiden um eine Ecke gebogen waren, bevor er ihre Verfolgung wieder aufnahm.

Zwanzig Minuten später waren sie zurück im Zentrum von South Beach.

»Das ist mein Wagen«, sagte Suzy und zeigte auf einen kleinen silbernen BMW, der an der anderen Straßenseite parkte. Das typische Zwitschern einer ferngesteuerten Zentralverriegelung hallte in der Straße wider, und die Scheinwerfer leuchteten kurz auf.

Sie hat also Geld, dachte Tom, als Suzy und Will die Straße überquerten. Ihre hohen Absätze klapperten über den Bürgersteig, und sie hatte schon die Hand ausgestreckt, um die Autotür zu öffnen.

Zwei Männer, beide in knallengen, weißen Jeans, schlenderten Händchen haltend vorüber, und Tom nutzte die Gelegenheit, um über die Straße zu huschen und sich hinter einen schwarzen Mercedes zu ducken.

»Nun, das wär's dann wohl«, hörte er Suzy sagen. »Ende der Fahnenstange.«

Ende der Fahnenstange, wiederholte Tom und musste sich zurückhalten, nicht laut loszujohlen. Er hatte es gewusst. Nie im Leben würde der »kleine Bruder« heute Nacht jemanden flachlegen.

»Das muss nicht so sein«, widersprach Will schwach.

»Doch, ich fürchte schon.« Suzy wandte ihr Gesicht näher zu Wills, sah ihm in die Augen und öffnete erwartungsvoll die Lippen. »Langsam kriege ich einen steifen Hals«, sagte sie nach mehreren weiteren Sekunden.

Und dann küssten sie sich plötzlich. Scheiße. Was hatte das

zu bedeuten? Hätte sie nicht einfach in ihr Auto steigen und in die mitternächtliche Sonne entschwinden können?

»Okay, puh«, sagte Suzy und löste sich von Will.

So ist's brav, dachte Tom. Und jetzt steig in dein Auto.

»Tut mir leid«, entschuldigte Will sich sofort.

Weichei, höhnte Tom.

»Was tut dir leid? Dass du toll küssen kannst? Kein Grund, sich zu entschuldigen, glaub mir.«

Das nennst du einen tollen Kuss? Da hast du dir den Falschen ausgesucht, Süße. Mich hättest du nehmen sollen.

»Hör auf zu grinsen«, erklärte sie Will. »Deswegen werde ich trotzdem nicht mit dir schlafen.«

»Nie und nimmer?«

Sie lachte, öffnete die Wagentür und stieg ein.

Endlich, dachte Tom.

»Sehe ich dich wieder?«, fragte Will.

Du liebe Scheiße, wie lahm konnte man sein?

Statt zu antworten, ließ sie den Motor an. Erst beim Anfahren ließ sie das Fenster auf der Fahrerseite herunter. »Du weißt, wo du mich findest«, sagte sie und ließ Will in einer Abgaswolke stehen.

»Wichser«, murmelte Tom und sah ihrem Wagen nach, der die Straße hinuntersauste und dann in nördlicher Richtung in den Ocean Drive bog. Du hast nicht mal einen Wagen, was, kleiner Bruder? Du könntest ihr nicht nachfahren, selbst wenn du wolltest.

Aber *ich*, wurde ihm im selben Moment klar, und er lief spontan los, immer darauf bedacht, im Schutz der parkenden Autos zu bleiben. Lächelnd sah er, dass sie in dem Dauerstau stecken blieb, der auf diesem Abschnitt des Ocean Drive auch zu solch später Stunde herrschte. Sein eigener Wagen parkte nur ein paar Blocks entfernt. Wenn sie weiter nur in diesem

Tempo vorankam, konnte er es vielleicht bis dorthin schaffen und ihr nachfahren, um zumindest herauszufinden, wo sie wohnte. Vielleicht konnte er sie sogar überreden, ihm eine Chance zu geben. Manche Frauen musste man einfach mit ein bisschen mehr Nachdruck überreden, dachte er und erinnerte sich an das dumme Mädchen in Afghanistan, deretwegen er den ganzen Ärger bekommen hatte, der zu seiner unehrenhaften Entlassung geführt hatte; als ob er der einzige amerikanische Soldat gewesen wäre, mit dem die Gäule ein bisschen durchgegangen waren. Verdammt, täglich hatte er dort sein Leben für die Undankbaren riskiert. War eine kleine Belohnung da etwa zu viel verlangt?

Ein paar Minuten später saß er am Steuer seines alten senffarbenen Impala. Suzys BMW war einen knappen halben Block vor ihm und blinkte für den Linksabbieger. Er konnte ihr weiter folgen oder umkehren, dachte er. Will wanderte wahrscheinlich immer noch durch die Straßen von South Beach. Er konnte neben ihm halten, ihm anbieten, ihn nach Hause zu fahren, und ihn wissen lassen, dass das Spiel aus war.

Oder er konnte Suzy Granatapfel weiter folgen, sehen, wohin sie fuhr, und herausfinden, wo sie wohnte. Wer weiß, vielleicht erwartete sie ihn schon. Er hatte ihr Lächeln gesehen, als sie die Bar verließ. Er hatte ihren suchenden Blick in die Dunkelheit gesehen, beinahe so, als hätte sie geahnt, dass er dort war. War es so? Hatte sie es die ganze Zeit gewusst? Blickte sie in diesem Moment in ihren Rückspiegel, um sich zu vergewissern, dass er noch hinter ihr war?

Verdammt, dachte er, als er, ihren Wagen fest im Blick, die Kreuzung erreichte. Er war schon so weit gekommen. Und Lainey würde sowieso sauer auf ihn sein. Jetzt aufzugeben war sinnlos. »*Ready or not*«, flüsterte er und zwinkerte seinem Spiegelbild zu. »Suzy Granate, ich komme.«

KAPITEL 4

Jeffs Handy klingelte, als Kristin ihren gebrauchten grünen Volvo in die Tiefgarage des knallgelben Wohnhauses in der Brimley Avenue steuerte. Zwanzig Minuten hatten sie vom Wild Zone bis hierher gebraucht. Sie musste nicht raten, wer um diese Uhrzeit anrief. Es gab nur zwei Menschen, die sich nichts dabei dachten, nachts um kurz vor drei anzuklingeln, dachte sie und warf einen müden Seitenblick auf Jeff, der betrunken auf dem Beifahrersitz schnarchte, ohne die Anfangstakte der amerikanischen Nationalhymne zu beachten, die penetrant aus seiner Hosentasche tönten. Der eine war Tom, der garantiert anrief, um über die weiteren Entwicklungen des Abends zu berichten; der andere war Lainey, die anrief, um zu fragen, wo zum Teufel Tom steckte. Mit keinem von beiden wollte Kristin sprechen.

Sie parkte auf dem ersten freien Platz, schaltete den Motor ab, blieb sitzen, starrte, begleitet von »Star-Spangled Banner«, auf die graue Betonwand vor sich und wünschte sich nicht zum ersten Mal, dass das Haus einen Aufzug hätte. Oder dass sie nicht im zweiten Stock wohnen würden. Oder in einem Neubau. Oder in einem anderen Teil der Stadt. Einem netteren Teil der Stadt. Das würde sie sich wünschen, sollte ihr je ein Flaschengeist erscheinen, der ihr einen Wunsch gewährte.

Es hatte keinen Sinn, nach mehr zu streben, entschied sie.

Welchen Sinn hatte es, große Träume zu träumen, wenn sich solche Träume unweigerlich in Albträume verwandelten? Und davon hatte sie schon mehr als genug erlebt.

Es war gar nicht so, dass sie sich keine bessere Wohnung leisten konnten. Vielleicht würde es sogar für ein kleines Haus reichen. Mit der Anstellung in der Bar und gelegentlichen Jobs als Model kam sie auf einen ganz ordentlichen Verdienst, und auch Jeff verdiente als Personal Trainer nicht schlecht. Wenn er nicht wieder so überstürzt kündigte wie bei den beiden letzten Studios. Sie seufzte wie immer, wenn sie sich dabei ertappte, sich die Welt schöner zu wünschen, als sie war. Diese Wohnung war trotzdem immer noch besser als der Ort, an dem sie aufgewachsen war.

Alles war besser als diese Hölle.

»Jeff«, sagte sie und stupste ihn sanft. »Jeff, Schatz, komm, wach auf.«

Jeff gab halb grunzend, halb stöhnend zu verstehen, dass er dringend in Ruhe gelassen werden wollte.

»Heißt das, du bist wach?«, drängte Kristin.

Diesmal klang das Stöhnen länger und entschlossener. Lass mich, sagte es.

»Tut mir leid, aber wenn du nicht aufwachst, muss ich dich hier sitzen lassen.« Und das wollte Kristin nicht. Jeff trug gerne eine Menge Bargeld bei sich. Irgendjemand könnte ihn zufällig entdecken und ausrauben, ihn womöglich sogar zusammenschlagen oder Schlimmeres. Einfach aus Spaß. Wie die Teenager, von denen sie vor ein paar Wochen im *Miami Herald* gelesen hatte. Während eines Sturms hatten sie in der Tiefgarage der Wohnung ihrer Eltern einen Obdachlosen entdeckt und den armen Mann, als er ihnen erklärte, er suche nur Schutz vor dem Regen, angezündet. »Wir wollten bloß, dass ihm schön warm ist«, hatte einer der Jungen zu dem Polizisten gesagt, der ihn verhaftete. Nein, sie konnte Jeff wirklich nicht einfach hier sitzen lassen.

Kristin stieg aus, ging um den Wagen herum, öffnete die Beifahrertür und zerrte an Jeffs Arm. »Komm, Jeff, Zeit, aufzuwachen und ins Bett zu gehen.« Das klingt ja echt logisch, dachte sie und zerrte fester.

»Was ist denn los?«

»Wir sind zu Hause. Du musst aufstehen.«

»Wo ist Will?«

»Keine Ahnung.« Kristin spürte etwas an ihrer Brust und sah, dass Jeff seinen Kopf zwischen ihren Brüsten vergraben hatte und, die Augen nach wie vor geschlossen, mit dem Mund instinktiv nach den Brustwarzen unter ihrer Leopardenmuster-Bluse suchte. »Ich fasse es nicht. Du bist praktisch bewusstlos und hast immer noch nicht genug.« Sie entzog sich seinen Annäherungsversuchen und beobachtete, wie er den Kopf zurück in den Sitz sacken ließ, ein dämliches Grinsen in seinem attraktiven Gesicht, das es irgendwie schaffte, gleichzeitig selbstgefällig und liebenswert auszusehen. »Komm, Jeff«, drängte sie. »Es ist spät. Ich bin müde. Ich war den ganzen Abend auf den Beinen.«

Kristin brauchte fünf Minuten, um Jeff mit vielen guten Worten aus dem Wagen zu locken, weitere zehn, um den obersten Treppenabsatz zu erreichen, und noch einmal zwei, um Jeff über den Außenflur bis zu ihrer Wohnungstür halb zu schleifen, halb zu tragen. »Wenn du dich übergeben musst, mach es bitte, bevor wir reingehen«, sagte sie mit einem Blick auf den Mauervorsprung entlang der Fassade des Gebäudes. Wie viele zwei- und dreistöckige Gebäude in Florida wirkte das Haus eher wie ein Motel: dreißig Wohneinheiten – auf jeder Etage zehn –, alle über einen Außenflur zu erreichen und alle mit Blick auf einen kleinen Swimmingpool im Innenhof.

Jeff weiterhin stützend, kramte Kristin in ihrer Handtasche nach dem Schlüssel, ohne den Dreiviertelmond zu beachten, der zwischen den Palmen hindurchschien. Die großen, majestätischen Palmen ließen alles besser aussehen, dachte sie, als sie die Tür öffnete und Jeff über die Schwelle schob. Sie verdeckten eine Vielzahl von Sünden.

Wenn sie doch bloß das Gleiche für das Innere der Wohnung leisten könnten, dachte sie, als sie das rechteckige Wohnzimmer betrat, das in erster Linie deshalb bemerkenswert war, weil es absolut nichts Bemerkenswertes hatte. Es gab keine anheimelnden Nischen, keine Stuckleisten zur Verzierung der kargen weißen Wände, keine Deckenspots oder dekorativen Details. Sogar das große Panoramafenster, das beinahe die ganze Westfront einnahm, war wenig einladend und blickte bloß auf ein ähnliches Gebäude gegenüber.

Das Mobiliar war nur unwesentlich interessanter. Es bestand aus einem Sofa mit blau-grünem Stoffbezug, das Will zurzeit als Bett diente, einem dunkelblauen Lederhocker, ein paar nicht zueinander passenden Stehlampen, einem Satz weißer ineinandergeschobener Beistelltischchen aus Plastik und einem überdimensionierten Ledersessel, alles eher praktisch als elegant.

Vom Wohnzimmer ging eine überraschend geräumige Küche mit Essplatz ab, ein kleiner Flur führte vom Wohnbereich zum Schlafzimmer auf der Rückseite der Wohnung. Dazu gab es noch ein Badezimmer.

Sobald Kristin die Wohnungstür geschlossen hatte, dudelte, wie um ihre Ankunft zu verkünden, erneut die amerikanische Nationalhymne los. Kristin sah, wie Jeff instinktiv die Schultern straffte. »Geh nicht ran«, warnte sie ihn, als er nach dem Handy in seiner Hosentasche tastete.

Eine Sekunde später schwebte Laineys Stimme über den

dunkelblauen Plüschteppich und stieg an den Wänden auf wie giftige Dämpfe. »Wo ist er?«, hörte Kristin sie fragen, weil Jeff das Telefon eine Armeslänge von seinem Ohr entfernt hielt.

»Ich hab dir ja gesagt, geh nicht dran«, flüsterte Kristin unwillkürlich.

»Lüg mich nicht an, Jeff«, zeterte Lainey weiter. »Wenn Tom bei dir ist, sag es mir lieber gleich.«

»Wer ist denn da?«, fragte Jeff, lächelte Kristin neckisch an und ließ das Telefon aus der Hand gleiten.

Kristin fing es auf, bevor es zu Boden fiel. »Tom ist nicht hier«, erklärte sie Lainey.

»Ich hab mich von dem Mann jetzt lange genug wie Scheiße behandeln lassen«, schluchzte Lainey. »Das ist mein Ernst, Kristin. Mir reicht's.«

»Warum versuchst du nicht einfach zu schlafen?«

Als Antwort wurde die Verbindung unterbrochen.

»Immer ein Vergnügen, mit dir zu plaudern.« Kristin warf das Telefon aufs Sofa.

»Hey«, ertönte ein überraschter Aufschrei. »Was zum Teufel...?«

»Will?«, fragte Kristin und schaltete die Deckenlampe an.

»Scheiße«, sagte Jeff. »Was machst du denn hier zu Hause?«

»Vielleicht versuche ich zu schlafen?«, gab Will zurück und schirmte die Augen gegen das grelle Licht ab.

»Sonst noch jemand unter deiner Decke?« Jeff zerrte die Decke von dem provisorischen Bett und warf sie auf den Boden.

»Was machst du denn da?«

»Wo ist sie?«

Alle Schlaftrunkenheit wich schlagartig aus Wills blassem Gesicht. Er atmete tief ein und langsam wieder aus. »Falls du Suzy meinst, die ist offensichtlich nicht hier.«

»Wo ist sie?«, wiederholte Jeff.

»Ich nehme an, sie ist nach Hause gefahren.«

»Du nimmst an? Du bist nicht mitgekommen?«

»Nein«, sagte Will. »Sie hatte ein Auto. Ich hab ein Taxi genommen...«

»Was willst du damit sagen?«

»Was willst du mich fragen?«

»Hast du sie gevögelt oder nicht?«, wollte Jeff wissen, der mit einem Mal wieder sehr wach und nüchtern war.

Will sah Kristin in der Hoffnung an, dass sie dazwischengehen würde. Aber das tat sie nicht. Ihr Blick sagte vielmehr, dass sie ebenso interessiert an der Antwort war wie Jeff. »Nein«, antwortete Will schließlich.

»Was habt ihr denn gemacht?«

»Wir sind am Strand spazieren gegangen und waren im Kino.«

»Du willst mich verarschen«, sagte Jeff ungläubig.

Will schüttelte den Kopf, atmete noch einmal tief aus und ließ sich auf das weiche Polster des Sofas zurücksinken. »Tut mir leid, dass ich dich enttäuschen muss.«

»Ihr seid am Strand spazieren gegangen, wart im Kino, sie ist nach Hause gefahren, und du hast sie nicht gevögelt«, wiederholte Jeff, als würde er mit aller Gewalt versuchen, einen Sinn in den Worten zu erkennen. »Was zum Teufel ist passiert?«

»Nichts ist passiert.«

»Ja, das hab ich mittlerweile kapiert. Was ich nicht kapiere, ist, warum nicht. Es war eine abgemachte Sache, kleiner Bruder. Wie konntest du es vermasseln?«

»Ich hab es nicht vermasselt.«

»Du hast sie nicht gevögelt.«

»Musst du das ständig wiederholen?«

»Hast du sie nun gevögelt oder nicht?«

Wieder wanderte Wills Blick zu Kristin. »Hab ich nicht.«

»Okay, Jeff«, reagierte Kristin schließlich auf Wills stummes Flehen. »Warum gehst du nicht einfach ins Bett? Die grausamen Einzelheiten kannst du auch noch morgen früh in Erfahrung bringen.«

Jeff schüttelte lachend den Kopf. »Klingt so, als gäbe es keine.« Er drehte sich um und marschierte immer noch lachend und kopfschüttelnd den Flur hinunter ins Schlafzimmer. »Kommst du?«, rief er Kristin zu.

»Sofort.« Kristin wartete, bis Jeff im Schlafzimmer verschwunden war, bevor sie sich neben Will auf das Sofa setzte und ihre Hand auf seine legte. »Alles okay?«

»Mir geht es gut.«

»Möchtest du darüber reden?«

»Ich denke, du weißt doch schon praktisch alles«, erklärte er ihr leise und verschwörerisch. »Wo du das Ganze doch eingefädelt hast.«

Kristin verzog den Mund zu einem traurigen, angedeuteten Lächeln. »Bist du sauer auf mich?«

»Warum sollte ich sauer sein? Es war der netteste Abend, den ich seit langer Zeit hatte.«

»Das freut mich. Sie hat einen sehr netten Eindruck gemacht.«

»Das ist sie.«

»Glaubst du, ihr seht euch noch mal wieder?«

Will zuckte die Achseln. »Wer weiß?«

»War ein ziemlich raues Jahr für dich, was?«

»Ich bewundere dein Talent zur Untertreibung.«

»Nett, mal bewundert zu werden. Egal wofür«, sagte Kristin lachend. »Jedenfalls gibt es keine bessere Stadt als Miami, um alte Wunden verheilen zu lassen. Ich würde sagen, du bist genau an den richtigen Ort gekommen.«

»Und was sagt mein Bruder?«
»Er sagt nie viel über irgendwas. Du kennst doch Jeff.«
»Das ist es ja gerade. Ich kenne ihn nicht.«
»Gib ihm eine Chance, Will«, drängte Kristin ihn, wie sie Jeff seit Wills unerwartetem Auftauchen ständig gedrängt hatte.

»Meine Mutter wollte nicht, dass ich herkomme. Sie meinte, ich würde nur Ärger provozieren.«

»Warum sagt sie so etwas?«

Wieder ertönte unvermittelt die Nationalhymne. Will tastete auf dem Sofa herum, bis er Jeffs Handy gefunden hatte, und sah Kristin fragend an.

Sie nahm ihm das Telefon aus der Hand und schaltete es auf stumm. »Genug von dem Quatsch. Höchste Zeit, dass alle ein bisschen schlafen.«

Weitere Ermutigung brauchte Will nicht. Er sank zurück auf das Sofa, schloss die Augen und rollte sich fest in der Embryonalstellung zusammen. Kristin nahm die Decke vom Boden, breitete sie über ihn und strich ihm über den Rücken. »Falls du irgendwann reden willst«, begann sie. »Egal worüber...«

»Danke«, murmelte Will, obwohl er die Lippen kaum noch auseinanderbrachte.

Kristin erhob sich vom Sofa und legte Jeffs Handy auf den Lederhocker. »Träum süß«, flüsterte sie, bevor sie das Deckenlicht ausschaltete und den Raum in weiche, einladende Dunkelheit zurücksinken ließ.

Sie träumte von Norman.

Kristin war fünf Jahre alt, als der neue Freund ihrer Mutter sich als Babysitter anbot, während ihre Mutter zu einem Vorsprechtermin für einen Fernsehwerbespot ging. Er machte es sich auf dem alten braunen Samtsofa im Wohnzimmer der heruntergekommenen Wohnung bequem, öffnete eine Dose Bier und legte seine Füße auf den fleckigen Couchtisch, während er rastlos mit der Fernbedienung des Fernsehers herumhantierte. Kristin saß auf dem Boden und spielte mit zwei zerrupften Barbie-Puppen, die sie in der vergangenen Woche aus der Mülltonne eines Nachbarn gerettet hatte. Das verfilzte Haar der Puppen roch auch nach mehrmaligem Waschen mit Geschirrspülmittel noch immer nach faulen Kartoffelschalen.

»Hey, Kleine«, sagte Norman und klopfte auf das Polster neben sich. »Willst du was Interessantes sehen?«

Kristin hatte sich zu ihm auf das Sofa gesetzt und die Augen weit aufgerissen, als sie im Fernsehen einen Mann und eine Frau sah, die sich leidenschaftlich küssten.

»Du weißt doch, was die beiden da machen, oder?«, fragte Norman. »Sie probieren die Zunge des anderen.«

Kristin kicherte. »Schmecken sie gut?«

»Sehr gut. Willst du mal probieren?« Er beugte sich vor und kam mit seinem Gesicht ganz nah an ihres, sodass sie seinen Bieratem warm auf ihrer Nase spürte. »Weit aufmachen«, wies er sie an, bevor sie Nein sagen konnte.

Kristin gehorchte – ihre Mutter hatte ihr erklärt, dass sie gut auf Norman hören und alles tun sollte, was er sagte –, und Norman stieß seine Zunge tief in ihren kleinen Mund. Speichel sammelte sich in ihrer Kehle, und einen Moment lang hatte sie das Gefühl, nicht mehr atmen zu können. Sie wich zurück und unterdrückte ein Würgen.

»Hat dir das gefallen?«, fragte er. Ihr Unbehagen schien er gar nicht zu bemerken.

Kristin schüttelte den Kopf, ängstlich, etwas zu sagen, als ob seine Zunge ihr die Stimme geraubt hatte.

Norman lachte, zog ein Päckchen Life Savers aus der Gesäßtasche seiner Jeans, nahm ein rotes Bonbon heraus und gab es ihr. »Glaubst du, dass dir das besser schmeckt?«

Kristin nickte und steckte das Bonbon hastig in den Mund. Rote Life Savers waren ihre Lieblingsbonbons.

»Und erzähl deiner Mutter nichts davon, was du getan hast«, ermahnte er sie, als sich der Geschmack von Kirsche auf ihrer Zunge auflöste.

Was du *getan* hast, rissen seine Worte Kristin aus dem Schlaf, und wieder musste sie ein Würgen unterdrücken. Sie blickte zu dem Wecker auf dem Nachttisch neben dem Doppelbett. Es war kurz nach vier, sie hatte also kaum eine Stunde geschlafen. Sie versuchte, wieder einzudämmern, doch Jeff rührte sich mittlerweile neben ihr und streckte seinen rechten Arm und sein rechtes Bein auf ihre Seite des Bettes.

»Was machst du?«, fragte seine schläfrige Stimme neben ihr.

»Ich leg mich nur bequemer hin.«

Kristin spürte, wie seine Hand sich um ihre linke Brust schloss. Das ist nicht dein Ernst, dachte sie. »Was machst du?«

»Was glaubst du, was ich mache?« Sein Finger strich um ihre Brustwarze, während er sich auf den Ellbogen stützte und sie auf den Rücken drehte.

»Ich dachte, du schläfst.«

»Hab ich auch. Aber jetzt bin ich wach. Wie du siehst.« Er packte ihre Hand und legte sie auf seinen Unterleib.

»Sehr beeindruckend«, meinte sie trocken, während er sich auf sie schob, ohne weiteres Vorspiel in sie eindrang und zu einer Reihe langsamer, gemächlicher Stöße ansetzte, die das Kopfteil des Messingbetts wiederholt gegen die Wand schlagen ließen.

Kristin begab sich an den Ort, wohin sie sich in solchen Momenten meistens flüchtete. An ihren sicheren Ort, ein sonnenüberflutetes Feld mit hohen Gräsern und wunderschönen roten Blumen. Das hatte sie einmal in einem Band mit impressionistischen Gemälden gesehen, den ihr Lehrer in der vierten

Klasse ihr netterweise für einen Tag ausgeliehen hatte. Kristin hatte in dem Buch geblättert, als Ron früher nach Hause gekommen war. Ron war der neue Mann ihrer Mutter, ein gut aussehender, arbeitsloser Schauspieler mit dröhnender Stimme und einem höhnischen Lächeln. Deshalb hatte sie, als er sie ins Schlafzimmer rief und anwies, die Tür zu schließen und zu ihm zu kommen, getan, was er sagte. Und als er auf ihr war, mit dem Finger in ihr stocherte und zerrte, bis sie blutete, hatte sie ihren Schmerz betäubt, indem sie sich mit aller Kraft auf das sonnenüberflutete Feld und die Frau in dem langen fließenden Kleid konzentrierte, die mit einem weißen Sonnenschirm zierlich auf der Kuppe des Hügels stand und zusah, wie ihre Tochter fröhlich zwischen den magischen roten Blumen spielte. Und weil der Künstler die Gesichter absichtlich verschwommen gemalt hatte, konnte sie sich beinahe einbilden, dass sie das kleine Mädchen war, das munter durch das Gras rannte, und die Frau mit dem Sonnenschirm ihre Mutter, die aufpasste, dass ihr nichts zustieß.

Es war ein Ort, an den Kristin noch häufig zurückkehrte.

Und dann, ein paar Jahre später, war ihre Mutter eines Tages früher von ihrer Schicht im International House of Pancakes heimgekommen, hatte Ron auf ihrer inzwischen fast fünfzehnjährigen Tochter liegen sehen und angefangen zu schreien. Aber sie hatte nicht Ron angeschrien. »Was machst du da, du kleine Schlampe?«, hatte sie gebrüllt und eine Haarbürste so knapp über Kristins Kopf gegen die Wand geschleudert, dass die spüren konnte, wie die feinen Härchen in ihrem Nacken sich in dem Luftzug sträubten. »Verschwinde. Ich will dein erbärmliches Gesicht nie wieder hier sehen.«

Kristin hatte gar nicht erst versucht, sich zu verteidigen. Wozu auch? Sie wusste, dass ihre Mutter recht hatte. Sie war an allem schuld. Wenn sie nicht so kokett und verführerisch gewesen wäre, wie Ron es ihr unermüdlich erklärt hatte, hätte er sich beherrschen können.

Erzähl deiner Mutter nichts davon, was du gemacht hast, hörte sie Norman sagen.

Was *du* gemacht hast.

Erst Norman. Dann Ron. Alles war ganz offensichtlich ihre Schuld. Es lag nicht daran, dass ihre Mutter die falschen Männer hatte.

Es war ihre Schuld.

Kristin spürte, wie Jeffs Stöße schneller wurden und sie von ihrem Feld mit den roten Blumen vertrieben. Das war ihr Einsatz, begriff sie und steuerte den passenden Soundtrack aus nicht zu lautem Stöhnen und Seufzen bei, damit weder Will nebenan hörte, was sie taten, noch Jeff argwöhnisch wurde, dass sie ihre Erregung nur vortäuschte. Obwohl es ihm wahrscheinlich so oder so egal wäre, was seltsamerweise eines der Dinge war, die sie an ihm mochte – dieses Minimum an Getue. Sie packte seine Pobacken, um ihn noch fester an sich zu ziehen, und spürte, wie er bebte und losließ, als sie ihre Hände über seinen Leib wandern ließ und seine restliche Energie in sich aufnahm.

»Wie war das?«, fragte er kurz darauf mit einem stolzen Lächeln, das bedrohlich über ihr schwebte.

»Fantastisch«, erklärte Kristin ihm. »Suzy hat ja keine Ahnung, was sie heute Nacht verpasst hat.«

Jeffs Lächeln wurde breiter, als er sich auf die Seite drehte und Kristins Arm über seine Hüfte zog. »Noch nicht«, glaubte Kristin ihn murmeln zu hören, kurz bevor er wieder einschlief.

KAPITEL 5

»Wohin zum Henker führst du mich?«, fragte Tom sich laut, als er Suzy über den Venetian Causeway folgte, der sich über die malerische Biscayne Bay bis nach Miami auf dem Festland spannte. Auf der anderen Seite stockte der Verkehr an der Kreuzung Biscayne Boulevard und Northeast 14th Street und kam schließlich praktisch ganz zum Erliegen. »Scheiße? Was jetzt?« Wo wollten die alle hin? »Bleibt denn keiner mehr zu Hause?«, brüllte er aus dem offenen Fenster. Es war zwei Uhr nachts, Scheiße noch mal. Er war müde und stockbetrunken, ihm war heiß und mehr als ein bisschen übel. Was fuhr er also einer Fotze hinterher, die ihn an diesem Abend schon zweimal abgewiesen hatte?

Wie aus dem Nichts tauchte in diesem Moment ein weißer Nexus-Geländewagen auf und scherte vor ihm auf die Spur. »Du verdammtes Arschloch«, fluchte Tom, als die Fahrzeugkolonne sich langsam wieder in Bewegung setzte. »Ich blas dir deinen beschissenen Schädel weg.« Er griff nach seiner Waffe, besann sich jedoch rasch eines Besseren, zählte langsam bis zehn und dann weiter bis zwanzig, um sich wieder zu beruhigen. Sosehr der Sack auch eine Kugel in seinen fetten, hässlichen Hinterkopf verdient hatte, so wenig wollte er ohne Not eine Szene machen, dachte Tom. Selbst hupen wäre riskant, erkannte er und zwang sich, seine Hände in den Schoß zu legen. Er wollte schließlich nicht, dass Suzy ihren hübschen Hals reckte, um zu sehen, was es mit dem Lärm auf sich hatte. Außerdem waren überall Polizisten. Es hätte ihm gerade noch gefehlt, dass ein neugieriger Jungbulle ihn anhielt, seine Alkoholfahne roch und dann noch entdeckte, dass er eine Waffe bei sich trug. Man würde ihn so fix in eine Arrestzelle befördern, dass ihm der Kopf schwirren würde. Und der schwirrte auch so schon ganz gut, dachte er und lachte. Er stellte sich vor, wie Lainey im Schlafanzug auf die Wache kommen musste, um seine Kaution zu stellen, ein kreischendes Kind in jedem Arm, dicht gefolgt von ihren empörten Eltern, und das Lachen erstarb in seinem Hals.

»Was ist bloß mit dir los?«, konnte er sie schluchzen hören. »Was rennst du irgendeiner Frau nach, die du in einer Kneipe gesehen hast, wo daheim Frau und Kinder und ein Haus voller Pflichten auf dich warten?«

Genau deswegen, dachte Tom und lachte wieder.

»Findest du das wirklich komisch?«, zeterte Lainey weiter auf ihn ein. »Das ist so was von bescheuert! Wann wirst du endlich erwachsen?«

»Wenn mir verdammt noch mal danach ist«, gab Tom zurück, verdrängte den Gedanken an seine Frau und rutschte auf seinem Sitz hin und her, um über den weißen Geländewagen hinwegzuschauen. Blöde Scheißkarre, dachte er und stellte sich vor, wie der Wagen zu schnell um die nächste Ecke fuhr, sich überschlug und in Flammen aufging, während der rotznasige Fahrer, in seinem Fahrzeug gefangen, panisch, aber vergeblich an die Scheiben trommelte, um dem Inferno zu entgehen. Das wäre super, dachte Tom.

Am Naturkundemuseum und Space Transit Planetarium – was immer das sein mochte – bog Suzys silberner BMW ab und folgte dem breiten Boulevard in südwestlicher Richtung bis zur Douglas Road, wo sie rechts abbog. Danach achtete Tom nicht mehr auf die Straßenschilder. Welche Rolle spielte es, *wo* sie waren? Wichtig war, *was* passierte, wenn sie ankamen.

Zehn Minuten später fuhren sie durch das verworrene Straßenlabyrinth des schicken Vororts Coral Gables. »Coral Gables, Scheiße«, stöhnte Tom. Er hasste Coral Gables.

Lainey lag ihm ständig in den Ohren, dass sie am liebsten dort hinziehen wollte. Als ob sie sich das jemals leisten konnten! Er arbeitete bei Gap, Scheiße noch mal. Er verdiente den Mindestlohn. Wenn ihre Eltern, die schon das Eigenkapital für das winzige Häuschen auf der definitiv unschicken Seite von Morningside gestellt hatten, nicht auch die monatlichen Hypothekenraten zahlen würden, würden sie wahrscheinlich in einem miesen, beengten Loch wohnen wie Jeff und Kristin, obwohl er, wenn er mit Kristin zusammenleben würde, bestimmt nichts gegen die Enge einzuwenden hätte.

Als Suzys Wagen um die nächste Ecke bog, stellte Tom überrascht fest, dass die meisten anderen Wagen inklusive des weißen Lexus-Geländewagens irgendwo unterwegs verschwunden waren, ohne dass er es bemerkt hatte. Laineys Schuld, dachte er. Wie meistens. Sie kam ihm ständig in die Quere, lenkte ihn von der anstehenden Aufgabe ab. Er musste besser aufpassen, wie ihm klar wurde, als er in den Granada Boulevard bog und Suzys Wagen mehrere Blocks vor sich an einem Stoppschild stehen sah.

Der silberne BMW fuhr rechts in die Alava Avenue, und er folgte ihm. Suzy beschleunigte und bog rasch nacheinander erst links, dann rechts und dann noch einmal rechts ab. Was machte sie? Hatte sie gemerkt, dass er ihr folgte, und versuchte, ihn abzuhängen? Und waren sie nicht schon vor ein paar Minuten durch diese Straße gefahren? Er war sich ziemlich sicher, das rosafarbene stuckverzierte Haus an der Ecke wiederzuerkennen. Waren sie nicht eben schon einmal daran vorbeigekommen? War das Ganze ein Spiel? Hatte sie ihn bemerkt und wollte ihn an der Nase herumführen? Hatte sie die ganze Zeit gewusst, dass er ihr folgte? »Blöde Schlampe«, fluchte er leise und kämpfte gegen die aufsteigende Übelkeit an.

Mach einfach kehrt und fahr nach Hause, sagte er sich. Ja, Lainey würde auf ihn warten. Ja, sie würde keifen und zetern. Aber na und? Er hatte sich längst an ihre hysterischen Anfälle gewöhnt. Irgendwann würde sie müde werden und sich in den Schlaf weinen. Am Morgen würde sie ihm verzeihen, wie sie es immer tat. Und wenn nicht, wenn sie ihn weiter nervte, würde er einfach zu Jeff fahren oder zu dem Sportstudio, in dem Jeff arbeitete, oder ins Wild Zone. Irgendwohin. Irgendwohin, wo Lainey nicht war.

Sie konnte ihn mal. Schließlich war es Lainey, die für all seine Probleme verantwortlich war. Lainey, die schwanger geworden war und ihn zu einer Ehe gedrängt hatte, von der sie wusste, dass er noch nicht dazu bereit war. Lainey, die so verdammt fruchtbar war, dass sie kaum ein Jahr später schon wieder schwanger war und ihm damit die Last von nicht nur einem, sondern gleich zwei Kindern aufgebürdet hatte, die ihm so ähnlich sahen, dass es bezüglich der Vaterschaft keine Zweifel geben konnte. Es war ihre Schuld, dass er einen Job hatte, den er hasste; ihre Schuld, dass er sich nicht mit Jeff herumtreiben konnte, wann ihm danach war, während Kristin Jeff machen ließ, was immer er wollte. »Was ist überhaupt los mit Kristin?«, konnte Tom Lainey jammern hören.

An Kristin war rein gar nichts verkehrt, dachte Tom stumm. Sie war die perfekte Frau. Sie klagte nie über Verantwortungslosigkeit und beschwerte sich nicht, wenn Jeff ein paar hundert Dollar für eine Lederjacke ausgab. Sie machte kein Theater, egal wann er nach Hause kam, wie viel er trank oder wie bekifft er war. Sie drückte sogar ein Auge zu, wenn er anderweitig ein bisschen rummachte. Nach allem, was er heute Abend mitgekriegt hatte, war sie nicht einmal abgeneigt, bei Gelegenheit selbst mitzumachen.

Sex mit zwei Frauen war schon immer eine von Toms Lieblingsfantasien gewesen. Eine vollbusige Blondine wie Kristin auf der einen Seite, eine schlanke Brünette wie Suzy auf der anderen, und Tom glücklich zwischen den beiden. Er würde sie abwechselnd rannehmen, die eine von vorne, die andere von hinten, sie dann umdrehen und das Ganze umgekehrt wiederholen und Sachen machen, über die er bei Lainey nicht einmal reden durfte.

Mit Lainey wollte er sie sowieso nicht machen. Lainey war klein und ein bisschen untersetzt. Im Gegensatz zu Kristin, die eine Figur wie ein Model und ordentlich Holz vor der Hütte hatte. Lainey beharrte natürlich immer darauf, dass Kristins Brüste nicht echt waren, aber welche Rolle spielte es, aus welchem Material sie waren? Sie hatte dafür bezahlt, damit waren es ihre. Außerdem sahen sie gut aus, wen kümmerte es da, dass sie aus Plastik waren? Als er Lainey gegenüber (zart, wie er fand) angedeutet hatte, sie könne Kristin ja mal nach dem Namen ihres Chirurgen fragen – verdammt, er hatte ihr sogar angeboten, ihr die Brustvergrößerung zu bezahlen –, war sie in Tränen ausgebrochen, wütend aus dem Zimmer gestapft und hatte irgendwas davon gebrüllt, dass Kristin auch keine zwei Babys gestillt hätte und er einfach zur Hölle fahren solle.

»Dabei ist mein Leben so schon die Hölle«, sagte Tom jetzt, atmete tief ein und wieder aus und spürte den zitternden Luftzug an der Windschutzscheibe. Er zupfte eine Zigarette aus der Hemdtasche, zündete sie an und zog heftig daran, als wäre es ein Joint. Er hatte irgendwo gelesen, dass Marihuana gut gegen Übelkeit war. »Ha!«, lachte er und dachte, dass er nicht vergessen durfte, das Lainey zu erzählen. Sie hasste es, wenn er kiffte. »Es ist illegal und verantwortungslos«, sagte sie immer. »Verantwortungslos« war ihr Lieblingswort. »Was ist, wenn du bekifft bist und eins der Kinder wacht auf und fragt nach seinem Daddy?«

Als ob das je der Fall wäre, dachte er. Wann hatte eins seiner Kinder zum letzten Mal nach seinem Vater gefragt? Seine dreijährige Tochter Candy fing jedes Mal an zu weinen, wenn er sich ihr näherte. Und Cody, sein zwei Jahre alter Sohn, der ihm, wie alle sagten, wie aus dem Gesicht geschnitten war, wand sich in ehrlichem Grauen, wenn Tom ihn hochheben wollte, als ob sein Vater ein Fremder wäre, der irrtümlich zur Tür hereingekommen war. Was der Wahrheit auch ziemlich nahe kam, dachte Tom, als er kurz an einem Stoppschild hielt, bevor er Suzy durch eine weitere Wohnstraße folgte.

Wohin führte sie ihn?

Obwohl er aussah wie sein Vater, war Cody in Wirklichkeit genau wie seine Mutter, dachte Tom. Er konnte sich anstrengen und bemühen, wie er wollte, nichts war je gut genug für seinen Sohn. Jedes Mal wenn sein Vater ihn unbeholfen im Arm hielt, schrie und zappelte er, versteifte seinen kleinen drahtigen Körper und streckte die Arme nach der weicheren, vertrauteren Berührung seiner Mutter aus. Dabei wurde sein kleines rundes Gesicht mit jedem Schluchzer röter, bis er aussah wie eine reife Tomate, die jede Sekunde zu platzen drohte.

Tom schüttelte sich. In Afghanistan hatte er einmal gesehen, wie der Kopf eines Mannes wirklich explodiert war. Ein Mädchen hatte am Straßenrand gelegen, scheinbar verletzt. Ein junger amerikanischer Soldat war aus seinem Jeep gestiegen, um ihr zu helfen. Das Mädchen hatte unter ihr dreckverkrustetes

Gewand gegriffen. Im nächsten Augenblick waren Körperteile in alle Richtungen durch die rauchgeschwängerte Luft geflogen, und dem hilfsbereiten jungen Soldaten fehlte der Kopf.

Tom spürte die Galle in seiner Kehle aufsteigen und versuchte mehrmals, sie herunterzuschlucken. Woher zum Henker kam diese Erinnerung, fragte er sich, warf die Zigarette aus dem Seitenfenster und atmete gierig ein. Aber das half nicht. Die stickige Luft steckte ihm wie ein Klumpen Zellophanpapier im Hals und drohte, ihm die Sauerstoffzufuhr abzuklemmen. Er musste anhalten. Er musste aussteigen, ein paar Schritte laufen, seinen Kreislauf wieder auf Touren bringen, damit die Welt vor seinen Augen aufhörte, sich zu drehen. Er musste aus dieser blöden, unklimatisierten Karre raus, bevor er sich vollkotzte.

Er hielt am Straßenrand und wollte gerade die Tür öffnen, als er Suzys BMW sah, der ein Stück die Straße hinunter stehen blieb, als würde sie auf ihn warten. Was machte sie? Kam sie etwa zurück? Wollte sie ihn direkt konfrontieren? Steig einfach aus, befahl er sich. Steig auf der Stelle aus.

Aber sie fuhr nicht rückwärts, sondern in die Einfahrt eines braunen Bungalows mit einem weißen Schieferdach und einer efeuberankten Doppelgarage. Toms Blick schoss zu dem Straßenschild an der Ecke. Tallahassee Drive, las er. »She's my Tallahassee lassie«, brummte er schief, vergaß seine Übelkeit und fuhr im Schritttempo weiter.

Die Garagentür öffnete sich, aber der Wagen blieb mit laufendem Motor in der Einfahrt stehen. Worauf wartet sie, fragte Tom sich und bemerkte ein zweites Auto in der Garage – eine knallrote Corvette. Zwei Luxusschlitten. Ein Haus am Stadtrand. Fehlte nur der weiße Gartenzaun. »Was sagt uns das?«, fragte er und beobachtete, wie Suzy aus der Garage kam und durch den Vorgarten ging.

Tom dachte, dass sie kaum langsamer gehen könnte, und

hielt den Atem an, als plötzlich die Haustür geöffnet wurde und ein Mann – groß, imposant und trotz der Tageszeit in Jackett und Krawatte – im Türrahmen auftauchte. Was hatte das zu bedeuten, fragte Tom sich, als der Mann Suzys Ellbogen packte, sie ins Haus schob und die Tür hinter ihr schloss.

Tom schaltete den Motor ab und stieg aus. Zeit, das Terrain zu erkunden, entschied er und rannte quer über die Straße auf ihr Haus zu, immer im Schutz der zahllosen Palmen am Straßenrand.

Und dann traf es ihn. Eine plötzliche Welle der Übelkeit, rasch gefolgt von der nächsten und einer weiteren, jede heftiger als die vorherige und begleitet von einem stechenden Schmerz. Er hielt sich vornübergekrümmt den Magen, sein ganzer Körper wurde von einem Würgen geschüttelt, als er sich in eine Gruppe blühender Büsche übergab. Er rang nach Atem, und Tränen brannten in seinen Augen, als er versuchte sich aufzurichten. Wann war ihm zum letzten Mal derart schlecht gewesen? Er unterdrückte den Impuls, sich erneut zu übergeben, sank mit weichen Knien ins Gras und vergrub das Gesicht in den Händen. Er musste nach Hause. Er musste sich hinlegen. Er musste sich von Lainey pflegen lassen.

Als Tom das Gefühl hatte, dass seine Beine wieder kräftig genug waren, ihn zu tragen, kehrte er zu seinem Wagen zurück. »Tallahassee Drive einhunderteinundzwanzig«, las er, als er an dem schicken braunen Bungalow mit dem weißen Schieferdach vorbeifuhr, und wiederholte die Adresse mehrmals laut, um sicherzugehen, dass er sie nicht vergaß.

»Wir sehen uns wieder, Suzy Granate«, sagte er, als er um die nächste Ecke bog und die Heimfahrt antrat.

»Na, da schau an«, sagte Suzy, lächelte den Mann in der Tür an und schaffte es sogar, so zu klingen, als würde sie sich freuen, ihn zu sehen, während sie gleichzeitig versuchte, ihr rasendes Herz zu beruhigen. Angst zu zeigen war nie gut. Was machte Dave hier? Er sollte erst morgen Abend zurückkommen. »Ich habe dich nicht vor...«

»Komm rein.« Er packte ihren Ellbogen, schob sie in den Flur und knallte die Haustür zu.

»Ist was passiert? Ist alles in Ordnung? Deine Mutter...?« Hatte das Pflegeheim angerufen, um ihn darüber zu informieren, dass sie endlich dem Krebs erlegen war, der seit fast zwei Jahren in ihrem Körper wütete?

»Wo zum Teufel bist du gewesen?« Seine langen Finger gruben sich wütend in ihren Arm, an derselben Stelle, die Will vor einer halben Stunde noch so zärtlich berührt hatte.

»Ich war im Kino.«

»Welches Kino hat denn um diese Uhrzeit noch offen?«

»Das Rialto in South Beach.«

»Ich soll dir glauben, dass du bis nach South Beach gefahren bist, um ins Kino zu gehen?«

»Es ist die Wahrheit.«

»Welchen Film hast du gesehen?«

»Den neuen mit Angelina Jolie, den du nicht sehen wolltest.«

»Mit wem warst du dort?«

»Mit einer Freundin.«

»Welche Freundin?«

»Kristin«, sagte Suzy, weil es das Erste war, was ihr in den Sinn kam.

»Kristin«, wiederholte er kopfschüttelnd, als versuchte er vergeblich, den Namen irgendwo einzuordnen. Mit den Fingern der rechten Hand strich er sich über den Bartschatten seines Kinns. »Wer zum Teufel ist Kristin?«

»Ein Mädchen, das ich kennengelernt habe.«

»Wann?«

»Vor ein paar Tagen.«

»Wo hast du sie kennengelernt?«

»Was spielt das für eine Rolle?«

Als Antwort schlug er ihr mit dem Handrücken ins Gesicht. Suzy taumelte rückwärts gegen die cremefarbene Wand und sank auf die Knie.

»Steh auf«, befahl Dave, der drohend über ihr stand. Er maß fast 1,80 Meter und wog gut achtzig Kilo, womit er fünfzehn Zentimeter größer und dreißig Kilo schwerer war als sie. Ein Mann, der was hermachte, hatte sie gedacht, als man sie vor fünf Jahren miteinander bekannt gemacht hatte. Ein Mann, zu dem sie aufblicken konnte.

Und genau das tat sie jetzt, dachte sie auf dem Boden kniend und musste ein Lachen unterdrücken.

»Was? Findest du das komisch?«

»Nein, natürlich nicht.«

»Du lachst?«

»Nein, tue ich nicht. Ich wollte nicht…«

»Steh auf«, sagte er noch einmal.

Sie rappelte sich auf die Füße. »Bitte schlag mich nicht wieder.«

»Dann lüg mich nicht wieder an.«

»Ich lüge nicht.«

»Sag mir, wo du sie kennengelernt hast.« Er starrte Suzy aus eisblauen, vor Wut funkelnden Augen an.

Kaum vorstellbar, dass sie diese blauen Augen einmal für freundlich gehalten hatte. »Sie arbeitet in einem Lokal in South Beach.«

»Was für ein Lokal?«

»Es heißt Wild Zone«, flüsterte sie.

»Was? Sprich lauter?«

»Ich hab gesagt, es heißt Wild Zone«, wiederholte Suzy und wappnete sich gegen einen weiteren Schlag.

»Wild Zone?«, wiederholte Dave ungläubig. »Was für ein Laden ist denn das?«

»Irgendeine Bar.«

»Eine Bar, die Wild Zone heißt«, sagte Dave und ballte ungeduldig die Fäuste. »Und was genau hast du in besagtem Wild Zone gemacht?«

»Nichts. Ehrlich. Ich war am Strand. Ich hatte Durst…«

»Und da rennst du natürlich sofort in die nächste Bar.« Ein weiteres ungläubiges Kopfschütteln, Fäuste, die sich noch fester ballten.

»Ich war nur ein paar Minuten dort.«

»Lange genug, um dich mit den einheimischen ›Wilden‹ anzufreunden.«

»Sie arbeitet dort.«

»Sie ist Kellnerin?«

»Barkeeperin.«

»Du hast dich mit der Barkeeperin angefreundet«, wiederholte er fassungslos.

»Wir haben nur ein paar Minuten miteinander geredet. Sie machte einen netten Eindruck.«

»Worüber habt ihr geredet?«

»Was?«

»Ich habe dich gefragt, worüber ihr geredet habt.«

»Das weiß ich nicht mehr.«

»Sicher weißt du das noch, Suzy. Oder muss ich deiner Erinnerung auf die Sprünge helfen?« Er hob die rechte Hand.

»Nein!«

»Erzähl mir, worüber ihr geredet habt, Suzy.«

»Ich habe einen Granatapfel-Martini bestellt. Sie sagte, sie hätte gehört, dass das gesund sei.«

»Du hast am helllichten Nachmittag Martinis getrunken?«
»Es war schon nach fünf.«
»Und worüber habt ihr noch geredet?«
»Übers Wetter«, sagte Suzy und versuchte sich an ihr Gespräch mit Will zu erinnern.
»Übers Wetter?«
»Sie hat mich gefragt, ob es draußen immer noch so heiß ist, und ich hab gesagt, für mich könne es gar nicht heiß genug sein. Und sie hat mich gefragt, wo ich herkomme, und ich habe ihr erzählt, dass ich gerade aus Fort Myers hierhergezogen bin.«
»Du hast ihr erzählt, *du* wärst gerade hierhergezogen?«
»Ich meinte ›wir‹.«
»Aber das hast du nicht gesagt, oder?«
»Ich weiß nicht mehr. Wahrscheinlich schon. Bestimmt.«
»Erzähl mir, was du gesagt hast.«
»Ich habe gesagt, dass wir gerade aus Fort Myers hierhergezogen sind.«
»Habt ihr über mich gesprochen?«
»Was? Nein.«
»Was hast du ihr erzählt?«
»Nichts. Ich habe nichts über dich gesagt.«
»Du hast deinen hart arbeitenden Mann, dem du Liebe und Gehorsam geschworen hast, mit keinem Wort erwähnt? Oder meine kürzliche Berufung ans Miami General Hospital? Oder dass ich auf einem Radiologen-Kongress in Tampa bin und nicht vor Samstagabend zurückkomme? Das alles hast du nicht erwähnt?«
»Nein.«
»Warum nicht?«
»Was?«
»Hat sie nicht gefragt?«

»Nein.«

»Sie hat sich nur nach dem Wetter erkundigt?«

»Ja. Und woher ich komme.«

»Und was dann? Dann hat sie beiläufig erwähnt, dass sie an einem Freitagabend, an dem in einem Laden, der sich Wild Zone nennt, wahrscheinlich mehr los ist als die ganze restliche Woche, Zeit hat, mit dir ins Kino zu gehen? In die Mitternachtsvorstellung?«

»Ich weiß nicht mehr, was sie gesagt hat.«

Suzy sah Daves Faust erst, als sie gegen ihre Wange krachte. Sie taumelte rückwärts ins Wohnzimmer, wollte sich an dem Beistelltisch neben dem Sofa festhalten und stieß dabei die Lampe um.

»Heb sie auf«, befahl er und kam auf sie zu.

Suzy mühte sich, die Lampe wieder auf ihren Platz auf dem kleeblattförmigen Tisch zu stellen.

»Hältst du mich wirklich für so blöd? Glaubst du, ich merke nicht, wenn du lügst?«, wollte er wissen und stieß die Lampe wieder zu Boden, sodass ihr zarter, elfenbeinfarbener Faltenschirm sich löste. »Heb sie auf.«

Wieder stellte Suzy die Lampe auf den Tisch, und er stieß sie wieder zu Boden.

»Bring den verdammten Schirm wieder in Ordnung.«

Mit zitternden Fingern kämpfte Suzy mit dem mittlerweile stark eingedrückten Lampenschirm, bis sie ihn wieder einigermaßen befestigt hatte.

»Und jetzt heb sie auf«, befahl er noch einmal.

Suzy beeilte sich, die Lampe wieder hinzustellen, doch seine Hand sauste bereits auf sie nieder. Die Lampe fiel ihr aus der Hand. Der Schirm löste sich, flog in hohem Bogen durch das Zimmer und landete klappernd neben dem beige-grünen Orientteppich auf dem kalten Marmorboden. »O Gott«, rief Suzy, als er sich auf sie stürzte, sie auf die Füße zog und gegen die gegenüberliegende Wand schleuderte. Neben ihr schwankte die berühmte Schwarzweißfotografie eines Soldaten, der am Ende des Zweiten Weltkriegs mitten auf dem Times Square eine Frau umarmt, bedrohlich, ehe sie klirrend zu Boden fiel.

Suzy wusste, dass ihn jetzt nichts mehr aufhalten konnte, also schloss sie die Augen, ergab sich seinen Fäusten und wartete darauf, dass es vorbei war.

KAPITEL 6

Vierzig Minuten später bog Tom endlich in seine Einfahrt in der Northwest 56th Street in dem Teil von Morningside, der so heruntergekommen war, dass er schon fast wieder als schick galt. Scheiß auf Coral Gables, fluchte er leise. Sich dort zurechtzufinden war beinahe so unmöglich wie in den verdammten Höhlen in Afghanistan. Straßen, die sich in diese und jene Richtung wandten. Sackgassen, die aus dem Nichts auftauchten wie Heckenschützen. Wege, die sich wie Schlangen wanden und zu ihrem Ausgangspunkt zurückführten. Ein Wunder, dass irgendjemand überhaupt je wieder dort herausfand. Dreimal hatte er gedacht, er wäre dem Labyrinth entronnen, nur um sich erneut auf derselben verdammten Straße wiederzufinden. Er war beinahe peinlich dankbar gewesen, als unvermittelt das riesige Betongerippe von Midtown Miami am Horizont aufgetaucht war.

Er schaltete das Licht aus und schob sich einen Streifen Juicy Fruit in den Mund, für den unwahrscheinlichen Fall, dass Lainey noch wach war und er sie überreden konnte, ihm einen Tee zu machen. Er ließ den Wagen langsam in den Carport rollen, machte den Motor aus und spürte, wie der Wagen mit einem Ruck ganz zum Stehen kam. Beobachtete Lainey ihn aus einem Fenster im ersten Stock, fragte er sich, öffnete die Wagentür und ließ den Blick über das schlichte zweistöckige Haus schweifen. Angeblich war das Haus ein Hochzeitsgeschenk von Laineys Eltern, doch sie war als alleinige Eigentümerin eingetragen. Tom kapierte, dass er im Fall einer Scheidung auf der Straße sitzen würde.

Es wäre nicht das erste Mal, feixte er und dachte daran, wie seine Eltern ihn zu Hause rausgeschmissen hatten, nachdem er bei der Abschlussprüfung beim Mogeln erwischt worden war und mitgeteilt bekommen hatte, dass er – anders als Jeff und seine anderen Freunde – die Highschool nicht abschließen würde. Jeff war sofort in den Süden gegangen und hatte ein Studium an der University of Miami begonnen, während Tom im öden alten Buffalo festsaß.

Ohne Jeff an seiner Seite hatte sich alles verändert. Er wurde nicht mehr von hübschen Mädchen umschwirrt; sie erklärten ihm nicht mehr, dass er gefühlvolle braune Augen und einen niedlichen Arsch hatte; sie streiften ihn nicht mehr wie zufällig im Vorübergehen; sie kicherten nicht mehr und ließen ihre Freundinnen stehen, wenn er rief. Sie mieden ihn im Gegenteil fast völlig, es sei denn, um nach Jeff zu fragen. Was machte er so? Stimmte es, dass er die Uni geschmissen hatte und sich auf Dauer in Miami niederlassen wollte? Plante er in näherer Zukunft einen Besuch zu Hause, und wusste Tom vielleicht wann?

Tom nahm einen Job bei McDonald's an, den er sofort kündigte, als er genug Geld zusammengespart hatte, um zu Jeff nach Miami zu ziehen. Nur wenige Tage nach seiner Ankunft lernte er Lainey kennen, und seither klebte sie an ihm wie Kaugummi an einer Schuhsohle. Ein paar Monate später war Tom nach einer versoffenen und verhurten Nacht und angespornt von Jeff, der hundert Dollar gewettet hatte, dass er sich nicht trauen würde, in ein Rekrutierungsbüro der Armee marschiert und hatte sich freiwillig gemeldet, bevor er sich zu Jeff umgedreht und dieselben hundert Dollar darauf gesetzt hatte, dass sein Freund nicht die Eier hätte, das Gleiche zu tun. Was soll's, hatten sie gedacht, als sie beide über der gepunkteten Linie unterschrieben hatten. Es war ein Abenteuer, eine Gelegenheit, etwas von der Welt zu sehen, eine Chance, mit schweren Waffen zu schießen. Außerdem würde der Krieg doch ohnehin nur noch ein paar Monate dauern, oder?

»Hier entlang, meine Herren«, hatte der Rekrutierungsoffizier lächelnd gesagt.

»Nächster Halt Fegefeuer«, sagte Tom jetzt und kämpfte sich durch die schwüle Luft bis zu der scheußlich lila gestrichenen Haustür. Als er nach seinem Schlüssel tastete, schweiften seine Gedanken zurück zu den geschmackvollen, hellbraunen Bungalows von Coral Gables. Wer strich eine Haustür lila, fragte er sich, als er den Schlüssel im Schloss drehte, das schnappend aufsprang.

»Lila bringt angeblich Glück«, hörte er Lainey sagen und trat – auf alles gefasst – über die Schwelle. Es war Lainey durchaus zuzutrauen, im Dunkeln mit Vorwürfen über ihn herzufallen, die ihm wie Kugeln um die Ohren pfiffen, während sie ihm von Zimmer zu Zimmer folgte, ihre Stimme wie das Heulen eines ferngesteuerten Geschosses, das sich seinem anvisierten Ziel näherte.

Aber niemand lauerte ihm auf, als er in den winzigen Flur trat, niemand wartete darauf, ihm den Kopf abzuschlagen, als er ihn wie eine Schildkröte spähend ins Wohnzimmer reckte. Er ließ sich auf die erstbeste Sitzgelegenheit fallen und starrte auf die Stelle, wo der Plasmafernseher gestanden hatte. Nachdem er mehrere Minuten lang vergeblich versucht hatte, es sich in dem zu kleinen Sessel mit dem geblümten Bezug bequem zu machen, stand er auf. Er hatte den Raum nie gemocht, sich nie an die gebrauchten Möbel von Laineys Eltern gewöhnt.

Er ging die Treppe hinauf und zuckte bei jedem Knacken zusammen.

Irgendwas stimmte nicht, merkte er, als er den oberen Treppenabsatz erreicht hatte und einen Moment lang wie angewurzelt stehen blieb, kaum atmend, die Muskeln voll angespannt. Er wusste erst nicht, was es war, bis es ihm plötzlich aufging – es war zu still.

Sein Blick schoss zur Decke, als befürchtete er, dass eine Bombe vom Himmel fallen könnte. Er zog seine Pistole aus dem Gürtel und hielt sie gezückt vor sich, als er, imaginären Landminen ausweichend, den schmalen Flur hinunterging, während hinter ihm Geschosse explodierten.

Die Türen der Kinderzimmer standen offen, was ungewöhnlich war. Wollte Lainey nicht, dass sie immer zu waren? Er schlich auf Zehenspitzen in Codys Zimmer, trat behutsam ans Bettchen seines Sohnes und lauschte nach dem beruhigenden Geräusch seines Atems.

Er hörte nichts.

Er sah nichts.

Selbst im Dunkeln erkannte er, dass sein Sohn nicht da war.

Was war hier los, fragte Tom sich, rannte ins nächste Zimmer und sah mit einem Blick das leere Bett seiner Tochter, den deutlichen Abdruck ihres Körpers auf dem rosa gestreiften Laken, als ob jemand sie mitten in der Nacht geweckt und weggebracht hätte.

Tom rannte den Flur hinunter ins Schlafzimmer und machte die Deckenlampe an. Als er das ordentlich gemachte Bett sah, gefror ihm der Atem. Er schlug mit der Faust gegen die blassvioletten Wand und musste sich endlich eingestehen, was er von Anfang an gewusst hatte.

Lainey hatte ihn mit den Kindern verlassen. Sie war weg.

Und wenn er nicht zwei Stunden lang dieser blöden Schlampe

aus der Bar gefolgt wäre, wäre er vielleicht rechtzeitig zu Hause gewesen, um sie daran zu hindern. Diese verdammte Suzy, dachte er und sah vor seinem inneren Auge, wie sie langsam auf den Mann zuging, der bedrohlich an der Haustür wartete.

Das war alles ihre Schuld.

»Komm her«, sagte Dave sanft, lächelte Suzy an, klopfte auf den Platz neben sich in dem großen Ehebett und schlug einladend die Decke auf. Sein Oberkörper war nackt, seine gebräunte Brust hob und senkte sich mit seinem ruhigen Atem.

Suzy stand unsicher in der Tür. Ihr feuchtes Haar fiel auf die Schultern ihres hellrosafarbenen Frotteebademantels, ihre Zehen klammerten sich in den dicken weißen Teppich und wollten nicht loslassen.

»Komm«, sagte er, leise, tröstend und voller Nachsicht, als ob sie diejenige wäre, die etwas falsch gemacht hatte.

Sie machte ein paar zögernde Schritte.

»Hast du das Eis mitgebracht?«, fragte er.

Suzy hielt ihre verletzte Hand hoch und zeigte den Beutel mit Eiswürfeln, den sie auf seine Anweisung aus dem Eisfach des Kühlschranks geholt hatte.

»Gut. Und jetzt komm ins Bett. Lass mal sehen, was wir da haben.«

Als ob er es nicht ganz genau wüsste, dachte Suzy und kroch neben ihm ins Bett. Als ob er nicht dafür verantwortlich wäre. Sie zuckte, als er nach ihrem Kinn griff und es von oben bis unten abtastete, als würde er eine Handwerksarbeit begutachten.

»So schlimm ist es nicht«, bemerkte er leidenschaftslos. »Mit ein bisschen Eis sollte die Schwellung rasch abklingen. Und den Rest kann man überschminken. Obwohl ich dir davon abraten würde, in nächster Zeit irgendwo hinzugehen.«

Sie nickte.

»Ich habe mir ehrlich gesagt sogar überlegt, ein paar Tage freizunehmen, um mich zu Hause um mein Mädchen zu kümmern.«

»Geht das denn?«, fragte Suzy schwach.

Seine Antwort ließ sie mehr frösteln als das Eis in ihrer Hand. »Ich kann machen, was ich will«, sagte er.

»Ich dachte bloß, weil du neu am Miami General bist...«

»Die glauben, ich wäre auf diesem blöden Kongress«, erinnerte er sie. »Außerdem frage ich dich: Was ist wichtiger, mein Job oder meine Frau?«

Suzy schwieg.

»Ich habe dich etwas gefragt.«

»Tut mir leid, ich dachte nicht...«

»Du dachtest, meine Frage wäre einer Antwort nicht würdig?«

»Ich dachte, sie wäre... rhetorisch.«

»Rhetorisch«, wiederholte er und zog die Augenbrauen hoch. »Gutes Wort, Suzy. Ich bin beeindruckt. Wenn mich das nächste Mal jemand fragt, warum ein erfolgreicher, gut aussehender Arzt mit einer dürren Highschool-Abbrecherin verheiratet ist, werde ich einfach zurückfragen, ob das rhetorisch gemeint ist. Das sollte ihm das Maul stopfen. Halt das Eis an deine Wange. So ist's brav.« Er lehnte seinen Kopf an ihren und vergrub sein Gesicht in ihrem Haar. »Hmm. Du riechst so gut.«

»Danke.«

»Frisch und sauber. Was ist das? Ivory-Seife?«

Sie nickte.

»Wie war dein Bad?«

»Gut.«

»Nicht zu heiß?«

»Nein.«

»Gut. Man sollte nicht zu heiß baden. Das ist ungesund.«

»Es war nicht zu heiß.«

»Ich hab das Malheur im Wohnzimmer sauber gemacht.«

Das Malheur im Wohnzimmer, dachte Suzy. Als ob es ein Unfall gewesen wäre. Als ob er nichts damit zu tun hätte.

»Danke.«

»Wir müssen eine neue Lampe kaufen.«

Sie nickte.

»Ich werde es von deinem Haushaltsgeld abziehen müssen.«

»Selbstverständlich.«

»Klingt ohnehin so, als würde ich dir zu viel geben. Wenn du dir mitternächtliche Kinobesuche und Lokale wie das Wild Zone leisten kannst.«

Suzy erstarrte am ganzen Körper. Das Wild Zone war der letzte Ort, auf den sie mit ihm zurückkommen wollte. Sie drehte sich in seinen Armen, hob den Kopf und schürzte die Lippen in der Hoffnung, ihn abzulenken. Sie dachte an Will und die süße Zögerlichkeit seines Kusses, als ihr Mann seinen Mund fest auf ihren presste. Anfangs waren Daves Küsse natürlich genauso süß gewesen, genauso zärtlich, erinnerte sie sich. Genauso weich. So weich und tröstend wie seine Stimme, als sie sich zum ersten Mal begegnet waren.

»Das ist Dr. Bigelow«, hatte die Schwester gesagt. »Er hat sich die Röntgenbilder Ihrer Mutter angesehen. Er würde gern mit Ihnen sprechen, wenn Sie einen Moment Zeit haben.«

»Allein«, hatte Dr. Bigelow mit leiser Autorität hinzugefügt. »Bevor Ihr Vater kommt.«

»Stimmt irgendwas nicht?«, hatte sie gefragt und gedacht, dass er auf eine intellektuelle Art attraktiv aussah. Dunkle lockige Haare, hohe Stirn, kräftige Nase, schöner Mund. Erstaunlich lange Wimpern, die blassblaue Augen rahmten. Gütige Augen, hatte sie gedacht.

Er hatte ihren Ellbogen gefasst und sie behutsam aus dem Krankenhauszimmer ihrer Mutter in den Flur geführt.

»Das sollten Sie *mir* sagen.«

»Ich verstehe nicht«, sagte sie, obwohl sie es nur zu gut verstand.

»Wie hat Ihre Mutter ihre Verletzungen erlitten?«

»Das habe ich den anderen Ärzten schon erzählt. Sie hat den Hund ausgeführt, sich in der Leine verheddert, ist mit dem Gesicht zuerst auf die Straße gefallen und hat sich den Kopf am Rinnstein gestoßen.«

»Waren Sie bei dem Sturz dabei?«

»Nein. Sie hat es uns erzählt, als sie nach Hause gekommen ist.«

»Uns?«

»Mein Vater und ich.«

»Meinem Vater und *mir*«, verbesserte er sie und lächelte einfältig. »Tut mir leid. Das ist so ein kleiner Tick von mir. Sie würden ja auch nicht sagen: ›Sie hat es *ich* erzählt, als sie nach Hause gekommen ist.‹ Ich dachte, Ihr Vater wäre bei der Arbeit gewesen«, fuhr er im selben Atemzug fort.

»Was?«

»Sie haben den Ärzten bei der Aufnahme erzählt, Ihr Vater sei zum Zeitpunkt des Unfalls Ihrer Mutter bei der Arbeit gewesen und wisse nichts darüber.«

»Genau. Das war er auch. Er weiß nichts. Er hatte nichts damit zu tun.«

»Das habe ich auch gar nicht behauptet. Wollten Sie mir das sagen?«

»Was? Nein. Sie bringen mich durcheinander.«

»Tut mir leid... Miss Carson, oder?«, fragte er mit einem

Blick auf die Krankenakte ihrer Mutter. »Suzy?«, fragte er sanft, als sei ihr Name ein Hauch von Zuckerwatte. »Warum erzählen Sie mir nicht, was passiert ist?«

Sie schüttelte den Kopf. »Ich kann nicht.«

»Erzählen Sie es mir, Suzy. Sie können mir vertrauen.«

»Nichts ist passiert. Sie hat sich in der Hundeleine verheddert und ist gestürzt.«

»Ihre Verletzungen entsprechen aber nicht einem Sturz, wie Sie ihn beschrieben haben.«

»Nun, vielleicht habe ich es durcheinandergebracht. Ich sagte doch, ich war nicht dabei. Ich habe nicht gesehen, wie es passiert ist.«

»Ich glaube, das haben Sie doch.«

»Nein«, protestierte Suzy. »Ich war nicht dabei.«

»Woher stammen die Blutergüsse an Ihrem Arm, Suzy? Auch ein Unfall mit dem Hund?«

»Das ist nichts. Ich weiß nicht mehr, wie das passiert ist.«

»Und das hier?« Er zeigte auf einen roten Fleck auf ihrer Wange. »Sieht ziemlich frisch aus.«

»Ich weiß nicht, wovon Sie reden.«

»Das war Ihr Vater, nicht wahr? Er ist für die Verletzungen Ihrer Mutter verantwortlich. Und für Ihre«, fügte er leise hinzu.

»Nein, das ist er nicht. Sie wissen nicht, wovon Sie reden. Bin ich hier fertig?«

»Sie müssen ihn nicht schützen, Suzy. Sie können mir erzählen, was wirklich passiert ist. Wir gehen zusammen zur Polizei. Man wird ihn verhaften.«

»Und was dann?«, wollte Suzy wissen. »Soll ich Ihnen erzählen, was dann passiert, Dr. Bigelow? Weil ich nämlich ganz genau weiß, was als Nächstes passieren wird. Meine Mutter erholt sich, ihre Verletzungen verheilen, sie kommt aus dem

Krankenhaus nach Hause und widerruft alle Anschuldigungen gegen meinen Vater, wie sie es immer tut. Und dann ziehen wir in eine andere Stadt, ein paar Wochen lang ist alles gut, vielleicht sogar ein paar Monate, und dann Bingo – Überraschung! Das Ganze geht von vorne los.«

»So muss es nicht sein, Suzy.«

»Ich bin zweiundzwanzig, Dr. Bigelow. So geht das schon, so lange ich mich erinnern kann, wahrscheinlich schon seit vor meiner Geburt. Glauben Sie, Sie könnten einfach so daherkommen, Ihr magisches Stethoskop schwenken und alles besser machen?«

»Ich würde es gern versuchen«, sagte er.

Sie hatte ihm geglaubt.

Sie hatte sich von ihm überreden lassen, zur Polizei zu gehen und trotz des vehementen Leugnens ihrer Mutter gegen ihren Vater auszusagen. Er war an ihrer Seite, als ihr Vater zu sechs Monaten Gefängnis verurteilt wurde. Natürlich hatte er am Ende weniger als vier abgesessen, bevor man ihn entließ, damit er in die offenen Arme seiner Frau heimkehren konnte. Drei Wochen später waren dieselben Arme sowie ihr Schlüsselbein mehrfach gebrochen, und sie lag wieder im Krankenhaus. Vierzehn Tage nach ihrer Entlassung verkündete Suzys Vater, sie würden nach Memphis ziehen. Der achte Umzug in ebenso vielen Jahren. Diesmal war Suzy nicht mitgegangen. Sie war in Fort Myers geblieben, um in der Nähe ihres Beschützers zu bleiben, des gütigen Dr. Bigelow.

Dave und sie heirateten zehn Monate später. Neun Wochen danach schlug er sie zum ersten Mal. Sie hatte »mich« und »mir« verwechselt. Natürlich entschuldigte er sich überschwänglich, und Suzy gab sich selbst die Schuld. Im darauffolgenden Monat war er schon weniger reuig, als er sie wegen eines anderen krassen Grammatikfehlers ohrfeigte. Bis zur ersten richtigen Prügeln dauerte es nicht mehr lange. Und in den letzten fünf Jahren hatte es häufig Schläge gegeben: Sie brauchte zu lange, bis sie bettfertig war; die Pasta, die sie gekocht hatte, war nicht al dente genug; sie hatte mit dem Verkäufer in dem Buchladen »geflirtet«. Zu viele Schläge, um sie zu zählen, dachte Suzy jetzt und wehrte sich nicht, als Daves Hand ihren Kopf in seinen Schoß drückte.

Sie dachte daran zuzubeißen und verbannte den Gedanken eilig wieder. Er würde sie garantiert umbringen.

Außerdem reichte es nicht, ihn zu verstümmeln. Nicht mehr.

Inzwischen wollte sie, dass er tot war.

Und sie dachte, dass sie vielleicht den Mann gefunden hatte, der ihr helfen konnte.

KAPITEL 7

Als Jeff zum ersten Mal versuchte, seinen Bruder zu töten, war er acht Jahre alt.

Er hatte gar nichts gegen Will persönlich und wünschte ihm auch kein spezielles Ungemach. Er wollte bloß, dass er weg war. Will war immer da, immer der Mittelpunkt, immer zog er alle Aufmerksamkeit auf sich. Jeder seiner Schreie wurde erhört, jeder seiner Wünsche erfüllt. Der Auserwählte. Sobald er ein Zimmer betrat, nahm er allen Raum ein, brauchte allen Sauerstoff auf, und niemand achtete mehr auf Jeff, der nach Luft ringend am Rand stand.

Als Baby litt Will unter Koliken und schrie häufig nachts. Dann lag Jeff in seinem Bett, lauschte Wills Heulen und fühlte sich seltsam getröstet, weil sein Bruder sich trotz all der Aufmerksamkeit, mit der er überschüttet wurde, offenbar ebenso elend fühlte wie er selbst.

Mit einem entscheidenden Unterschied: Wenn Will weinte, sprangen alle sofort auf, während man ihm, wenn er heulte, erklärte, er solle aufhören, sich anzustellen wie ein Baby. Er solle still sein und in seinem Bett liegen bleiben. Er durfte nicht einmal aufstehen, wenn er in der Nacht auf die Toilette musste, weil er sonst das Baby stören könnte. Und so lag er im Dunkeln mit voller Blase und mit Bauchkrämpfen, umgeben von den handgenähten Quilts seiner Stiefmutter, die ihn aus jeder Ecke des Zimmers belauerten wie böse Geister. Und dann hatte er es eines Nachts nicht mehr länger ausgehalten und ins Bett gemacht. Und seine Stiefmutter war am nächsten Morgen mit dem zappelnden Baby auf dem Arm ins Zimmer gekommen und hatte die noch feuchten Laken entdeckt und ihn ausgeschimpft, und Will hatte plötzlich aufgehört zu schreien und stattdessen gegluckst, als verstünde er, was geschah, und freute sich darüber.

In diesem Augenblick beschloss Jeff, ihn zu töten.

Er wartete, bis alle ins Bett gegangen waren, und schlich sich dann ins Kinderzimmer. Wills handbemaltes Holzbettchen zeichnete sich vor der blauen Wand ab, darüber kreisten träge die zierlichen, bunten Stoffflugzeuge eines Mobiles. Spielsachen in jeder Form und Größe reihten sich auf den Regalen an der gegenüberliegenden Wand. Stofftiere – Riesenpandas und stolze Ponys, Plüschhunde und Fellfische – tummelten sich auf dem weichen blauen Teppich. Es war ein *richtiges* Zimmer, wie Jeff schon damals begriffen hatte. Nicht nur ein Provisorium, das ursprünglich für einen anderen Zweck vorgesehen war. Wie *sein* Zimmer mit der schmalen Pritsche an der nackten weißen Wand. Das ehemalige Nähzimmer seiner Stiefmutter. Natürlich sollte er nur vorübergehend bleiben. Bis seine Mutter sich wieder eingekriegt hatte und ihn zurückholte, was gar nicht früh genug geschehen konnte. Zumindest hatte er gehört, wie seine Stiefmutter das einer Freundin anvertraut hatte, als beide glücklich über Wills Bettchen gegurrt hatten.

Vor diesem Bettchen stand Jeff jetzt und betrachtete seinen schlafenden Bruder, bevor er das größte Stofftier nahm – ein grinsendes, moosgrünes Krokodil – und Will die fusselige, zitronengelbe Unterseite ins Gesicht drückte. Will strampelte ein paar Sekunden lang panisch mit seinen kleinen Füßchen. Dann lag sein kleiner geschmeidiger Körper plötzlich ganz still, worauf Jeff aus dem Zimmer floh. Die ganze Nacht kauerte er unter seiner Pritsche aus Angst vor den Teppichgeistern, die ihn im Schlaf verfolgen und ersticken würden.

Als Jeff am nächsten Morgen in die Küche kam, saß Will stolz auf seinem Kinderstuhl, schlug mit dem Löffel auf seine Schüssel und schrie nach seinem Brei. Jeff hatte ihn ehrfürchtig schweigend angesehen und sich gefragt, ob er die ganze Geschichte nur geträumt hatte.

Das fragte er sich immer noch.

Selbst zwei Jahrzehnte später halb wach in dem Doppelbett, das er mit Kristin teilte. Nicht dass er nicht in der Lage gewesen wäre, einen Menschen zu töten. Die Antwort darauf kannte er mittlerweile. In Afghanistan hatte er mindestens ein halbes Dutzend Männer getötet, darunter einen aus kürzester Entfernung. Aber das war etwas anderes. Das war Krieg. Da galten andere Regeln. Man musste schnell handeln. Man konnte sich keine Selbstzweifel leisten. Jeder war ein potenzieller Selbstmordattentäter. Und Jeff war überzeugt gewesen, dass der Mann nach einer Waffe gegriffen und nicht kapitulierend die Arme gehoben hatte, wie seine in Tränen aufgelöste Frau später behauptete.

Bis heute spürte Jeff den Sand in seinen Augen und das schwere Gewehr in seiner Hand. Er hörte das Klicken des Abzugs, gefolgt von den hysterischen Schreien der Frau, und sah den ungläubigen Blick in den dunklen Augen des Mannes, als eine Explosion roter Spritzer sich über die Vorderseite seines weißen Umhangs breitete wie ein Muster auf einem der Wandteppiche seiner Stiefmutter.

Ja, er war in der Lage zu töten.

Aber vorsätzlicher, kaltblütiger Mord?

Hatte er wirklich versucht, Will zu ersticken?

Und später, als Will drei Jahre alt war und Jeff ihn auf der

Schaukel im Garten so heftig angestoßen hatte, dass seine Stiefmutter aus dem Haus gerannt kam, ihren Sohn von der Schaukel riss und schrie: »Was machst du da? Willst du ihn umbringen?« War das seine Absicht gewesen?

Oder hatte er nur versucht, ihre Aufmerksamkeit zu gewinnen?

Was immer er bezweckt haben mochte, es hatte nicht funktioniert. Will gedieh weiter prächtig, egal wie böse Jeff zu ihm war. Sein Vater ignorierte ihn weiter, egal wie sehr Jeff sich bemühte, ihm zu gefallen. Seine Mutter kriegte sich nie wieder ein und holte ihn auch nicht zurück. Seine Stiefmutter scheuchte ihn weiterhin fort, wenn er ihr unter die Augen kam.

Und mit vierzehn hatte er dann ein großes, schlaksiges Bündel wütender Energie mit dem Namen Tom Whitman kennengelernt, einen geborenen Mitläufer, der jemanden suchte, der ihm den Weg wies, und eine lebenslange Freundschaft war geboren.

Bis zu seinem achtzehnten Geburtstag hatte Jeff seiner 1,80-Meter-Statur durch strenges tägliches Training knapp zwanzig Pfund an wohl geformten Muskeln hinzugefügt. Das attraktive Gesicht, das er von seinem Vater geerbt hatte, garantierte, dass es permanent willige Mädchen gab. Es schien so, als müsse Jeff nur träge in ihre grobe Richtung lächeln, und sie kamen angerannt.

Jeff grinste bei der Erinnerung an seine frühen Eroberungen und schlug die Augen auf. Die warme Sonne drang durch die schweren blauen Vorhänge seines Schlafzimmerfensters. »Krissie?«, fragte er, spürte den leeren Platz neben sich und blickte auf den Wecker auf dem Nachttisch. *Zwei Uhr? Nachmittags?* Konnte das stimmten? »Krissie?«, rief er noch einmal lauter.

Die Schlafzimmertür wurde geöffnet, und die Silhouette eines Mannes tauchte auf. »Sie ist weggegangen«, sagte Will.

Jeff richtete sich auf und schnippte eine widerspenstige Strähne seines blonden Haars aus seinen blauen Augen. »Wohin?«

»Zu Publix. Offenbar ist das Klopapier ausgegangen.«

»Ohne Scheiß«, sagte Jeff und lachte über seinen Witz.

Will lachte mit, obwohl er den Witz eigentlich gar nicht so komisch fand. »Geht es dir gut?«, fragte er.

»Warum sollte es mir nicht gut gehen?«

»Ich weiß nicht. Du warst gestern Abend ziemlich betrunken. Und wir *haben* schon Nachmittag.«

»Heute ist Samstag«, erinnerte Jeff ihn gereizt. »Da kann ich ausschlafen.«

»Und samstags brauchen die Leute keine Personal Trainer?« Will bemühte sich, unbeschwert zu klingen. Er hatte niemanden tadeln wollen.

»Ich brauche die Leute nicht.« Jeff stand auf, ging, ohne seine Blöße zu bedecken, ins Bad und grinste, als Will den Blick abwandte. Er erleichterte sich, wusch die Hände, spritzte sich Wasser ins Gesicht und war eine Minute später zurück. »Es ist wohl nicht zufällig ein Kaffee fertig«, meinte er, blieb neben dem Bett stehen und streckte seine muskulösen Arme. Wenn Will diese scheinbar beiläufige Zurschaustellung seines nackten Körpers verlegen machte, war das sein Pech. Es schadete nie, die Konkurrenz wissen zu lassen, womit sie es zu tun hatte. Eine kleine subtile Andeutung konnte große Wirkung zeigen. Jeff schnappte sich seine Jeans von der Bettkante und zog sie über seine nackten Hüften.

»Ich glaube, Kristin hat eine frische Kanne aufgesetzt, bevor sie los ist«, beantwortete Will seine Frage, den Blick fest auf den Boden gerichtet. Er wollte nicht, dass Jeff dachte, er würde ihn anstarren.

Jeff ging an Will vorbei durchs Wohnzimmer in die Küche.

Dort goss er sich Kaffee in einen Flamingo-Becher, gab einen Schuss Milch hinzu und nippte vorsichtig daran. »Wann ist sie gegangen?«

»Vor ungefähr zwanzig Minuten. Sie meinte, sie wäre in einer Stunde zurück.«

»Sie kocht guten Kaffee.«

»Sie macht alles gut.«

»Wohl wahr«, sagte Jeff und dachte an letzte Nacht.

»Du hast wirklich Glück.«

»Ja, das habe ich.« Jeff sah einen zaudernden Ausdruck im Gesicht seines Bruders. »Was?«

»Was?«, wiederholte Will.

»Du siehst aus, als wolltest du etwas sagen.«

»Nein. Eigentlich nicht.«

»Eigentlich doch«, beharrte Jeff.

Will wandte den Blick ab, räusperte sich und sah Jeff wieder an. »Es ist bloß ...«

»Spuck's aus, kleiner Bruder.«

»Nun ... es ist bloß ... wegen gestern Abend ...«

»Gestern Abend?«

»Sie hat nichts dagegen?«

»Wogegen?«

»Du weißt schon«, sagte Will. »Wegen der Wette mit Suzy.« Ihr Name auf seinen Lippen war wie ein Gebet. Ihn nur auszusprechen, bereitete ihm Wohlbehagen.

»Zwischen mir und Suzy ist nichts passiert.«

»Sie hat nichts dagegen, dass du etwas von ihr *wolltest*? Dass etwas hätte passieren können ...?« Will fragte sich, was zum Teufel er machte. War er bloß neugierig oder versuchte er vorsätzlich, seinen Bruder gegen sich aufzubringen.

»... wenn sie mich genommen hätte?«, beendete Jeff Wills Frage für ihn. »Dann wäre auf jeden Fall was passiert, glaub mir. Aber sie hat nicht mich ausgewählt, oder? Sie hat dich ausgewählt.« Den Auserwählten, dachte Jeff und trank noch einen Schluck Kaffee, der auf einmal bitter schmeckte.

»Darum geht es aber doch eigentlich gar nicht.«

»Worum *geht* es denn?«, fragte Jeff ungeduldig. Es wunderte ihn nicht, dass sein Bruder am Abend zuvor nicht hatte landen können. War er immer so verdammt zögerlich? »Was willst du sagen, Will?«

»Ich finde es bloß schwer zu begreifen, dass Kristin das wirklich okay findet.«

»Sie ist eine fantastische Frau.«

»Warum willst du sie dann betrügen?« Die Frage war Will herausgerutscht, bevor er sich bremsen konnte.

»Betrügen kann man es ja wohl kaum nennen, wenn der andere sagt, dass es okay ist, oder?«, fragte Jeff.

»Wahrscheinlich nicht. Es ist bloß ...«

»Was?«

»Ich verstehe nicht, warum du es überhaupt willst.«

»Hey Mann. Wie heißt es noch: ›Nichts riecht so gut wie eine frische Möse.‹ Apropos. Was genau ist gestern Abend passiert?« Er zog sich einen Küchenstuhl heran und genoss die sichtliche Verlegenheit seines Bruders.

Will blieb stehen. »Du weißt, was passiert ist.«

»Ich weiß, was *nicht* passiert ist. Du hast nicht ...«

»Müssen wir dieses Gespräch noch einmal führen?«, fragte Will.

»Durftest du nicht mal ein bisschen fummeln? Erzähl mir bitte nicht, dass du außer einem Kater nichts von gestern Abend gehabt hast?«

»Wir haben uns geküsst«, gab Will nach einer längeren Pause zu. Er wollte die Erinnerung nicht dadurch billig machen, dass er darüber sprach.

»Ihr habt euch geküsst? Das ist alles?«

Will sagte nichts.

»Ich hoffe doch, wenigstens mit Zunge?«

»Es war ein guter Kuss«, sagte Will, wandte sich ab und ging zurück ins Wohnzimmer.

Jeff folgte ihm auf dem Fuß. »Komm schon, kleiner Bruder. Ein bisschen mehr musst du mir schon bieten.«

»Ich fürchte, mehr war nicht.« Will ließ sich auf das Sofa sinken. »Tut mir leid, dich zu enttäuschen.«

»Wer sagt denn, dass ich enttäuscht bin? Ich hab hundert Dollar gespart.«

Will zuckte mit den Achseln. »Der Wettbewerb ist noch nicht vorbei«, sagte er leise.

Jeffs Lachen erfüllte den Raum. »Das klingt schon besser. Scheint so, als würde in deinen Adern doch ein bisschen was von Daddys Blut fließen.«

»Hast du in letzter Zeit mit ihm gesprochen?«, fragte Will nach kurzem Schweigen.

»Mit wem?«

»Du weißt, mit wem. Mit unserem Vater.«

»Mit unserem Vater, der da ist in Buffalo? Warum sollte ich?«, fragte Jeff und ging zurück in die Küche, um sich heißen Kaffee nachzuschenken.

»Einfach so, um Hallo zu sagen und zu hören, wie es ihm geht.«

»Er lebt noch, oder?«

»Ja. Natürlich.«

»Und was gibt es sonst noch zu sagen? Ich schätze, irgendjemand wird mich benachrichtigen, wenn er abkratzt.« Als Jeff ins Wohnzimmer zurückkam, sah er gerade noch, wie sein Bruder das Gesicht verzog. »Nicht dass ich erwarte, in seinem Testament genannt zu werden oder so.«

»Viel zu erben gibt es eh nicht, glaub mir«, sagte Will.

Jeff nickte verständnisvoll. »Ich nehme an, all die Jahre in Princeton haben die Ersparnisse der Familie gründlich geplündert.«

»Das Geld kam von meinen Großeltern«, verteidigte Will sich. »Mütterlicherseits«, fügte er unnötigerweise hinzu.

»Schön für dich.«

»Ich war wirklich betroffen, als ich das von deiner Mum gehört habe«, sagte Will nach einer weiteren Pause. »Es tut mir leid.«

»Das muss dir nicht leidtun.«

»Ellie sagt, der Krebs sei sehr aggressiv, und sie hätte nur noch ein paar Monate zu leben.«

»Tja nun. So was kommt vor. Da kann man nicht viel machen.«

»Du könntest nach Hause fahren«, drängte Will, »um sie vor ihrem Tod noch einmal zu besuchen.«

»Nein, das kann ich nicht.«

»Ellie sagt, sie hätte nach dir gefragt.«

»Meine Schwester war schon immer eine kleine Quasselstrippe. Ich wusste gar nicht, dass ihr euch so nahesteht.«

»Sie ist auch meine Schwester«, sagte Will.

»Halbschwester«, verbesserte Jeff ihn scharf. »Hat sie dich gebeten, mit mir darüber zu reden? Bist du deswegen hier?«

»Sie hat mich gebeten, es zu erwähnen, ja. Aber nein, deswegen bin ich nicht hier.«

»Warum genau *bist* du dann hier?«

»Ich habe dich vermisst«, antwortete Will schlicht. »Du bist mein Bruder.«

»Halbbruder«, verbesserte Jeff ihn zum zweiten Mal. Diesmal klang seine Stimme flach wie eine stumpfe Klinge.

»Ich hatte eine schwierige Zeit«, sagte Will und entschied,

alle Vorsicht in den Wind zu schreiben. Wenn er seinen Bruder ins Vertrauen zog, würde Jeff ihm vielleicht umgekehrt auch mehr vertrauen. »Es gab da ein Mädchen, das ich in Princeton unterrichtet habe. Amy …«

»Amy?« Jeff machte es sich auf dem überdimensionierten braunen Ledersessel bequem und stützte die Ellbogen auf die Oberschenkel. Der Dampf, der aus dem Kaffeebecher in seinen Händen aufstieg, konnte sein Lächeln nur halb verdecken.

»Sie war im ersten Semester. Und ich habe einen Kurs in Logik gegeben. Wir haben uns auf Anhieb super verstanden. Eins führte zum anderen …«

»Du hast sie gevögelt«, sagte Jeff.

»Herrgott, Jeff. Ist das alles, woran du denkst?«

»Mehr oder weniger.«

»Eine Beziehung besteht aus mehr.«

»Du hast sie nicht gevögelt.«

»Das habe ich nicht gesagt.«

»Hast du nun oder hast du nicht?«

»Ja, ich … ich habe.«

»Na, Gott sei Dank. Und wo liegt das Problem?«

»Es gab keins. Jedenfalls, so weit es mich betraf. Wir waren fast ein Jahr ziemlich fest zusammen, und dann hat sie plötzlich Schluss gemacht. Sie hat keinen Grund genannt. Ich habe sie immer wieder angerufen und versucht, mit ihr zu reden, um herauszufinden, was ich falsch gemacht hatte.«

»Wie hieß er?«, fragte Jeff.

»Was?«

»Der Typ, wegen dem sie dich abserviert hat. Wie hieß er?«

»Woher weißt du, dass sie einen anderen hatte?«

»Das ist jetzt nicht direkt höhere Wissenschaft, kleiner Bruder. Wann hast du es endlich herausgefunden?«

»Eines Morgens kam ich aus einem Seminar und sah, wie sie

im Flur einen anderen Typen küsste. Da bin ich einfach ausgerastet. Ich habe mich auf ihn gestürzt wie ein geisteskranker Superheld. Das Nächste, woran ich mich erinnere, ist, dass überall Blut war.«

»Bravo, kleiner Bruder.«

»Die Uni Princeton war weniger begeistert. Die haben mich rausgeworfen.«

»Die haben dich rausgeworfen?«

»Die Eltern von dem Typ haben mit einer Klage gedroht. Offenbar habe ich ihm die Nase gebrochen und mehrere Zähne ausgeschlagen. Deshalb bin ich für den Rest des Semesters suspendiert. Das ist nicht weiter schlimm. Meine Doktorarbeit ist sowieso mehr oder weniger fertig.«

»Also wirklich«, sagte Jeff lachend. »Ich hatte ja keine Ahnung, dass ihr Philosophen ein so streitbarer Haufen seid.«

»Wir haben unsere Momente.«

»Ich bin stolz auf dich, kleiner Bruder.«

Will empfand eine unerwartete Genugtuung. Sein Bruder war stolz auf ihn.

Ein lautes unvermitteltes Pochen an der Tür zerstörte den Augenblick.

»Krissie hat wohl ihren Schlüssel vergessen«, sagte Jeff, ohne sich zu rühren.

Will ging zur Wohnungstür und öffnete. Tom drängte an ihm vorbei in die Wohnung.

»Was zum Henker ist hier los?«, wollte er wissen und marschierte direkt ins Wohnzimmer. »Gehst du nicht mehr an dein beschissenes Telefon?«

Jeff tastete seine Jeanstaschen ab.

»Suchst du das hier?«, fragte Will, nahm Jeffs Handy von dem blauen Hocker und warf es seinem Bruder zu, der es mit der linken Hand auffing.

»Scheiße, Mann, ich hab mindestens fünfzig Mal angerufen«, sagte Tom wütend und lief vor Jeffs Sessel auf und ab.

Will fiel auf, dass er dieselbe Kleidung wie am Abend zuvor trug und sein Atem nach Bier und zu wenig Schlaf roch.

»Sorry, Mann«, sagte Jeff. »Ich war ziemlich hinüber.«

»Möchtest du eine Tasse Kaffee?«, bot Will an.

»Sehe ich aus, als ob ich eine Tasse Kaffee wollte?«, gab Tom wütend zurück.

»Du siehst aus, als könntest du eine brauchen«, erklärte Jeff ihm. »Mit extra viel Milch und extra viel Zucker«, wies er Will an. »Gibt es ein Problem?«, fragte er Tom, als sein Bruder aus dem Zimmer war.

»Lainey ist weg«, sagte Tom. »Sie hat die Kinder genommen und mich verlassen.«

»Die kommt schon zurück.«

»Nein. Diesmal nicht.«

»Hast du mit ihr gesprochen?«

»Ich hab es versucht. Sie ist bei ihren Eltern. Ich bin heute Morgen dort hingefahren, aber sie wollte mich nicht sehen. Sie ist echt sauer.«

»Gib ihr ein paar Tage, sich wieder einzukriegen. Sie überlegt es sich bestimmt noch einmal anders.«

»Ihre Eltern haben gesagt, ich hätte bis zum nächsten Samstag Zeit, meine Sachen aus dem Haus zu räumen. Klingt das so, als ob sie es sich noch einmal anders überlegen würde?«

»Klingt, als würdest du einen guten Anwalt brauchen«, sagte Will, als er sich mit Toms Kaffee zurück ins Wohnzimmer wagte.

»Klingt, als solltest du dich um deinen eigenen beschissenen Kram kümmern«, fauchte Tom.

»Vielleicht hat er trotzdem recht«, sagte Jeff.

»Ach ja? Als ob er einen Scheißdreck über irgendwas wüsste.«

»Ich glaube, ich schnappe ein bisschen frische Luft«, bot Will an, stellte Toms Kaffee auf den Tisch vor dem Sofa und ging zur Tür. Er hatte keine Lust auf eine Auseinandersetzung mit Tom, der offensichtlich Streit suchte.

»Warum besuchst du nicht deine Freundin in Coral Gables?«, rief Tom ihm nach. »Sie ist übrigens verheiratet. Wusstest du das, du Oberschlaumeier?«

»Was?« Wovon redete Tom?

»Wovon redest du?«, fragte Jeff für ihn.

»Ich rede davon, dass Suzy Granate verheiratet ist.«

»Du bist verrückt«, sagte Will.

»Hat sie bei eurem romantischen Strandspaziergang vergessen, das zu erwähnen?«

»Du bist uns gefolgt?«

»An den Strand, ins Kino und zurück zu ihrem Auto. Einem silbernen BMW, falls du das fragen wolltest«, erklärte er Jeff, eher er sich wieder Will zuwandte. »Ich hab gesehen, wie du deinen Socken verloren hast und später an ihrem Auto dann die Nerven. Hat er dir erzählt, dass er bei ihr nicht gelandet ist?«

»Hat er.«

»Ich glaube dir nicht«, widersprach Will, obwohl ein flaues Gefühl im Magen ihm das Gegenteil sagte.

»Wie viel willst du wetten? Hundert Dollar? Wie wär's mit tausend?«

»Du scheinst dir ja verdammt sicher zu sein«, sagte Jeff.

»Und ob. Ich bin der Lady nämlich bis nach Coral Gables gefolgt. Tallahassee Drive einhunderteinundzwanzig. Schickes Haus. Doppelgarage. Der Ehemann hat an der Haustür auf sie gewartet. Ich kann es euch zeigen, wenn ihr mir nicht glaubt.«

Jeff war unverzüglich aus seinem Sessel aufgesprungen und auf dem Weg zur Tür. »Zeig uns den Weg«, erklärte er Tom und winkte Will zu. »Kommst du, kleiner Bruder?«

Was? Niemals? Auf keinen Fall, dachte Will. Aber er sagte: »Nach dir.«

KAPITEL 8

»Das ist doch albern«, sagte Will zwanzig Minuten später, noch immer bemüht, eine bequeme Position auf der beengten Rückbank von Toms rostigem Impala zu finden. Der Wagen war alt und roch noch übler als Tom, selbst bei offenen Fenstern. Außerdem war Tom ein grauenhafter Fahrer, der die ganze Zeit ohne erkennbaren Grund abwechselnd auf Gaspedal und Bremse trat, sodass das Fahrzeug sich ruckartig vorwärtsbewegte, als hätte es einen Schluckauf. Will fürchtete, sich übergeben zu müssen, wenn sie nicht bald anhielten. »Wo zum Teufel ist es denn nun?«

»Geduld, junger Mann, Geduld«, sagte Tom, und sein Lachen ließ erkennen, dass er sich prächtig amüsierte.

Arschloch, dachte Will, der in diesem Augenblick erkannte, wie sehr er Tom nicht leiden konnte und noch nie hatte leiden können. Das gefällt dir, was? Dich in dem Gefühl zu suhlen, die Kontrolle über uns zu haben, der unbekannte Kick der Macht.

»Bist du sicher, dass du weißt, wo es hingeht?«, fragte Jeff auf dem Beifahrersitz.

»Entspann dich, Mann. Ich war gestern Nacht noch hier.«

»Sind wir an dieser Ecke nicht schon vor fünf Minuten vorbeigekommen?«, bohrte Jeff weiter.

»Diese Straßen sehen alle gleich aus. Glaub mir, ich weiß, was ich mache.«

»Wie geht's dir da hinten, kleiner Bruder?«, fragte Jeff über die Schulter.

»Ich weiß ehrlich gesagt nicht genau, was zum Teufel wir eigentlich machen«, antwortete Will ehrlich.

»Wir sind auf Häuserjagd«, sagte Tom glucksend.

»Und wenn wir dort sind?«, fragte Will.

»Ich schätze, das liegt an dir, kleiner Bruder«, sagte Tom.

Will störte sich daran, dass er die Anrede einfach so übernommen hatte. »Ich bin nicht dein Bruder«, sagte er lauter als beabsichtigt.

»Da hast du allerdings recht«, stimmte Tom ihm zu und wieherte laut.

»Wie geht's ihnen überhaupt?«, fragte Jeff.

»Wem?«

»Alan und Vic. Wie geht's ihnen?«

»Woher zum Henker soll ich das wissen?«, blockte Tom ab, und sein Lachen erstarb.

Will richtete sich gerader auf. »Ist Alan nicht ein bekannter Computer-Guru in Kalifornien?«, fragte er interessiert.

»Ich weiß nicht. Ist er das?«

»Ich bin mir ziemlich sicher, dass mir meine Mutter so was erzählt hat. Sie sagte, sie hätte gehört, dass deine beiden Brüder sich außerordentlich gut gemacht hätten.«

»Fick dich doch«, höhnte Tom.

»Na, irgendjemand sollte es jedenfalls tun«, sagte Jeff. »Da es nicht so aussieht, als würde Suzy Granatapfel es in nächster Zeit machen.« Er lachte, und Tom stimmte mit ein, ein aufreizendes Bellen, das das dunkelgrüne Kunststoffpolster aufschlitzte wie ein Sägemesser. Jeff drehte sich um und zwinkerte seinem Bruder zu. »Entspann dich«, sollte das heißen, »wir sind ein Team.« Dabei war es offensichtlich, dachte Will, dass jeder auf sich gestellt war.

Mit einem weiteren Ruck kam Toms Wagen plötzlich zum Stehen. »Ta-daa!«, verkündete er triumphierend und wies mit beiden Händen auf die andere Straßenseite. »Da wären wir, Jungs. Das ist der Tallahassee Drive einhunderteinundzwanzig.«

Die drei Männer starrten auf den bescheidenen hellbraunen Bungalow mit dem weißen Schieferdach.

»Nettes Häuschen«, sagte Jeff. »Bist du sicher, dass sie hier wohnt?«

»Absolut.«

»Und warum sollten wir dir glauben?«

»Hey, Mann, es ist mir scheißegal, ob du mir glaubst oder nicht. Ich sage euch, das ist ihr Haus. Sie ist in diese Einfahrt gebogen und in diese Garage gefahren, den Weg zu dieser Tür hinuntergelaufen, wo irgendein Typ auf sie gewartet hat. Und er sah nicht besonders glücklich aus.«

»Vielleicht war es ihr Vater«, sagte Will. Es war doch möglich, dass sie noch zu Hause wohnte. Vielleicht war sie zurück zu ihren Eltern gezogen, nachdem ihre Ehe zerbrochen war. Obwohl sie nicht direkt gesagt hatte, dass ihre Ehe zerbrochen war, dachte er, bemüht, sich genau zu erinnern.

»Warst du je verheiratet, Will?«, hatte sie gefragt.

»Nein. Du?«

»Ja. Aber lass uns nicht darüber reden, okay?«

Sie hatte also nicht ausdrücklich erklärt, dass ihre Ehe beendet war, streng genommen also zumindest nicht gelogen.

»Ihr Vater?«, höhnte Tom. »Willst du mich verarschen?«

»Wie sah der Typ denn aus?«, fragte Jeff.

»Ungefähr 1,80 Meter, achtzig bis fünfundachtzig Kilo. Ende dreißig, Anfang vierzig. Gut angezogen. Man glaubt es nicht, aber er hatte um zwei Uhr morgens noch Jackett und Krawatte an.«

»Hört sich eher an wie ein Besucher und nicht wie ein Ehemann«, sagte Will und wollte es mit aller Macht glauben.

»Klar, Kleiner. Träum weiter.«

»Was spielt es für eine Rolle, wer der Typ ist?«, fragte Jeff nach einer Pause. »Kümmert es irgendjemanden von uns, ob sie verheiratet ist? Ich meine, soweit es mich betrifft, macht es die Sache leichter. Keine Sorgen, dass sie das Ganze zu eng sieht, keine gebrochenen Versprechen oder Herzen. Das Mädchen will bloß ein bisschen Spaß. Genau wie wir. Passt doch perfekt, wenn ihr mich fragt.«

»Aber wenn sie nur das wollte, warum hat sie dann nicht…?«

»Warum hast du sie dann nicht flachgelegt, meinst du?«, beendete Tom Wills Frage schadenfroh.

»Vielleicht hast du sie einfach nicht angemacht, kleiner Bruder.«

»Vielleicht hat sie gemerkt, dass sie sich den Falschen ausgesucht hat«, fügte Tom hinzu.

»Ich würde sagen, wir fragen sie einfach selbst«, sagte Jeff.

»Was?«

»Hundert Dollar für denjenigen, der als Erster an ihre Tür klopft und ihren Ehemann fragt, ob die kleine Suzy zum Spielen rauskommen darf.«

»Die Wette gilt«, sagte Tom und öffnete die Wagentür.

»Warte. Nein.« Will packte von der Rückbank Toms Schulter und hielt ihn zurück. »Das ist lächerlich. Bitte, können wir einfach hier verschwinden?«

»Lass mich los, Mann.«

»Ich werde nicht zulassen, dass du das machst.«

»Glaubst du, du könntest mich aufhalten?«

»Aber, aber, Jungs, benehmt euch«, mahnte Jeff und lachte. »Wir spielen nur mit dir, kleiner Bruder. Tom geht nirgendwohin, oder, Tom?«

Tom schloss glucksend die Wagentür. »Und du bist voll drauf reingefallen, was? Du hättest dich mal hören sollen, Scheiße, Mann. Wie ein kleines Mädchen. ›Bitte, können wir einfach hier verschwinden‹«, äffte er Will nach.

»Hey«, sagte Jeff, als er bemerkte, wie sich in einem Fenster im Tallahassee Drive 121 eine Gardine bewegte. »Habt ihr das gesehen?«

»Was?«

»Irgendjemand beobachtet uns.«

»Was?«, fragte Tom und duckte sich sofort in seinen Sitz. »Los runter. Sonst sieht man dich.«

»Scheiße«, fluchte Will und gehorchte.

Nur Jeff blieb aufrecht sitzen. »Die Haustür geht auf«, berichtete er. Will schloss die Augen und sprach ein stummes Gebet. Bitte mach, dass das alles ein Traum ist, flehte er. Bitte lass mich auf dem Sofa in Jeffs Wohnzimmer schlafen, versunken in süßen Träumen von romantischen Spaziergängen am Meer und weichen Küssen in einer nächtlichen Straße. Bitte mach, dass nichts von all dem wirklich passiert. »Wer ist es?«, hörte er sich fragen.

»Es ist Suzy.«

»Was macht sie?«

»Sie steht bloß da und schaut sich um«, sagte Jeff. »Wartet. Jetzt kommt sie auf uns zu.«

»Was? Scheiße.«

Will spähte durch das offene Seitenfenster und sah Suzy die Auffahrt hinunterlaufen. Sie schaute weder nach links noch nach rechts, als sie die Straße überquerte, und steuerte direkt auf Toms Wagen zu. Trotz der drückenden Hitze trug sie eine lange Hose und eine langärmelige blaue Bluse. Ihr Gesicht war zum größten Teil hinter einer riesigen Sonnenbrille verborgen, aber Will erkannte trotzdem, dass sie Angst hatte.

»Was macht ihr hier?«, fragte sie ohne Vorrede, während ihr Blick von Tom und Jeff zu Will auf der Rückbank zuckte.

»Das könnten wir dich auch fragen«, gab Tom zurück und richtete sich wieder ganz auf.

»Ihr müsst hier verschwinden«, sagte Suzy mit einem flehenden Blick zu Will. »Sofort.« Sie sah wieder Jeff an. »Bitte.«

»Gibt es ein Problem?«, fragte Jeff.

»Bitte, bevor er euch sieht…«

»Du bist verheiratet«, sagte Will, eher Feststellung als Frage.

Suzy senkte den Kopf und schwieg.

»Ich hab's dir ja gesagt«, triumphierte Tom.

»Bitte, fahrt einfach«, sagte Suzy, ohne ihn zu beachten.

»Suzy?«, fragte eine Männerstimme von der Haustür des Tallahassee Drive 121, die auch auf der anderen Straßenseite noch mühelos zu verstehen war. »Was ist da draußen los?«

Suzy ließ das Kinn auf die Brust sinken und die Schultern sacken.

»Er kommt rüber«, sagte Tom.

»Schnell«, sagte Suzy. »Habt ihr einen Stadtplan?«

»Was?«

»Einen Stadtplan. Bitte, sagt mir, dass ihr einen Stadtplan im Handschuhfach habt.«

Jeff öffnete das Handschuhfach und begann in dem darin verstauten Müll zu wühlen. Er ertastete ein aufgerissenes Päckchen Kaugummi, ein Knäuel aus benutzten Papiertaschentüchern und etwas Klebriges, über das er lieber nicht nachdenken wollte.

»Gibt es ein Problem?«, fragte der Mann, als er sich dem Wagen näherte. Er trug lässige Freizeitkleidung, Khakihose und ein golden gestreiftes Golfshirt, aber ansonsten sah er genauso aus, wie Tom ihn beschrieben hatte, dachte Will und registrierte die breiten Schultern und die großen Hände des Mannes.

»Sie haben sich verfahren«, sagte Suzy einen Tick zu fröhlich.

»Wir haben die Dame nur nach dem Weg gefragt.« Mit ausladender Geste entfaltete Jeff einen großen, unhandlichen Stadtplan, den er wundersamerweise zusammengedrückt ganz hinten im Handschuhfach entdeckt hatte. »Wir haben ehrlich gesagt keine Ahnung, wo zum Teufel wir gelandet sind.«

Der Mann schob Suzy beiseite und beugte sein gebräuntes Gesicht in das Seitenfenster. Suzy machte ein paar Schritte nach hinten, sodass sie in Wills Reichweite kam und er sich mit aller Macht zusammenreißen musste, nicht ihre Hand zu ergreifen.

»Ich fürchte, Wegbeschreibungen sind nicht die Stärke meiner Frau. Nicht wahr, Schatz?«

»Ja, leider.«

Vor irgendwas hatte sie Angst, dachte Will.

»Kenne ich Sie nicht von irgendwoher?«, fragte der Mann Jeff unvermittelt.

Will hielt den Atem an.

»Ich glaube nicht«, erwiderte Jeff locker.

»Ich bin mir ziemlich sicher, dass wir uns schon mal irgendwo begegnet sind. Arbeiten Sie in der Gegend?«

»Nein, ich arbeite in Wynwood. Bei Elite Fitness in der Northwest 40th Street. Kennen Sie das?«

»Kann ich nicht behaupten. Sie sind Personal Trainer?«

»Jeff Rydell. Zu Ihren Diensten.«

»Vielleicht komme ich irgendwann darauf zurück. Welche Straße suchen Sie denn?«, fragte er, spannte die Finger an und ließ wieder locker.

Will meinte, an seinen Fingerknöcheln eine Schürfwunde gesehen zu haben. Sein Blick schoss zu Suzy.

»Sie suchen die Miracle Mile«, sagte Suzy und starrte auf

ihre Füße. Ihre Sonnenbrille war wie eine Schutzwand gegen seine bohrenden Blicke.

»Die Miracle Mile? Jeder weiß, wie man zur Miracle Mile kommt.«

»Bis auf meinen Freund hier«, sagte Jeff, sah Tom an und verdrehte die Augen.

»Du kannst wieder reingehen, Schatz«, sagte der Mann leise, doch es war klar, dass es sich nicht um einen Vorschlag handelte. »Ich kümmere mich schon darum.«

Suzy entfernte sich vom Wagen. »Viel Glück«, sagte sie und blickte Will dabei direkt an. Dann drehte sie sich um und eilte zurück zum Haus, ohne sich noch einmal umzusehen.

»Vielen Dank für Ihre Hilfe«, rief Jeff ihr nach.

»Miracle Mile«, wiederholte der Mann, als ob er ernsthaft darüber nachdenken würde. »Mal sehen. Wie kommt man da von hier aus am besten hin? Wahrscheinlich über die Anderson Road.«

»Die Anderson Road?«, fragte Tom.

»Fahren Sie bis zum Ende der Straße, dann links, zwei Blocks geradeaus, noch mal links und an der nächsten Ampel rechts. Das ist die Anderson Road. Und der folgen Sie, bis Sie zur Miracle Mile kommen.«

»Klingt eigentlich ganz einfach«, sagte Jeff.

»Sind Sie sicher, dass wir uns nicht von irgendwoher kennen?«, fragte der Mann spitz. »Ich bin überzeugt, ich hab Sie schon mal irgendwo gesehen. Vielleicht im Wild Zone?«

Wills Mund wurde trocken. Was war hier los? Man kam nicht einfach so aus heiterem Himmel auf einen Namen wie Wild Zone. Wie viel wusste Suzys Mann? Wie viel hatte sie ihm erzählt?

»Wild Zone?«, wiederholte Jeff leicht gedehnt und mit undurchdringlicher Miene. »Ist das ein Klamottenladen?«

Der Mann lachte, doch es klang ziemlich hohl. »Das ist eine Bar in South Beach. Waren Sie noch nie dort?«

»Ich glaube nicht.«

»Ich auch nicht«, kam das Echo von Tom. »Was ist mit dir, Will? Je einen Ausflug ins Wild Zone gemacht?«

»Ich bin neu in der Stadt, schon vergessen?«, brachte Will mit Mühe über die Lippen.

»Na, viel Spaß auf der Miracle Mile«, wünschte der Mann Jeff, als wären die beiden anderen gar nicht da. Wenn er einen Verdacht hegte – und es war klar, dass er *irgendwas* vermutete –, richtete sich dieser Verdacht zweifelsfrei gegen Jeff. Der Mann richtete sich auf und ging langsam davon.

»Nochmals vielen Dank«, sagte Tom und winkte.

Er ließ gerade den Motor an, als das Gesicht des Mannes plötzlich erneut in dem offenen Fenster auftauchte. »Oh«, sagte er, als wäre ihm der Gedanke eben noch gekommen. »Lasst euch nicht noch mal von mir in dieser Gegend erwischen, Jungs.« Er zwinkerte, wandte sich ab und ging entschlossen zurück zu seinem Haus.

»Was zum Henker?«, stotterte Tom, als die Haustür hinter ihm zugefallen war. »Was glaubt das Arschloch, wer er ist?« Er griff unter seinen Sitz, zog eine kleine Pistole hervor und schwenkte sie in der Luft. »Ich hätte wirklich Bock, den aufgeblasenen Wichser abzuknallen.«

»Hey!«, rief Jeff und packte die Hand, mit der Tom die Waffe schwenkte. »Und wieder einen Bock schießen? Was zum Teufel machst du mit dem Ding?«

»Er hat eine Waffe?«, rief Will. »Ist er verrückt? Willst du, dass wir alle umkommen?«

»Ach, mach dir mal nicht in die Hose. Alles halb so wild.«

»Wir sind hier nicht in Kandahar, du Flachwichser«, ermahnte Jeff ihn. »Steck das verdammte Ding weg.«

»Scheiße«, sagte Tom und verstaute die Pistole wieder an ihrem Platz.

»Eine Waffe. Ich glaub es nicht«, keuchte Will. Er verspürte ein Stechen in der Luftröhre. »Ist sie geladen?«

»Klar ist die geladen. Denkst du, ich bin so ein Weichei, das mit einer ungeladenen Waffe rumläuft?«

»Ich denke, du bist ein Irrer. Das denke ich.«

»Okay. Das reicht.« Jeff griff über Toms Arm hinweg zum Zündschloss. »Lass uns hier verschwinden.«

»Was zum Henker ist hier eben abgegangen?«, sagte Tom, als er losfuhr.

Will sagte nichts. Das Gleiche wollte er auch gerade fragen.

»Nun, Suzy, willst du mir erklären, was das verdammt noch mal zu bedeuten hatte?«, fragte ihr Mann sie sanft.

Sie saß auf dem Sofa, Dave stand direkt vor ihr, über ihr, bedrohlich wie eine zischelnde Königskobra.

»Ich weiß nicht, was du meinst.«

»Erzähl mir von den Männern in dem Wagen, Suzy.«

»Da gibt es nichts zu erzählen«, setzte sie an zu erklären. »Ich hab aus dem Fenster geguckt und dieses fremde Auto da stehen sehen…«

»Du hast einfach nur so aus dem Fenster geguckt?«, unterbrach er sie.

»Ja.« Sie hatte aus dem Fenster geschaut und an Flucht gedacht. Würde sie es unbemerkt bis zur Haustür schaffen? Wie lange würde es dauern, bis ihm auffiel, dass sie weg war? Wie viele Stunden, bis er sie aufgespürt und seine Drohung wahr gemacht hatte, sie umzubringen, sollte sie jemals versuchen, ihn zu verlassen?

»Und da hast du ein fremdes Auto mit drei fremden Männern drin gesehen und bist natürlich nach draußen gegangen, um Hallo zu sagen?«

Sie hatte den Wagen sofort als denjenigen erkannt, der ihr am Abend zuvor gefolgt war. Sie hatte angenommen, es wäre ein von ihrem Mann engagierter Detektiv. Dann erkannte sie den Mann aus der Bar und sah Will auf der Rückbank sitzen. »Ich habe gesehen, dass sie mit einem Stadtplan herumhantiert haben«, erklärte sie Dave. »Sie hatten sich offensichtlich verfahren. Ich wollte bloß hilfsbereit sein.« Ich wollte bloß fliehen, dachte sie. Das war ihr einziger Gedanke gewesen, als sie über die Straße gelaufen war. Sie konnte es sich nicht leisten, noch mehr Zeit zu vergeuden. »Nehmt mich mit«, hatte sie rufen wollen. Stattdessen hatte sie nur herausgebracht: »Was macht ihr hier? Ihr müsst hier verschwinden. Sofort.«

Dave lächelte, setzte sich neben sie und nahm ihre Hand. »Deine Hände sind eiskalt«, stellte er fest.

»Wirklich?«

»Ist dir kalt, Liebling?« Er legte einen Arm um sie und zog sie fest an sich.

»Ein wenig.«

Er begann, über ihren Arm zu reiben. Sie verzog das Gesicht, als er zu fest auf ihre blauen Flecke drückte. »Oh, tut mir leid, Schatz. Habe ich dir wehgetan?«

»Nein, schon gut.«

»Du weißt doch, wie sehr ich es hasse, dir wehzutun. Oder?«

»Ja.«

»Ja was?«

»Ich weiß, wie sehr du es hasst, mir wehzutun.«

»Beinahe so sehr, wie ich es hasse, angelogen zu werden. Du lügst mich doch nicht an, Liebling?«

»Nein.«

»Du hast diese Männer wirklich nie zuvor gesehen?«

»Nein. Natürlich nicht.«

»Nicht mal im Wild Zone?«

»Im Wild Zone?« Gütiger Gott, was hatten sie ihm erzählt?

»Der gut aussehende Blonde? Der Personal Trainer«, stellte Dave klar. »Du hast doch nichts mit ihm angefangen?«

»Was? Nein.«

»Bitte sag mir, dass es nicht der Idiot hinter dem Steuer war. Bitte sag mir, dass du einen besseren Geschmack hast.«

»Ich weiß nicht, wovon du redest. Ich habe keinen der Männer je zuvor gesehen.«

»Sie sind also einfach so durch Coral Gables gefahren und haben auf der Suche nach der Miracle Mile vor unserem Haus gehalten?«

»Das haben sie gesagt.«

»Die jeder Schwachkopf mit verbundenen Augen findet.«

Suzy sagte nichts. Es klang selbst in ihren eigenen Ohren wenig überzeugend.

Daves Arm wanderte zu ihrem Hals, und er massierte ihren Nacken. »Weißt du, was mit das Beste daran ist, Arzt zu sein, Suzy?«, fragte er. »Die Leute respektieren einen. Sie glauben, weil man Arzt ist, müsse man auch ein ehrenwerter Mensch sein. Deshalb neigen sie dazu, einem alles zu glauben, was man ihnen erzählt.«

Suzy nickte, obwohl sein Arm ihr kaum die Bewegungsfreiheit dazu ließ.

»Wenn ich beispielsweise der Polizei erzählen würde, dass meine Frau in letzter Zeit launisch und depressiv war, wären sie wahrscheinlich nicht übermäßig überrascht zu erfahren, dass sie sich das Leben genommen hat. Und das ist ein weiterer Vorteil daran Arzt zu sein«, fuhr er beinahe fröhlich fort. »Ich weiß, wie der menschliche Körper funktioniert. Und was man tun muss, damit er nicht mehr funktioniert. Verstehst du, was ich sage, Liebling?«

»Dave, bitte ...«

»Verstehst du mich? Mehr als ein schlichtes Ja oder Nein ist nicht erforderlich.«

»Ja.«

»Gut.« Er löste seinen Griff. »Denn es würde mir das Herz brechen, wenn dir etwas zustoßen sollte. Das weißt du doch, oder? Wieder genügt ein einfaches Ja oder Nein.«

Suzy schloss die Augen und rang sich ein Ja ab.

»Gut. Warum ziehst du dir dann jetzt nicht ein bisschen was Aufreizenderes an? Scheint so, als wäre dein Mann amouröser Stimmung.«

Suzy erhob sich vom Sofa und ging schweigend ins Schlafzimmer.

»Beeil dich«, hörte sie Dave sagen.

KAPITEL 9

»Jeff, Telefon für dich«, rief Melissa vom Empfangstresen, der direkt neben dem Eingang des kleinen Sportstudios stand.

»Wenn Sie mich entschuldigen«, sagte Jeff zu einer Frau mittleren Alters in einem schwarzen Trikot und einem türkisfarbenen Sweatshirt. »Warum gehen Sie nicht ein paar Minuten aufs Laufband? Ich bin sofort zurück.«

»Ich hab ihm gesagt, dass du eine Kundin hast«, entschuldigte Melissa sich, »aber er meinte, es wäre ein Notfall.«

Kaum hatte Melissa den Hörer des altmodischen schwarzen Telefons mit Wählscheibe weitergereicht, als Toms Stimme auch schon in Jeffs Ohr dröhnte. »Sie ist bei einem verdammten Anwalt«, brüllte er.

Jeff blickte sich nervös um, um sich zu vergewissern, dass sein Chef nicht in der Nähe war. Aber Larry war mit einer jungen Frau mit Pferdeschwanz am Ellipsentrainer beschäftigt. Trotzdem musste er vorsichtig sein. Während der Arbeit sollte man keine Privatgespräche führen. Larry war zwar nur wenige Jahre älter als Jeff und für einen Chef relativ locker, aber er war trotzdem sein Vorgesetzter, und Jeff wollte seinen Job nicht verlieren. Elite Fitness lag im ersten Stock über einer Bäckerei, nicht weit von seiner Wohnung, und die Kundschaft war freundlich. Nicht halb so hochnäsig wie in dem letzten Studio, in dem er gearbeitet hatte. »Wer ist bei einem Anwalt?«, fragte er leise, sodass man ihn bei der lauten Rap-Musik, die aus den Boxen dröhnte, kaum hören konnte.

»Was denkst du wohl, wer? Lainey natürlich. Von wem zum Henker sollte ich sonst reden?«

Jeff entschied, Tom nicht an das zurückliegende Wochenende zu erinnern. »Bitte erzähl mir, dass du sie nicht beschattest«, flüsterte er, eine Hand über die Sprechmuschel gelegt, während sein Blick von den großen Maschinen auf der einen Seite des Raumes zu den Bänken und Hanteln auf der anderen Seite zuckte. Er ging einen Schritt zur Seite, um aus der Mittagssonne zu treten, die direkt durch das große Fenster zur Straße hereinfiel und von den Spiegeln an praktisch jeder Wand reflektiert wurde. In dem langen rechteckigen Studio war es trotz Klimaanlage ziemlich warm, aber der Schweißgeruch in den Holzböden wurde zum Glück von dem angenehmen Duft von frisch gebackenem Brot überdeckt, der aus den Lüftungsschlitzen wehte.

»Natürlich beschatte ich sie«, sagte Tom ungeduldig. »Woher sollte ich sonst wissen, wo sie ist? Und heute Morgen muss sie natürlich gleich als Erstes mit einem verdammten Anwalt reden.«

»Sag mir, dass du keine Waffe dabeihast.«

»Ich habe keine Waffe.«

Jeff wusste sofort, dass Tom log. »Herrgott, Tom, das kannst du wirklich nicht mehr bringen. Sonst gehst du noch irgendwann drauf.«

»Wenn hier jemand draufgeht, dann bestimmt nicht ich.«

»Was ist mit deinem Job?«, probierte Jeff einen anderen Ansatz.

»Keine Sorge. Ich hab mich krankgemeldet.«

Jeff spürte das dumpfe Pochen eines beginnenden Kopfschmerzes. Er hatte gerade nicht die Geduld für Tom. »Hör mal, ich kann jetzt nicht reden. Ich habe eine Kundin.«

»Heute Morgen um neun bin ich zum Haus ihrer Eltern gefahren«, fuhr Tom fort, als ob Jeff nichts gesagt hätte. »Ich dachte, ich bin mal höflich, weißt du, und kreuz nicht zu früh dort auf. Lainey kam gerade aus dem Haus, schick angezogen, sodass ich gleich wusste, dass irgendwas im Busch war. Ich meine, warum bretzelt sie sich an einem Montagmorgen so auf? Wo will sie hin? Also bin ich ihr gefolgt, um zu sehen, was Sache ist. Sie ist in die West Flagler Street gefahren und in das knallrosa Haus gegangen, das aussieht wie eine Riesenflasche Pepto-Bismol. Ich hab mir die Firmenschilder am Eingang angeguckt. Alles Anwälte, Mann.«

»Okay, sie hat also mit einem Anwalt gesprochen. Das heißt nicht...«

»Das heißt, sie wird die Scheidung einreichen. Das heißt, sie wird versuchen, mir meine Kinder wegzunehmen. Diese Kinder bedeuten mir alles, Mann. Das weißt du.«

Jeff dachte, dass dies vermutlich nicht der beste Zeitpunkt war, Tom darauf hinzuweisen, dass er sich nur selten mit seinen Kindern abgab. »Hör mal, warum atmest du nicht erst mal tief durch und versuchst, dich zu beruhigen. Dann rufst du deinen Boss an und sagst ihm, dass du dich schon viel besser fühlst, und gehst zur Arbeit. Das lenkt dich von Lainey ab.«

»Ich werde nicht zulassen, dass die Hexe mir meine Kinder wegnimmt.«

»Reg dich einfach ab. Mach keine Dummheiten. Warte ein paar Tage ab, was passiert.«

»Ich weiß, was in ein paar Tagen passiert. Ich kriege die Scheidungspapiere zugestellt. Das wird passieren.«

»Vielleicht auch nicht. Wenn du nicht ausflippst, sondern

ganz ruhig bleibst...« Jeff hielt inne. Er redete mit Tom, erinnerte er sich.

»Vielleicht könntest du mit ihr reden«, sagte Tom.

»Was? Auf keinen Fall.«

»Bitte, Jeff. Du musst mir helfen. Schließlich ist es deine Schuld, dass ich überhaupt in diesen Schlamassel geraten bin.«

»Was?« Wovon redete Tom jetzt, fragte Jeff sich, beobachtete, wie Caroline Hogan die Geschwindigkeit des Laufbands reduzierte, und dachte, dass sie für eine Frau ihres Alters bemerkenswert gut in Form war. »Wie zum Teufel kommst du denn da drauf?«

»Hey, es war *deine* Idee, Suzy zu verfolgen.«

Das Mädchen am Empfang räusperte sich und ließ ihre Augen nach rechts wandern.

»Und wann würde es Ihnen am besten passen?«, fragte Jeff laut, als Larry vorbeiging, gefolgt von seiner jungen Kundin mit ihrem munter wippenden Pferdeschwanz.

»Hallo, Jeff«, sagte das Mädchen, das Kelly hieß, mit einem breiten strahlenden Lächeln in ihrem herzförmigen Gesicht.

Jeff erwiderte ihr Lächeln, während Toms Stimme in seinem Ohr dröhnte. »Was redest du da?«, fragte er.

»Selbstverständlich. Warum schauen Sie nicht in Ihren Terminkalender und melden sich dann noch mal? Ich bin sicher, wir finden was.«

»Was zum Henker soll das?«

»Ich fürchte, vor sieben habe ich nichts mehr frei.«

»Willst du mich verarschen oder was?«

»Hör zu«, flüsterte Jeff, als Larry und das Mädchen sicher außer Hörweite waren, »ich hab dir gesagt, ich kann jetzt nicht reden. Mein Boss beobachtet mich.«

»Das ist mir doch scheißegal! Findest du nicht, dass das wichtiger ist?«

»Ich ruf dich später an. Und du gehst jetzt nach Hause, beruhigst dich und hörst auf, Lainey zu verfolgen. Hast du mich verstanden, Tom? Hörst du mir zu?«

»Ich werde sie nicht verfolgen.«

»Okay, gut. Wir sprechen uns nachher.« Jeff legte auf, eigenartig fasziniert, dass ein Mann, der so häufig log wie Tom, immer noch so schlecht darin war. Er gab Melissa den Hörer zurück. »Danke für die Warnung.«

»Jederzeit. Oh, dein Elf-Uhr-Termin hat abgesagt.«

»Alles in Ordnung?«, fragte Caroline Hogan, stieg von dem Laufband und kam auf ihn zu. Die Vorderseite ihres türkisfarbenen Oberteils war von münzgroßen Schweißflecken gesprenkelt, und sie tupfte sich mit rot lackierten und manikürten Fingern die Oberlippe ab.

»Mein Elf-Uhr-Termin hat abgesagt«, antwortete Jeff trocken. »Und ein Freund von mir ist gerade von seiner Frau verlassen worden.«

Sie hob eine sorgfältig gezupfte Braue und legte ihre Stirn in feine Falten.

Da war das Botox nicht hingekommen, dachte Jeff, führte sie zu einer Bank und wies sie an, sich auf den Rücken zu legen.

Caroline Hogan tat, wie ihr geheißen, breitete ihr lockiges, blondes Haar auf das Handtuch unter ihrem Kopf und ließ ihre immer noch wohlgeformten Beine über den Rand der Bank baumeln, sodass ihre Adidas-Joggingschuhe leicht über den Holzboden schrammten.

»Wie schnell waren Sie auf dem Laufband?«

»Sechs Komma fünf.«

»Nicht schlecht für eine alte Schachtel.« Die Worte waren über Jeffs Lippen, bevor er sie zensieren konnte, und er war froh, als er Caroline lachen hörte. Sie hatte ein nettes Lachen. Nicht zu rau, nicht zu mädchenhaft. Fest und aufrichtig. Nicht wie Kristin, die immer erstaunlich zögerlich lachte, oder Lainey, deren Lachen immer gezwungen klang, als ob beide Frauen irgendwie widerwillig lachen würden. »Er ist ohne sie besser dran«, sagte Jeff und legte jeweils eine Fünf-Kilo-Hantel in ihre ausgestreckten Hände.

»Ich nehme an, Sie reden von dem Freund, der von seiner Frau verlassen wurde«, stellte Caroline fest, beugte die Ellbogen und ließ die Gewichte links und rechts neben ihren Kopf sinken, ehe sie sie unaufgefordert wieder in die Luft stemmte. Sie kam seit drei Jahren zwei Mal die Woche, wärmte sich auf dem Laufband auf und arbeitete dann eine Stunde mit einem Trainer. Ihr vorheriger Trainer war vor zwei Monaten nach New York gegangen, und man hatte Jeff engagiert, um ihn zu ersetzen. Caroline wusste genau, was von ihr erwartet wurde, eine Eigenschaft, die Jeff an einer Frau schätzte.

Eine Eigenschaft, die Lainey Whitman leider komplett abging.

Obwohl sie doch bestimmt gewusst hatte, worauf sie sich einließ, als sie Tom geheiratet hatte.

»Arme ganz durchdrücken«, ermahnte Jeff Caroline. »Noch ein kleines Stückchen höher. So ist's gut, Caroline. Und davon noch acht.«

»Warum hat sie ihn verlassen?«, fragte Caroline.

»Wer weiß?« Jeff zuckte die Achseln. »Warum haben Sie Ihren Mann verlassen?«

»Welchen?«

»Wie viele gab es denn?«

»Nur zwei. Den ersten habe ich verlassen, nachdem ich ihn mit dem Kindermädchen im Bett erwischt habe – banal, aber wahr. Der zweite ist vor vier Jahren an Krebs gestorben, sodass streng genommen *er mich* verlassen hat.«

»Glauben Sie, dass Sie noch mal heiraten werden?«

»Oh, ich hoffe doch«, sagte Caroline munter wie ein Teenager, als Jeff ihr die Gewichte aus der Hand nahm. »Ich war immer gern verheiratet. Und Sie?«

»Ich hatte noch nie das Vergnügen«, sagte Jeff, wobei ihm das Wort »Vergnügen« beinahe im Hals stecken blieb. Manchmal, meistens wenn er es am wenigsten erwartete, hörte er unvermittelt seine Mutter und seinen Vater, wie sie sich hinter der geschlossenen Schlafzimmertür anschrien. Klang nicht besonders vergnüglich. Er zeigte auf den Boden. »Und jetzt ein Paar Liegestütze.«

»Für euch Männer ist es leicht«, sagte Caroline, hockte sich auf den Boden, streckte die Beine aus und stemmte sich auf ihren Handflächen hoch.

»Langsamer«, ermahnte Jeff sie. »Sie glauben, für uns wäre es leicht?«

»Ist es das etwa nicht?«

»Inwiefern?«

»Mit Frauen«, grunzte Caroline.

Jeff blickte zu Melissa, deren leicht verlegenes Lächeln verriet, dass sie ihn beobachtet hatte, und dann zu Kelly, die ihm mit den Fingern der linken Hand verstohlen zuwinkte, während sie sich anschickte, zwei Fünf-Kilo-Hanteln über ihrer Brust zu stemmen. »Kann sein«, sagte er und sah in dem großen Spiegel in Carolines Rücken seine Mutter.

»Mit wem warst du diesmal zusammen?«, fragte sie vorwurfsvoll.

»Ich war mit niemandem zusammen«, gab sein Vater gereizt zurück. »Ich war im Büro.«

»Sicherlich. So wie du letzten Donnerstagabend und den Donnerstagabend davor auch im Büro warst.«

»Wenn du das sagst.«

»Ich sage, du bist ein nichtsnutziger Hurenbock, das sage ich.«

»Du musst es ja wissen.«

»Okay, noch ein bisschen tiefer, Caroline«, sagte Jeff laut, um den Streit seiner Eltern zu übertönen, wie er es als kleiner Junge immer getan hatte. »So ist's besser. Noch zehn.«

»Warum schreien Sie so?«, fragte Caroline.

»Tut mir leid. Das war mir gar nicht bewusst.«

»Alles in Ordnung?«, fragte Larry im Vorbeigehen. Er trug ein ärmelloses weißes T-Shirt, das seine muskulösen Arme zur Geltung brachte, und Kelly folgte ihm brav, obwohl ihr Blick an Jeff klebte.

»Die Musik ist ein bisschen laut«, sagte Jeff.

»Ja, findest du auch?«, stimmte Larry ihm zu, ging zu der gegenüberliegenden Wand und drehte die Anlage leiser. »So ist's besser, was?«

»Viel besser«, log Jeff. In Wahrheit liebte er die laute Musik. Vor allem Rap und Hip-Hop, die Art von Musik, die einem nicht nur in den Kopf, sondern auch unter die Haut und durch den Körper ging. Die Art von Musik, die alle bewussten Gedanken ausradierte.

Wenn er als kleiner Junge versucht hatte zu überhören, wie seine Eltern sich im Nebenzimmer anschrien, hatte er das Radio immer so laut gedreht, wie er konnte, und zu Aerosmith oder Richard Marx mitgesungen, und wenn er den Text nicht kannte, hatte er sich irgendwas ausgedacht. Verdammt, er hatte sogar zu Abba mitgesungen. *You are the dancing queen.*

Den Song hatte Ellie immer geliebt. Seine Schwester war drei Jahre älter als er, und manchmal lief er, wenn ihre Eltern wieder zugange waren, in ihr Zimmer, und sie schalteten das Radio ein, und er sang, und sie tanzte, und manchmal fasste sie ihn und wirbelte ihn im Kreis herum, bis sie erschöpft und schwindelig zusammen auf den Boden sanken, während der Raum vor ihren Augen munter weiterkreiselte.

You are the dancing queen.

Das war vor jenem Winterabend, an dem ihre Mutter sie aus ihren warmen Betten gezerrt, Mäntel über ihre Pyjamas gestreift und sie in der bitteren Kälte ins Auto gepackt hatte. Ohne sich zu vergewissern, dass sie ihre Sicherheitsgurte angelegt hatten, war sie auf den Highway gefahren, hatte geweint und Worte gestammelt, die er nicht verstanden hatte, obwohl er begriff, dass sie böse waren, allein an der Art, wie sie sie gegen die Windschutzscheibe gespuckt hatte. Sie waren endlos gefahren, bis sie auf den Parkplatz eines Hotels am Stadtrand gehalten hatten. Ihre Mutter hatte sie aus dem Auto gezerrt und ohne Stiefel durch den Schnee stapfen lassen; der Saum ihrer Schlafanzughosen schleifte durch eiskalte Pfützen, und alle weinten, als sie schließlich vor der Tür von Zimmer 17 standen.

»Noch mal siebzehn«, sagte Jeff.

»Was?« Caroline richtete sich auf den Knien auf. »Noch mal siebzehn? Soll das ein Scherz sein?«

»Tut mir leid. Ich wollte bloß sehen, ob Sie mitzählen.«

»Oh, ich zähle mit, keine Sorge.«

»Setzen Sie sich auf den Rand der Bank.« Jeff griff nach der Zehn-Kilo-Hantel, und Caroline streckte beide Hände aus. Er ließ die Hantel in ihre Hände gleiten, und ihre Finger mit den langen roten Nägeln schlossen sich um die Stange. »Die Hände ein bisschen weiter auseinander. Okay, beim Stemmen ausatmen. Versuchen Sie, die Arme durchzudrücken.«

Der kleine Jeff atmete tief durch, während er beobachtete, wie seine Mutter an die Tür des Motelzimmers trommelte. »Lass mich rein, du Schwein«, kreischte sie. »Ich weiß, dass du da drin bist.«

Und dann ging die Tür von Zimmer 17 langsam auf, und

sein Vater stand vor ihnen, in Boxershorts und mit einem schiefen Grinsen, in dem Bett hinter ihm saß eine Frau, die sich das Laken bis ans Kinn gezogen hatte. Ehe Jeff sich fragen konnte, was sein Vater mitten in der Nacht in diesem fremden Zimmer mit dieser fremden Frau machte, schob seine Mutter ihn und seine Schwester schon aus dem Weg, beschimpfte die Frau als dreckige Hure, riss ihr das Laken weg, sodass ihre vollen Brüste entblößt wurden, und stürzte sich mit ihren langen roten Fingernägeln auf ihr Gesicht.

Genau wie Carolines Fingernägel, dachte er, als er beobachtete, wie sie die Hantel nach oben drückte und wieder sinken ließ. Hatte das die unschönen Erinnerungen an seine Mutter wachgerufen? Oder war es das Gespräch mit Will gewesen?

Hatte seine Mutter wirklich nur noch wenige Monate zu leben?

»Blöde Tussen«, hatte er seinen Vater murmeln hören, der das Gerangel der beiden Frauen auf dem Motelbett mit belustigter Gleichgültigkeit verfolgte.

»Das ist sehr gut, Caroline«, sagte Jeff jetzt, darauf bedacht, mit fester Stimme und nicht zu laut zu sprechen. »Sie haben ganz gut Kraft.«

»Nun, es heißt ja auch, Frauen seien das stärkere Geschlecht.«

»Glauben Sie, das stimmt?« Er gab ihr ein Springseil. »Eine Minute.«

»Ich glaube, in gewisser Hinsicht sind wir tatsächlich stärker«, sagte Caroline.

»In welcher Hinsicht?«

»Emotional.« Sie begann auf der Stelle zu hüpfen. »Ihr Männer seid viel zerbrechlicher, als ihr denkt.«

»Haben Sie nicht gerade eben gesagt, alles wäre so leicht für uns?«

»Dass man es leicht hat, bedeutet nicht, dass man weniger zerbrechlich ist«, sagte Caroline kryptisch.

Wovon zum Teufel redete sie, fragte Jeff sich, dem die Unterhaltung zunehmend auf die Nerven ging. Er mochte es nicht, wenn Frauen ihm das Gefühl vermittelten, er wäre dumm. »Warum trinken Sie nicht einen Schluck Wasser?«, fragte er, als sie mit dem Seilspringen fertig war.

Blöde Tussen, hörte er seinen Vater wiederholen.

Du wirst eine Zeitlang bei deinem Vater wohnen, sagte seine Mutter im nächsten Atemzug.

Der kleine Jeff stand stocksteif da und kämpfte gegen die Tränen, während er zusah, wie seine Mutter seine Kleider in einen kleinen braunen Koffer auf dem Bett warf. »Aber ich will nicht bei ihm wohnen.« Er war erst sieben Jahre alt. Die zehnjährige Ellie stand in der Zimmertür, die Augen groß wie Untertassen.

»Ich fürchte, du hast keine Wahl. Dein Vater gibt mir nicht genug Geld, um euch beide zu versorgen, und ich bin es leid, mit ihm über jeden Penny zu streiten. Also soll er sich eine Weile um dich kümmern. Das wird Miss Clarabelles Glanz garantiert ein wenig verblassen lassen.«

Miss Clarabelle nannte seine Mutter die neue Frau seines Vaters, obwohl sie in Wahrheit bloß Claire hieß. Jeff hatte Claire nie gemocht. Sie war dünn und knochig und regte sich ständig über irgendwas auf. Und nachdem sie jetzt das neue Baby hatte, schien er bei seinen Besuchen bloß im Weg zu sein.

»Was ist mit Ellie? Zieht sie auch zu Daddy?«

»Nein. Ellie bleibt bei mir.«

»Warum kann ich nicht auch bei dir bleiben?«, rief Jeff. »Ich verspreche, keinen Ärger zu machen. Ich verspreche, dass ich ein braver Junge bin.«

»Er erinnert mich einfach so extrem an seinen Vater«, hörte

er sie später am Telefon sagen, ohne dass sie sich die Mühe machte, ihre Stimme zu dämpfen, während er schniefend auf der Treppe saß und darauf wartete, dass sein Vater ihn abholte. »Ich schwöre, sie haben das gleiche verdammte Gesicht. Und ich kann mir nicht helfen, aber jedes Mal wenn ich ihn ansehe, will ich ihn am liebsten erwürgen. Ich weiß, dass das Unsinn ist. Ich weiß, dass er nicht sein Vater ist. Aber ich kann seinen Anblick einfach nicht ertragen.«

»Es ist nur vorübergehend«, sagte sein Vater später, als er Jeff in das mit Quilts vollgestopfte Nähzimmer seiner Stiefmutter führte und seinen Koffer auf der schmalen Pritsche abstellte, die hastig an der Wand aufgebaut worden war. »Sobald sich deine Mutter wieder eingekriegt hat, kommt sie und holt dich zurück.«

Aber sie kam nicht, abgesehen von gelegentlichen angespannten Besuchen, bei denen sie sich immer auf einen Punkt knapp über seinem Kopf zu konzentrieren schien. Irgendwann hörten die Besuche ganz auf, und in den folgenden Jahren hatte sich nur Ellie bemüht, den Kontakt zu ihrem Bruder und ihrem Vater zu halten.

Ellie sagt, sie hat nach dir gefragt, hörte Jeff Will sagen.

»Jeff? Jeff?«, sagte Caroline jetzt. »Erde an Jeff. Sind Sie da?«

Jeff tauchte abrupt wieder in die Gegenwart ein, sein jüngeres Ich verschwand hinter einem gespiegelten Sonnenstrahl. »Tut mir leid.«

»Ich glaube, da will Sie jemand sprechen.« Caroline zeigte zum Empfang. Jeff wandte den Kopf und erwartete einen verrückten Moment lang, seine Schwester oder vielleicht sogar seine Mutter in der Tür stehen zu sehen. Stattdessen sah er eine zart aussehende Frau mit dunklem Haar und einer großen Sonnenbrille.

»Entschuldigen Sie mich einen Moment«, sagte Jeff und ging rasch auf sie zu. Was zum Teufel machte sie hier?

Als er auf sie zukam, nahm Suzy die Sonnenbrille ab und entblößte ihre geschwollene Wange. »Ich muss mit dir reden«, sagte sie.

KAPITEL 10

Dreißig Minuten später ließ sich Jeff auf einen unbequemen Holzstuhl im hinteren Teil der Bäckerei direkt unter Elite Fitness sinken. Etwa ein Dutzend Tische waren in dem kleinen, von süßen Aromen erfüllten Ladencafé neben die exotische Kaffeetheke gequetscht. »Ich bin froh, dass du noch bleiben konntest«, sagte er und fragte sich, was er eigentlich hier machte, und vor allem, was *sie* hier machte.

»Danke, dass du mich einschieben konntest«, sagte Suzy und rührte in ihrem Cappuccino mit Zimt, den sie bestellt hatte, während sie darauf wartete, dass Jeff die Trainingsstunde mit seiner Kundin beendete.

»Mein Elf-Uhr-Termin hat abgesagt.«

»Da habe ich ja Glück gehabt«, sagte Suzy.

»Besonders glücklich siehst du nicht aus.« Jeff blickte aus dem Fenster und sah seinen Boss, der Caroline Hogan über die Straße zu einem schokoladenbraunen Mercedes begleitete, der vor einem Hydranten parkte. Während ihrer Stunde hatte sie mehrmals bemerkt, dass er mit den Gedanken offenbar anderswo war – vor allem nachdem Suzy unerwartet aufgetaucht war –, und er hoffte, dass sie sich deswegen nicht bei Larry beschwerte.

Suzy rückte ihre Sonnenbrille zurecht, die sie auch in dem dunklen Raum nicht abgenommen hatte, und nippte an ihrem

Kaffee. Als sie wieder aufblickte, klebte Milchschaum an ihrer Oberlippe. Sie wischte den Schaum behutsam mit einem Finger ab, als wäre selbst die geringste Berührung schmerzhaft.

»War das dein Mann?«, fragte Jeff und zeigte auf ihr Gesicht.

»Was? Nein. Natürlich nicht.«

»Willst du mir erzählen, du wärst gegen eine Tür gerannt?«

Suzy lachte verlegen. »Ehrlich gesagt habe ich den Hund der Nachbarn ausgeführt.« Die vertraute Lüge glitt ihr erstaunlich glatt über die Lippen. »Fluffy. Er ist ein wirklich süßer Spitz. Weiß und … flauschig. Jedenfalls hat er eine von diesen Leinen, die man mit einem Klick feststellen kann, wenn man den Hund zurückhalten will. Kennst du die?«

»Kann ich nicht behaupten.«

»Na, jedenfalls ist Fluffy losgerannt, und ich habe versucht, die Leine zu stoppen, aber offensichtlich habe ich irgendwas falsch gemacht und wohl auch nicht richtig aufgepasst. Jedenfalls habe ich mich in der Leine verheddert und bin gestürzt – auf die Nase gefallen, wie man so schön sagt.«

»Wer sagt das?« Jeff rieb sich die Stirn. Er war es langsam leid, angelogen zu werden.

»Na ja … zum Beispiel meine Schwiegermutter«, antwortete Suzy. »Jedenfalls hat sie das früher immer gesagt. Jetzt ist sie ziemlich krank. Krebs.«

»Meine Mutter hat auch Krebs«, sagte Jeff und schüttelte den Kopf. Warum hatte er ihr das erzählt?

»Oh, das tut mir leid.«

»Das muss dir nicht leidtun.« Jeff rutschte auf dem zu engen Stuhl hin und her und atmete den Duft von frisch gebackenem Brot ein. »Was machst du hier?«, fragte er.

»Das wollte ich dich auch fragen«, sagte Suzy. »Wegen Samstag«, stellte sie klar.

Jeff zuckte die Achseln. Das Spiel konnte man auch zu zweit spielen, dachte er, obwohl er in Wahrheit nicht wusste, welches Spiel sie eigentlich spielten. »Was soll ich sagen? Wir waren einfach drei Männer, die eine nachmittägliche Spritztour gemacht haben.«

»Und dabei seid ihr zufällig vor meinem Haus gelandet?«

»Du stolperst über Hundeleinen«, erwiderte Jeff spitz. »Wir machen nachmittägliche Spritztouren.«

Suzy nickte und wandte sich wieder ihrem Cappuccino zu. »Dein Freund ist mir neulich abends nachgefahren. Ich habe seinen Wagen wiedererkannt.«

Jeff lachte. »Ein besonders guter Späher war Tom nie.«

»Warum ist er mir gefolgt?«

»Warum fragst du ihn nicht selbst?«

»Ich frag lieber dich.«

»Warum?«

»Ich weiß nicht genau. Vielleicht weil du ein nettes Gesicht hast«, sagte sie und zögerte. »Und dein Freund nicht.«

»Und mein Bruder? Was für ein Gesicht hat der?«

Sie zögerte erneut, blickte auf ihren Kaffee. »Was soll ich sagen?«

»Warum hast du Will ausgewählt?« Jeff konnte die Frage nicht unterdrücken. Warum war sie zu ihm gekommen? Was machte sie wirklich hier?

Suzy lächelte, zog die Mundwinkel dabei jedoch nach unten statt nach oben. »Ich fand, er sah nett aus.«

»Nett?«

»Harmlos.«

»Nett und harmlos«, stellte Jeff fest. »Offenbar eine unschlagbare Kombination.«

Suzy nestelte an ihren Haaren und blickte zu dem Tresen links von ihr. »Das Gebäck hier sieht wirklich wundervoll aus.«

»Überlegst du, deinem Mann ein paar Bagels mitzubringen?«

»Glaubst du, wir könnten den Sarkasmus lassen?«

»Glaubst du, wir könnten die Lügen lassen?«, entgegnete Jeff.

»Tut mir leid. Mein Leben ist im Augenblick bloß ein bisschen kompliziert.«

»Das passiert, wenn verheiratete Frauen in Bars wie dem Wild Zone auf Männerjagd gehen.«

»Ich war nicht dort, um einen Mann abzuschleppen.«

»Aber nett und harmlos war einfach zu unwiderstehlich.«

»Ich weiß nicht, was ich gedacht habe. Wirklich nicht. Die Barkeeperin hat mir meinen Drink gebracht und von eurer Wette erzählt. Die ganze Geschichte hat sich irgendwie verselbstständigt. Ich habe einfach mitgespielt und offensichtlich einen Fehler gemacht.«

»Dein Fehler war, dass du den Falschen ausgesucht hast.«

»Habe ich das?«

»Ich glaube, das weißt du genau.«

Suzy schüttelte den Kopf und entblößte dabei eine ganze Palette von Blutergüssen. »Ich weiß nicht mehr, was ich weiß.«

»Ich glaube doch. Ich glaube, dass du deswegen hier bist.« Jeff fragte sich, was er machte. Baggerte er diese Frau wirklich an? Und warum? War er ernsthaft an ihr interessiert? Oder nur, weil sein Bruder es war?

Suzy nahm langsam ihre Brille ab, sodass man den gelblichen Halbmond unter ihrem rechten Auge sehen konnte. »Du glaubst, ich wäre deinetwegen hier?«

»Etwa nicht?« Lass es, dachte Jeff. Mach es nicht. Ihr Mann war nicht nur ein Irrer, sondern ein Irrer, der seine Frau verprügelte. Wer wusste, wozu er sonst noch fähig war? Obwohl Männer, die Frauen schlugen, meistens Feiglinge waren, dachte er, die Angst hatten, es mit jemandem ihrer Größe aufzunehmen. Jeff hatte auf jeden Fall seine Größe.

»Ich dachte, du hättest eine Freundin«, wich Suzy seiner Frage aus. »Kristin, stimmt's?«

»Genau«, sagte Jeff. »Kristin.«

»Sie ist sehr schön.«

»Ja, das ist sie.« Sie war nicht nur schön, sie war alles, was er sich je bei einer Frau gewünscht hatte – abenteuerlustig, verständnisvoll, offen, super im Bett. In Wahrheit hatte Jeff eigentlich gar keine Lust, sie zu betrügen, und tat es auch weit weniger häufig, als er vorgab. Aber ein gewisser Schein musste gewahrt bleiben; es war nie klug, wenn eine Frau sich zu sicher fühlte. Außerdem ging es in diesem Fall um mehrere hundert Dollar. Und – noch wichtiger als Geld – um das Recht zu prahlen.

»Und was soll das dann hier?«

»Das musst du mir sagen. Schließlich war es deine Idee, schon vergessen?« Jeff lehnte sich auf seinem Stuhl zurück und legte einen Arm um die hohe Lehne, um seine ohnehin ausgeprägten Muskeln noch zu betonen.

»Im Gegensatz zu dem, was du denkst«, begann sie langsam, »bin ich heute hierhergekommen, weil ich nicht wusste, wie ich Will sonst erreichen könnte. Und dann ist mir eingefallen, dass du meinem Mann erzählt hast, wo du arbeitest.«

Jeff spürte, wie sich jeder Muskel seines Körpers anspannte. »Wir stehen im Telefonbuch. Du hättest anrufen können.« War sie wirklich den weiten Weg gefahren, um über Will zu reden?

»Ich möchte, dass du ihm etwas von mir ausrichtest«, sagte sie, ohne auf seine Bemerkung einzugehen.

»Ich bin kein Botenjunge«, sagte Jeff gekränkt.

»Er ist dein Bruder.«

»Aber deswegen bin ich nicht sein Hüter.«

»Bitte. Ich wollte mich bloß entschuldigen. Ich weiß, dass ich ihn verletzt habe. Das habe ich in seinem Gesicht gesehen.«

»Vielleicht nimmst du dich da ein bisschen zu wichtig.«

»Kann sein. Ich fände es nur wirklich nett von dir, wenn du ihm sagen könntest, dass es mir leidtut.«

»Sag es ihm selbst.«

»Das kann ich nicht.«

»Klar kannst du das.«

»Ich werde in nächster Zeit wohl kaum ins Wild Zone kommen, wie man sieht.«

Jeff stand auf. »Das musst du auch gar nicht. Komm. Bist du mit deinem Wagen hier? Ich bringe dich zu ihm.«

»Jetzt? Meinst du wirklich, dass das klug ist?«

»Keine Ahnung. ›Klug‹ war nie so meine Stärke.«

»Meine auch nicht.«

»Kommst du?«

Suzy erhob sich und blieb einen Moment stehen, um das angenehme Aroma frisch geschmolzener Schokolade in ihre Lungen zu saugen, ehe sie Jeff widerwillig aus der Bäckerei in die sengende Hitze der mittäglichen Sonne folgte.

»Möchtest du darüber reden?«, fragte Kristin. Sie stand in einem tief ausgeschnittenen hellgrünen T-Shirt und superkurzen, engen Hotpants vor dem offenen Kühlschrank. Sie hatte ihre langen blonden Haare zu einem lockeren Knoten hochgesteckt, und ein paar dünne Strähnen kräuselten sich um ihre Ohren. Sie tippte mit nackten Zehen, die Nägel korallenrot lackiert, auf den billigen Linoleumboden.

Will starrte sie von seinem Platz am Küchentisch an. Er trug Jeans und ein weißes T-Shirt. »Was meinst du?«

»Du starrst jetzt schon eine Stunde deine durchgeweichten Cornflakes an. Das sagt mir, dass dich irgendwas beschäftigt.«

»Sie ist also nicht nur hinreißend, sondern auch noch aufmerksam.«

Kristin nahm frischen Orangensaft aus dem Kühlschrank und goss sich ein Glas ein. »Ich liebe es, wenn du so versaut redest«, sagte sie und hielt ihm den Karton hin. »Möchtest du auch welchen?«

»Gerne.«

Kristin goss ihm ein Glas ein, stellte es auf den Tisch und setzte sich auf den Stuhl neben ihn. »Und erzählst du es mir?«

»Sie ist verheiratet«, sagte Will schlicht.

Kristin musste nicht fragen, wen er meinte. »Ja, ich weiß. Jeff hat mir von eurem kleinen Ausflug nach Coral Gables erzählt.«

»Warum bin ich so ein Idiot?«

»Wie kannst du ein Idiot sein? Du hast einen Doktor von Princeton.«

»Ich habe meine Doktorarbeit noch nicht abgeschlossen«, erinnerte er sie. »Und glaub mir, wenn es um Frauen geht, bin ich ein Idiot.«

»Na, mach dir deswegen keine Sorgen. Es gehört zu deinem Charme.«

»Du glaubst, ich hätte Charme?«

Kristin lachte. »Ich glaube, dass du kein Idiot bist.« Sie nahm ihr Glas und stieß mit ihm an. »Auf bessere Zeiten.«

»Darauf trinke ich«, sagte Will, und sie leerten ihre Gläser. »Wann musst du zur Arbeit?«, fragte er.

»Erst um fünf. Und was ist mit dir? Hast du was vor?«

»Ich weiß noch nicht genau.«

»Wir könnten irgendwo abhängen, vielleicht ins Kino gehen«, schlug sie vor.

»Ich glaube, ich habe fürs Erste genug Filme gesehen.«

»Oh, stimmt ja. Ich schätze, damit ist der Strand auch tabu, was?«

Will lachte. »Gott, ich bin wirklich ein Jammerlappen.«

»Bloß ein bisschen. Du mochtest sie; da kann man nichts machen.«

»Wie kann man jemanden mögen, den man nicht einmal kennt?«, fragte Will.

»Ich glaube, manchmal macht es einem das sogar leichter«, sagte Kristin. »Manchmal wird es, je mehr man über jemanden erfährt, immer schwieriger, ihn zu mögen. Je weniger man weiß, desto besser.«

»Ich glaube, dass du diejenige bist, die einen Doktor machen sollte.«

»Fängst du schon wieder an mit den versauten Sprüchen.« Sie seufzte. »Tut mir leid. Das Ganze war wohl meine Schuld, was?«

»Wie könnte irgendwas deine Schuld sein?«

»Ich habe Suzy von eurer Wette erzählt und sie gebeten, dich auszuwählen.«

»Du wusstest nicht, dass sie verheiratet war.«

Kristin zuckte die Achseln. »Nach dem, was ich gehört habe, war ihr Mann ziemlich unheimlich.«

»Unheimlich ist untertrieben. Der Typ ist ein Psychopath.«

»Schlimmer als Tom?«

»Schlauer als Tom«, sagte Will. »Ich weiß nicht genau, was schlimmer ist. Darf ich dich was fragen?«

»Klar.«

»Es ist schon irgendwie persönlich.«

»Wie persönlich?«

Will lächelte. »Was hättest du gemacht, wenn sie Jeff genommen hätte?«

Kristin zuckte mit den Schultern und sagte nichts.
»Wäre das für dich wirklich okay gewesen?«
Ein drittes Achselzucken. »Es ist nicht weiter wichtig.«
»Nicht?«
»Bevor ich als Barkeeperin angefangen habe, habe ich in einem schmuddeligen Strip-Club in Miami Beach gearbeitet. Hin und wieder habe ich für Badeanzüge oder Unterwäsche gemodelt. Aber öfter musste ich mein Einkommen durch Auftritte bei Junggesellenabschieden aufbessern. So habe ich auch Jeff kennengelernt. Es war eine ziemlich wüste Truppe, und sie hatten alle getrunken, und kurzzeitig sah es so aus, als könnte die Party ein bisschen außer Kontrolle geraten. Aber dann ist dein Bruder eingeschritten, hat alle beruhigt und mich von dort weggebracht. Er hat sogar dafür gesorgt, dass ich mein Geld kriege. Er hat mich nach meiner Telefonnummer gefragt. Wir sind dann bei ihm gelandet. Natürlich habe ich später erfahren, dass das Ganze bloß eine Inszenierung war und er mit den anderen Typen um hundert Dollar gewettet hatte, dass er mich flachlegen würde. Aber da war es mir längst egal. Wir wohnten schon zusammen. Ich hab aufgehört zu strippen und einen Kurs für Barkeeper belegt, das Wild Zone hat aufgemacht, und ich habe einen Job gekriegt. Und das ist die ganze Geschichte. Mit Jeff ist es locker. Es gibt kein Drama, kein Theater, kein Chaos, keine übertriebenen Erwartungen. Er lässt mich mein Ding machen, und ich lasse ihn seins machen.«
»Und dazu gehören andere Frauen«, stellte Will fest.
»Wenn es das ist, was er will...«
»Was ist damit, was du willst?«
»Manchmal lädt er mich ein mitzumachen.«
»Das meinte ich nicht, und das weißt du auch.«
»Was willst du mich eigentlich fragen?«

Will zögerte. »Gelten für beide dieselben Regeln? Hast du je...«

»Je was?«, provozierte sie ihn mit einem trägen angedeuteten Lächeln.

»Nun, was dem einen recht ist, ist dem anderen billig, wie man so sagt.«

»Tatsächlich? Sagt man das in Princeton?«

»Ich glaube, es war Nietzsche, der es als Erster gesagt hat.«

Kristin lachte, ein süßes, überraschend zartes Lachen, das Will ungemein anziehend fand.

Er räusperte sich, bemüht, einen klaren Kopf zu wahren.

»Wie ist Sex mit einer anderen Frau?«

»Ganz nett.«

»Bloß ganz nett?«

»Anders«, sagte Kristin und erinnerte sich daran, wie sie zum ersten Mal mit einer Frau zusammen gewesen war. Mit einem *Mädchen* eigentlich. Sie waren beide noch so jung gewesen.

Kurz zuvor hatte ihre Mutter sie aus dem Haus geworfen. Kristin war nicht mehr zur Schule gegangen, wenige Wochen später als Schulschwänzerin aufgegriffen, unter Amtsvormundschaft gestellt und in ein Heim gesteckt worden. Fast drei Jahre blieb sie dort. Und in dieser schäbigen, gleichgültigen Umgebung, mit acht Mädchen auf einem Zimmer, hatte Kristin jemanden kennengelernt, der auf seine Weise genauso vom Leben beschädigt war wie sie selbst. Monatelang hatten sie sich misstrauisch umkreist, kaum miteinander gesprochen und sich sorgfältig gemustert. Schließlich hatte Kristin das Schweigen gebrochen: »Ich kann mein Portemonnaie nicht finden. Hast du irgendwas damit zu tun?«

Trotz oder vielleicht gerade wegen dieses provokativen Anfangs wurden die beiden Mädchen bald unzertrennlich, aus ihrer Freundschaft wurde nur ganz langsam und für sie beide unerwartet mehr. Es geschah ganz natürlich, mühelos. Eines Nachts war das Mädchen einfach von der oberen Pritsche ihres Doppelstockbetts in Kristins schmales Bett unter ihr geschlüpft. Kristin war zur Seite gerückt, um ihr Platz zu machen, hatte die junge Frau im Dunkeln gehalten und gestaunt, wie weich ihre Haut und wie zart ihre Berührungen waren. In den nächsten eineinhalb Jahren verbrachten sie jede freie Minute zusammen. Es war die Liebe ihres Lebens, das hatte Kristin schon damals begriffen.

Und dann war sie eines Tages plötzlich ohne jede Vorwarnung verschwunden. Die halboffizielle Erklärung lautete, dass ihre Familie sie wieder nach Hause geholt hatte. Später erfuhr sie, dass die Familie nach Wyoming gezogen war und ihre Freundin nicht zurückkommen würde.

Und das tat sie auch nicht. Sie kam weder zu Besuch, noch schrieb sie oder rief an.

Zwei Monate später, an ihrem achtzehnten Geburstag, hatte Kristin das Heim verlassen und war in den schwülheißen, finsteren Straßen von Miami untergetaucht.

»Glaubst du, Jeff wäre sauer, wenn du mit einem anderen Mann schläfst?«, fragte Will jetzt und riss Kristin abrupt zurück in die Gegenwart.

»Nur wenn er nicht dabei zusehen dürfte.« Diesmal klang Kristins Lachen rauer, gezwungener. »Mein Gott, Will, du solltest dein Gesicht sehen.« Sie hörte unvermittelt auf zu lachen, und ihre Miene wurde düster und ernst. »War das gerade ein Angebot?«

»Was? Nein. Ich meinte bloß...«

»Entspann dich. Ich weiß, was du gemeint hast.« Sie beugte sich vor, sodass ihre Knie sich berührten. »Es gibt keine anderen Männer, Will.«

»Liebst du ihn?«

»Liebe ich ihn?«, wiederholte Kristin. »Schwierige Frage.«

»Ich hätte gedacht, sie wäre ziemlich einfach.«

»Nichts ist einfach.«

»Entweder du liebst ihn oder nicht.«

»Darüber habe ich noch nie nachgedacht. Ich glaube schon. Auf meine eigene Art.«

»Und die wäre?«

»Die einzige Art, die ich kenne.« Sie stand auf. »Aber das war jetzt genug Gewissensprüfung für heute.«

»Tut mir leid«, entschuldigte Will sich sofort. »Ich wollte dich nicht aufregen.«

»Hast du auch nicht.« Sie strich über seine Wange. »Gott, du bist süß. Es tut mir wirklich leid, dass man dich verletzt hat. Ich wünschte, ich könnte dich küssen und alles gutmachen.«

»Pass auf, was du dir wünschst«, sagte Will lachend und erhob sich, sodass sie sich kaum einen Schritt voneinander entfernt gegenüberstanden.

Etliche Sekunden blieben sie so stehen, ohne sich zu rühren oder den Blick voneinander zu wenden, während ihre Körper träge aufeinander zuschwankten.

Wird sie mich küssen, fragte Will sich. Und konnte er Jeff das antun?

Wird er mich küssen, fragte Kristin sich. Und konnte sie das geschehen lassen?

Aus dem anderen Zimmer hörte man, wie die Wohnungstür mit einem Schlüssel geöffnet wurde.

»Hallo?«, rief Jeff. »Jemand zu Hause?«

Kristin machte hastig einen Schritt zurück. »Jeff?« Auf dem Weg aus der Küche atmete sie mehrmals tief durch. »Ist alles in Ordnung? Ich dachte, du hättest den ganzen Tag Kunden.«

»Mein Elf-Uhr-Termin hat abgesagt. Ich habe nur ein paar Minuten Zeit. Ist mein Bruder da?«

Will trat in den Durchgang von der Küche ins Wohnzimmer. Jeff war noch an der Wohnungstür. »Gibt es ein Problem?«, fragte Will.

»Jemand möchte mit dir reden.«

Im nächsten Moment stand Suzy im Gegenlicht der hellen Sonne in der Tür wie ein aus seiner Flasche befreiter Geist, und ihre Stimme drang aus dem Schatten sanft an sein Ohr. »Hallo, Will«, sagte sie.

KAPITEL 11

Tom stand in der verglasten Halle des pinkfarbenen dreistöckigen Gebäudes in der West Flagler Street und las zum fünfzigsten Mal das Verzeichnis der Mieter. Er hatte es in der letzten Stunde so oft gelesen, dass er es mittlerweile auswendig kannte. Erster Stock: Lash, Carter und Kroft, Rechtsanwälte, Suite 100; Blake, Felder & Söhne, Rechtsanwälte, Suite 101; Lang, Cunningham, Rechtsanwälte, Suite 102; Torres, Saldana und Mendoza, Rechtsanwälte, Suite 103. Zweiter Stock: Williams, Seyffert und Keller, Rechtsanwälte, Suite 200; Marcus, Brenner, Scott und Lokash, Rechtsanwälte, Suite 201; Levy, Argeris, Kettleworth, Rechtsanwälte, Suite 202; Sam Bryson, Rechtsanwalt, Suite 203. Dritter Stock: Tyson, Rodriguez, Rechtsanwälte, Suite 300; Michaud, Brunton, Birnbaum, Rechtsanwälte, Suite 301; Abramowitz, Levy und Carmichael, Rechtsanwälte, Suite 302; und schließlich Pollack, Spitzer, Walton, Tepperman und Rowe, Rechtsanwälte, Suite 303.

»Wie nennt man hundert Rechtsanwälte auf dem Meeresgrund?«, fragte Tom laut, während er in der kleinen Halle auf und ab lief. »Einen Anfang!«, rief er, lachte über seinen eigenen Witz und fragte sich, ob ihn jemand gehört hatte. Das Gebäude schien völlig verlassen. Links von ihm gab es einen Aufzug, rechts dahinter ein Treppenhaus, aber seit seiner Ankunft war niemand gekommen oder gegangen. »Das Geschäft scheint ja zu brummen«, murmelte er und überlegte, dass er ganz oben anfangen und sich Stockwerk für Stockwerk nach unten vorarbeiten könnte. »Hallo, die Herren Pollack, Spitzer, Walton, Tepperman und Rowe. Hat einer von euch Rechtsverdrehern meine zukünftige Exfrau gesehen?« Er lachte noch einmal und fragte sich, wie lange es dauern würde, bis er sie auf die Weise gefunden hatte. Jedenfalls bestimmt nicht länger als die Stunde, die er mittlerweile mit Warten vergeudet hatte.

Warum listete keiner dieser schicken Anwälte sein Spezialgebiet auf, Scheiße noch mal? Die hatten doch garantiert welche. War ein bisschen mehr Information vielleicht zu viel verlangt? Wie wär's mit Lang, Cunningham, *Familienrecht*? Oder Sam Bryson, *Scheidungsspezialist*? Irgendetwas, das ihm einen Hinweis geben und den richtigen Weg weisen könnte. Nein, das wäre ja zu leicht.

Und Lainey würde es ihm garantiert nicht leichtmachen.

Das hatte sie nie getan.

»Ich hätte mich gar nicht erst auf sie einlassen dürfen«, murmelte Tom. Jeff hatte ihn gewarnt, dass sie eine Klette sei und er etwas Besseres verdient habe. Aber etwas »Besseres« bedeutete meistens Jeffs abgelegte Exfreundinnen, und er war es leid, immer die Gebrauchtware aus den Kleiderschränken seiner Brüder und dem Bett seines besten Freundes zu bekommen. Er wollte eine Frau, die nicht Jeffs persönliches Prüfsiegel hatte, und es hatte ihm an Lainey immer mit am besten gefallen, dass sie unempfänglich für Jeffs Charme war. »Ich verstehe einfach nicht, was das ganze Theater um ihn soll«, hatte sie eines Abends kurz nach Beginn ihrer Beziehung gesagt, und Tom hatte sich sofort in sie verliebt.

Natürlich hatte er sich sogar noch schneller wieder entliebt. Lainey durch Jeffs Augen zu sehen – »Sie ist nicht einmal hübsch, Mann. Sie hat kleine Glubschaugen, und ihre Nase ist zu groß für ihr Gesicht. Außerdem hat sie Beine wie Kegel. Da kannst du was viel Besseres kriegen« – hatte ausgereicht, seine ohnehin abkühlende Leidenschaft zu ersticken. Aber da war es schon zu spät. Lainey war bereits schwanger und drängte ihn, sie zu heiraten. Er hatte sich von ihr einreden lassen, dass er nach Afghanistan ein wenig Stabilität in seinem Leben brauchte. Lass mich für dich da sein, hatte sie gesagt. Warum nicht, hatte er gedacht. Er hatte es verdient, dass sich irgendjemand ein bisschen um ihn kümmerte. Er konnte sich später immer noch scheiden lassen.

Und warum war er dann jetzt so aufgebracht, als es tatsächlich passierte?

Weil niemand Tom Whitman verließ, dachte er. »Wer wann geht, entscheide ich«, verkündete er den Kanzleischildern. Er dachte an Coral Gables, an das Arschloch von Suzys Ehemann. *Lasst euch nicht noch mal von mir in dieser Gegend erwischen*, hatte er sie gewarnt. Wer zum Henker glaubte er, wer er war? »Ich entscheide, wer wann was macht«, sagte Tom. »Ich entscheide, wie. *Ich* entscheide, wann.« Da musste man nur diese kleine Fotze in Afghanistan fragen.

Gut, die Schlampe hätte es fast geschafft, dass er in den Knast gewandert wäre. Tom erinnerte sich an die Beschuldigungen, die wochenlange Untersuchung, die durchaus reale Gefahr, in den Knast zu kommen. Letztendlich hatte die Armee entschieden, die Sache nicht vor Gericht zu bringen, sondern ihn stattdessen nach Hause zu schicken. Nachdem er zwei Jahre lang sein Leben riskiert hatte, zwei Jahre lang Sand gefressen und Kameraden hatte sterben sehen, bis seine Gebete auf einen einzelnen Wunsch reduziert worden waren – *Bitte lass mich mit zwei Beinen heimkehren* –, hatte man ihn mit einem Arschtritt unfeierlich vor die Tür gesetzt. Unehrenhaft entlassen. Das war der Dank.

Genau wie mit Lainey.

Eine weitere unehrenhafte Entlassung.

Er hatte versucht, sich ihr gegenüber anständig zu verhalten, und jetzt versuchte sie, ihn um das zu betrügen, was ihm rechtmäßig zustand – seine Kinder, sein Haus, sein Leben. Wollte sie das? Und dachte sie nach fünf Jahren mit ihm wirklich, dass sie ihn einfach so stehen lassen konnte, dass er kampflos aufgeben würde? Verdammt, wenn sie einen Kampf wollte, würde er ihr die Schlacht ihres Lebens liefern.

Plötzlich ging die Fahrstuhltür auf, und eine Blondine mittleren Alters trat heraus. Sie trug trotz der Hitze ein Jackett und strebte, in der einen Hand eine Zigarette, in der anderen ein Feuerzeug, zur Tür.

»Verzeihung, Ma'am«, sagte Tom und stürzte so unvermittelt auf die Frau zu, dass sie beinahe ihre Zigarette fallen ließ. »Sind Sie Anwältin?«

Die Frau sah ihn nervös an. »Ja. Kann ich Ihnen helfen?«

»Ich suche Lainey Whitman.«

»Lainey...?«

»Whitman.«

»Ich glaube nicht, dass ich den Namen kenne. Bei welcher Kanzlei ist sie?«

»Sie ist bei keinem Anwalt. Sie ist hier, um einen zu sprechen.«

Jetzt wirkte die Frau verwirrt. »Tut mir leid. Ich wüsste nicht...«

»Können Sie mir sagen, welche Kanzleien auf Scheidungen spezialisiert sind?«, fragte Tom, während die Frau Richtung Tür zurückwich.

»Ich glaube, Alex Torres macht Scheidungen, und Michaud, Brunton, Birnbaum haben eine Abteilung für Familienrecht. Vielleicht nimmt auch Stuart Lokash Scheidungsfälle an. Ich bin mir wirklich nicht sicher.« Sie stieß die Tür auf, trat rückwärts auf die Straße und wurde vom hellen Sonnenlicht verschluckt.

Heiße Luft wehte Tom ins Gesicht. »Alex Torres von Torres, Saldana und Mendoza, nehme ich an. Suite 103.« Dort könnte er anfangen, entschied er, entschied sich für die Treppe, nahm jeweils zwei Stufen auf einmal und stieß kurz darauf die Tür zur ersten Etage auf.

Der breite Flur vor ihm war mit einem silberblauen Teppich ausgelegt. Tom ging an den Kanzleien Lash, Carter und Kroft; Blake, Felder & Söhne; und Lang, Cunningham vorbei und blieb schließlich vor der geschlossenen Doppeltür zu Suite 103 stehen. Er hätte wahrscheinlich eine Krawatte umbinden sollen, dachte er, stopfte sein Hemd in die Jeans und vergewisserte sich, dass die Pistole in seinem Gürtel nicht zu sehen war. Dann packte er den Messingknauf der schweren Holztür auf der rechten Seite und zog sie auf.

Er wusste nicht genau, was er erwartet hatte, jedenfalls nicht das. Waren Anwälte nicht angeblich reich? Residierten sie nicht in Riesenkanzleien mit spektakulärer Aussicht? Hatten sie nicht edle Möbel, elegante Sekretärinnen und umwerfende Blondinen am Empfang, die nur darauf warteten, ihm eine Tasse dringend benötigten Kaffee anzubieten? Stattdessen sah sich Tom einer älteren Frau südamerikanischer Herkunft gegenüber, die vor einer tristen hellbraunen Wand an einem strikt funktionalen Schreibtisch saß, in ihrem Rücken eine Reihe geschlossener Bürotüren.

»Kann ich Ihnen helfen?«, fragte sie freundlich.

»Ich möchte Mr. Alex Torres sprechen.« Wahrscheinlich war sie seine Mutter, dachte Tom.

»Ich fürchte, Mr. Torres ist heute nicht da. Haben Sie einen Termin?«

»Nein.« Tom rührte sich nicht vom Fleck.

»Oh. Dann kann ich vielleicht jemand anderen finden, der Ihnen helfen kann.«

»Vielleicht«, wiederholte Tom übertrieben freundlich. Wo hatte sie gelernt, so zu sprechen? »Ich suche Lainey Whitman.«

»Lane Whitman?«

»Lainey, Elaine«, verbesserte Tom sich. Es wäre absolut typisch für Lainey, wenn sie ihm jetzt förmlich käme.

»Ich fürchte, es gibt hier niemanden, der so heißt.«

»Sie arbeitet nicht hier«, stellte Tom in scharfem Ton richtig. »Sie hat einen Termin wegen einer Scheidung.«

»Sind Sie sicher, dass Sie hier richtig sind?«

»Ich habe sie vor einer Stunde in dieses Gebäude gehen sehen.«

Die Frau wurde nervös. Sie nestelte an dem Dutt, zu dem sie ihr grau meliertes Haar hochgesteckt hatte. »Sicher haben Sie schon bemerkt, dass es in diesem Gebäude viele Anwaltskanzleien gibt.«

»Zwölf, um genau zu sein«, sagte Tom. »Vier pro Stockwerk. Soll ich sie Ihnen aufzählen?«

Die Empfangssekretärin griff nach dem Telefon. »Wenn Sie sich vielleicht setzen möchten, werde ich sehen, ob ich jemanden finde, der Ihnen helfen kann.«

Dumme Gans, dachte Tom und war versucht, ihr den Kopf wegzublasen, einfach aus Spaß. »Machen Sie sich keine Umstände«, murmelte er stattdessen und verließ das Büro. »Wo bist du, Lainey?«, murmelte er und entschied, in die Lobby zurückzukehren, bevor er eine weitere Konfrontation mit der hochnäsigen Großmutter irgendeines Anwalts riskierte. Er würde unten auf Lainey warten. Wo immer sie war, lange konnte es jetzt bestimmt nicht mehr dauern.

Aber es verstrich eine weitere halbe Stunde, ohne dass sie auftauchte. Was machte sie da oben? Was erzählte sie diesen Paragraphenhengsten? »Er trinkt; er hat Frauengeschichten; er ist schrecklich jähzornig; die Kinder fürchten sich vor ihm«, konnte er sie förmlich lamentieren hören.

»Gegen einen Drink hätte ich jetzt in der Tat nichts einzuwenden«, sagte er laut und starrte zu dem billigen Imbiss gegenüber. Er fragte sich, ob er Alkohol ausschenkte, und sah dann auf seine Uhr. Kurz nach elf. Ein bisschen früh für einen Drink, selbst für ihn. Aber was soll's, dachte er. Wie in dem Song, in dem es hieß, dass es irgendwo auf der Welt immer fünf Uhr war.

»Haben Sie Bier?«, fragte er wenig später das junge Mädchen hinter der Theke, den Blick fest auf das pinkfarbene Gebäude gegenüber gerichtet, und ließ sich auf einen Barhocker an der Fensterseite des altmodischen Diner fallen.

»Nur Root Beer«, sagte das Mädchen. Das Namensschild an ihrer orangefarbenen Uniform wies sie als Vicki Lynn aus. Sie war etwa achtzehn mit kinnlangem, lockigem, braunem Haar und pickliger Haut, was sie mit zu viel Make-up zu überdecken versuchte. Sie lächelte, und Tom fragte sich, ob sie ihn anmachen wollte.

»Dann nehme ich eine Coca-Cola«, sagte er.

»Wir haben aber nur Pepsi.«

»Dann nehme ich eine Pepsi.«

»Light oder normal?«

»Cola light ist ungesund. Sie enthält einen Zusatzstoff, der die Hirnströme verändert«, sagte Tom. Das hatte Lainey ihm erzählt.

Vicki Lynn starrte ihn leeren Blickes an.

»Normal«, sagte Tom.

»Small, medium oder large?«

»Wollen Sie mich verarschen?«

Vicki Lynn blinzelte ein Mal, zwei Mal, drei Mal. »Wollen Sie Ihre Cola small, medium oder large?«, wiederholte sie mit einem erneuten Blinzeln für jede Option.

»Large.«

»Ist das alles?«

»Ich denke schon.« Tom sah sich in dem fast leeren Laden um. Tische mit Kunststoffpolsterbänken – nur einer von ihnen besetzt – reihten sich an einer Wand, auf jedem der Resopaltische stand eine kleine Musikbox. Die Wände waren mit Rock-'n'-Roll-Sammlerstücken dekoriert, uralte Fotos von den Beatles, Janis und den Grateful Dead. Von den beiden gegenüberliegenden Wänden starrten ihn zwei Elvis-Poster an. Auf dem einen war er jung und schön und ganz in Schwarz gekleidet. Auf dem anderen sah man den älteren, aufgeschwemmten Elvis im weißen Hosenanzug mit Strasssteinen und passendem Umhang.

Gestorben mit zweiundvierzig, dachte Tom. »Lang lebe der King«, prostete er ihm zu, als Vicki Lynn ihm seine Cola brachte.

Tom wollte gerade einen Schluck trinken, als er Lainey aus dem pinkfarbenen Gebäude kommen sah. Er sprang von seinem Hocker, stieß seine Cola um, sodass die zuckrige, braune Flüssigkeit über den Tresen auf den Fußboden lief. »Scheiße«, sagte er und stürzte zur Tür.

»Hey, warten Sie«, rief Vicki Lynn ihm nach. »Sie schulden mir noch vier Dollar.«

»Vier Dollar für eine Coca-Cola, die ich gar nicht getrunken habe?«

»Pepsi«, korrigierte Vicki Lynn ihn.

»Vier Dollar«, murmelte Tom und kramte wütend nach ein paar kleinen Scheinen in seinem Portemonnaie. »Für eine gottverdammte Pepsi.«

»Sie haben large bestellt.«

»Scheiße«, sagte er, als er nichts Kleineres als einen Zehn-Dollar-Schein fand. Er schob ihn Vicki Lynn über die Theke, während er beobachtete, wie Lainey zu dem Parkplatz am Ende der Straße ging, den Kopf erhoben und mit erkennbar federndem Gang. Er trommelte ungeduldig mit den Fingern auf den Tresen und fragte sich, ob sie seinen Wagen bemerken würde, der zwei Reihen hinter ihrem parkte. »Können Sie sich mit dem Wechselgeld beeilen?«

Vicki Lynn ging zu der Registrierkasse, als würde sie durch einen Sumpf waten.

»Hören Sie, ich hab es eilig.« Er überlegte, ihr mit ein paar Schüssen vor ihre Füße Beine zu machen, wie er es in alten Western im Fernsehen gesehen hatte. Er beobachtete, wie sie die Kasse öffnete und begann, das Wechselgeld sorgfältig abzuzählen. »Vergessen Sie's«, rief er entnervt, rannte auf die Straße und weiter zum Parkplatz, die Hitze vor sich her schiebend wie eine Wand aus Stahl. Wahrscheinlich war Lainey mittlerweile schon halb am anderen Ende von Florida.

Typisch, dachte er. Wie lange hatte er auf sie gewartet? Eineinhalb gottverdammte Stunden? Und als er sich dann gerade ein wenig entspannen und eine Coca-Cola trinken wollte – eine *Pepsi* –, geruhte sie, sich zu zeigen. Als ob sie gewusst hätte, dass er auf sie wartete. Als ob sie es verdammt noch mal abgepasst hätte.

Als er den Parkplatz erreichte, war sein blau-weißes Hemd durchgeschwitzt. Laineys weißer Civic stand an zweiter Stelle in der Schlange vor dem Kassenhäuschen an der Ausfahrt. Die Frau in dem roten Mercedes vor ihr kramte in ihrer Handtasche und gestikulierte, als hätte sie ihren Parkschein verloren. Was immer der Grund für die Verzögerung war, Tom war dankbar dafür, denn so schaffte er es, zu seinem Wagen zu schleichen, ohne Lainey aus den Augen zu verlieren. Kurz darauf war er wieder auf ihrer Fährte, immer darauf bedacht, ein paar Fahrzeuge hinter ihr zu bleiben. Er wurde langsam richtig gut darin, dachte er.

Sein knurrender Magen erinnerte ihn daran, dass es fast Mittag war und er seit dem Morgen nichts mehr gegessen hatte. Vielleicht konnte er Lainey überreden, sich von ihm in ein nettes, zur Not sogar teures Restaurant einladen zu lassen, ins Purple Dolphin vielleicht. Lainey liebte Fisch, auch wenn das nicht gerade sein Lieblingsessen war, aber es gab dort bestimmt auch Hamburger. Und Kristin hatte gesagt, dass dort die besten Piña Coladas der Stadt serviert wurden, obwohl er Lainey das lieber nicht erzählen sollte. »Sie hat irgendwas, was mich misstrauisch macht«, hatte sie über Kristin gesagt.

Irgendwas hatte sie auf jeden Fall, so viel war sicher, dachte Tom, bevor er Kristin aus seinen Gedanken verdrängte. Dies war nicht der Zeitpunkt, an andere Frauen zu denken, ermahnte er sich. Er musste sich auf Lainey konzentrieren.

Wenn sie an der nächsten roten Ampel hielt, würde er zu ihr aufschließen und ein gemeinsames Mittagessen vorschlagen. Sie beschwerte sich dauernd, dass sie nie irgendwo hingingen, dass er sie nie nett ausführte. Dies war seine Chance, das Gegenteil zu beweisen und ihr zu zeigen, dass er genauso romantisch und fürsorglich sein konnte wie irgendjemand sonst.

Aber die Ampeln spielten nicht mit, sondern sprangen an jeder Kreuzung auf Grün, wenn er näher kam, beinahe so, als wäre es Absicht. Eine zwanzigminütige Grünphase, dachte er und schüttelte ungläubig den Kopf. Wann passierte einem das schon mal? Er musste sie aufhalten, bevor sie zu Hause war. Danach würde es zu spät sein. Ihre Eltern ließen ihn ja nicht mal mit ihr telefonieren.

Sie fuhren die Southwest 8th Street hinunter, als Lainey

plötzlich mitten auf der Straße bremste und rückwärts in eine freie Parklücke setzte. »Nicht übel«, stellte Tom fest und fragte sich, was sie jetzt wieder vorhatte. Er fuhr bis zur nächsten Ecke weiter, hielt am Straßenrand und beobachtete, wie Lainey ausstieg, Geld in die Parkuhr warf und in einem Laden verschwand. In welchem? Er war zu weit weg, um es zu erkennen.

Er stellte seinen Wagen im Halteverbot ab, überquerte die Straße und warf einen Blick in jedes Schaufenster, an dem er vorbeikam, in mehrere Restaurants, eine Reinigung und ein Schuhgeschäft. Kaufte Lainey sich neue Schuhe? Sie hatte doch erst, was – dreißig Paare? Alle mit flachem Absatz. Oma-Schuhe, nannte er sie und hatte sie – weiß Gott wie oft – gedrängt, sich etwas anzuschaffen, was ein wenig sexier war, vielleicht mit hohen Pfennigabsätzen und geilen Knöchelriemen. Die Art, wie Kristin sie trug, dachte er. Oder Suzy. Mit frischer Wut sah er die selbstgefällige Visage ihres Ehemanns vor sich, die sich in das Fenster seines Wagens beugte. »Idiot«, knurrte er, öffnete die Tür und betrat das klimatisierte Schuhgeschäft.

»Kann ich Ihnen helfen?«, wurde er sofort von einer jungen Verkäuferin angesprochen. Sie lächelte, und Tom fragte sich, ob sie mit ihm flirtete.

»Ich schau mich nur um«, sagte er, weil er sofort spürte, dass Lainey nicht hier war. Trotzdem ging er bis zur Rückseite des Ladens, um sich zu vergewissern, dass sie nicht zwischen den Regalen über Schuhkartons kniete.

Nur widerwillig verließ er die angenehm arktische Luft des Ladens, um sich wieder der tropischen Hitze der Straße auszusetzen, doch er durfte nicht noch mehr Zeit verlieren. Gegenüber war ein nett aussehendes Restaurant. Traf Lainey sich etwa dort mit jemandem zum Mittagessen? Mit wem? Mit einem anderen Mann? Hatte sie sich schon die ganze Zeit mit einem anderen getroffen? War das der Grund für ihren plötzlichen Wunsch, ihre Ehe zu beenden? Verdammt, er würde sie eher umbringen, als zuzulassen, dass ein anderer Mann in sein Haus zog und ihn als Vater ersetzte.

Und dann sah er sie: in Donatello's Hair Salon.

Lainey ging alle sechs Wochen zum Frisör. Sie redete ununterbrochen von dem Typen, der ihr die Haare schnitt, nannte ihn ein Genie, das wahre Wunder wirkte. Und wie kommt es dann, dass dein Haar immer so scheiße aussieht, hätte er sie mehr als einmal beinahe gefragt.

Er spähte durch die schwarzen kursiven Schnörkel von Donatellos Namen auf der Schaufensterscheibe und stellte überrascht fest, dass es in dem Salon von Kundschaft wimmelte. Jede Menge Frauen auf der Suche nach Wundern, dachte er, als er die Tür aufzog.

»Kann ich Ihnen helfen?«, fragte eine junge Dunkelhaarige mit Stachelfrisur hinter dem Empfangstresen. Sie schenkte ihm ein breites Lächeln, das Tom verriet, dass sie mit ihm schlafen wollte.

»Ist Lainey Whitman hier?«, fragte er leise und sah sich in dem Salon um. Er hatte jetzt keine Zeit für die Dunkelhaarige.

»Sie ist hinten zum Haare waschen.« Das Mädchen zeigte um eine geschwungene, aquamarinblaue Wand in den hinteren Teil des Salons.

Tom ging an der Wand entlang in den Hauptraum, wo ein halbes Dutzend Frauen mit blauen Plastikumhängen auf verstellbaren Stühlen saßen und warteten, dass sich Männer mit spitzen Gegenständen oder pistolenförmigen Föhns ihrer Köpfe annahmen.

»Ich weiß nicht mehr, was ich ihretwegen noch machen soll«, vertraute eine Frau mittleren Alters ihrem Frisör an, einem rundlichen jungen Mann mit rosa Strähnen in seinem kurzen dunklen Haar. »Sie isst nur Erdnussbutter und Sushi. Das kann doch nicht gesund sein.«

Erzählten Frauen ihren Frisören wirklich alles, fragte Tom sich und ging bis ganz nach hinten durch. Vertraute auch Lainey Donatello alles an? Und was genau hatte sie ihm erzählt?

Beinahe hätte er sie neben einer Reihe aquamarinblauer Waschbecken und einem gelangweilten jungen Mann übersehen. Der Kerl hatte die Hände voller Schaum und starrte wie in Trance auf die gegenüberliegende Wand, während er den Kopf einer Frau massierte, die mit geschlossenen Augen in einem der Stühle lag, den Nacken über den Beckenrand gestreckt, die Halsschlagader entblößt, als würde sie auf die Klinge des Henkers warten. Tom erkannte Lainey an den kegelförmigen Beinen, die unter ihrem aquamarinblauen Umhang hervorragten. Ein paar Schritte entfernt blieb er stehen.

»Kann ich Ihnen helfen?«, fragte der junge Mann mit einem starken spanischen Akzent.

»Lainey«, sagte Tom, und es klang wie ein Befehl.

Lainey schreckte auf ihrem Stuhl hoch, ihre langen nassen Haare fielen ihr in die Augen, und Schaum tropfte auf die Schultern des Plastikumhangs. »Was machst du hier?« Sie blickte ängstlich von einer Seite zur anderen.

Der Look stand ihr, dachte Tom. »Wir müssen miteinander reden.«

»Nicht hier. Nicht jetzt.«

»Doch«, sagte Tom und baute sich breitbeinig auf, um deutlich zu machen, dass er sich nicht vom Fleck rühren würde. »Gleich hier. Und gleich jetzt.«

KAPITEL 12

Will stand in dem Durchgang von der Küche ins Wohnzimmer, und sein Blick schoss zwischen Suzy und seinem Bruder hin und her.

»Was ist los?«, fragte Kristin, die in der Mitte zwischen ihnen stand.

Jeff zuckte die Achseln, ohne weiter in die Wohnung zu kommen. »Die Dame möchte Will offenbar etwas sagen.«

»Ich muss mich bei dir entschuldigen«, begann Suzy.

»Du musst überhaupt nichts«, entgegnete Will hastig.

»Ich denke schon.«

»Widersprich nie einer Frau, die sich entschuldigen will«, wies Jeff ihn an.

»Klugscheißer«, sagte Kristin.

»Ich glaube, das ist mein Stichwort, wieder zur Arbeit zu gehen«, sagte Jeff. »Komm, Krissie. Du kannst mich fahren.«

»Ich hol nur kurz meine Schuhe.« Kristin verschwand im Schlafzimmer und spitzte die Ohren. Was wollte Suzy Will sagen? Und wichtiger noch, was wollte sie von Jeff? Sie zog ein paar Sandalen aus der untersten Schublade der Kommode, schlüpfte hinein, ohne die Schnallen zu öffnen, fischte ihre Handtasche von der Kommode und kehrte ins Wohnzimmer zurück. Dort standen alle wie gelähmt da und sahen sich nervös und erwartungsvoll an wie die Teilnehmer eines Duells.

»Gut, ich wäre dann so weit.« Sie blickte von Jeff zu Suzy und weiter zu Will. »Okay, Leute. Keine Sorge. Lasst euch Zeit. Ich bin ein paar Stunden unterwegs.«

»Tut mir leid. Ich wollte dich nicht aus deiner Wohnung vertreiben ...«

»Tust du auch gar nicht. Ehrlich. Ich hab noch eine Reihe von Erledigungen zu machen.« Kristin ging zur Tür. »Kommst du?«, fragte sie Jeff und ging hinaus auf den Außenflur.

»Ich bin direkt hinter dir, Baby.«

»Jeff«, rief Suzy plötzlich.

Jeff blieb stehen und drehte sich um.

»Danke«, sagte sie.

»Einer Dame in Not helfe ich doch immer gerne.« Jeffs Blick bohrte sich durch die dunklen Gläser ihrer Brille. Du weißt, wo du mich findest, sollte dieser Blick sagen. Dann verließ er die Wohnung und zog die Tür hinter sich zu.

»In Not?«, fragte Will.

»Nur eine Redewendung«, sagte Suzy nach einer kurzen Pause. »Wie geht es dir?«

»Mir geht es gut.« Mir geht es beschissen, verbesserte er sich stumm. Von total verwirrt ganz zu schweigen. »Und dir?«

»Okay.«

»Bloß okay?«

Sie nickte. »Es ist wirklich heiß heute.«

»Wir sind in Florida.«

»Stimmt wohl.«

»Möchtest du was Kaltes trinken?« Will wünschte, sie würde ihre Sonnenbrille abnehmen. Er fand es irritierend, ein Gespräch zu führen, ohne ihr in die Augen sehen zu können. Was machte sie hier? War sie wirklich nur gekommen, um sich zu entschuldigen? Was hatte sie von Jeff gewollt? »Wasser? Saft? Mineralwasser?«

»Nichts. Danke.«

»Ganz sicher?«

»Vielleicht ein Glas Wasser.«

Will ging mit rasendem Herzen zur Spüle. Was wollte sie von ihm? Was erwartete sie? Erwartete sie überhaupt irgendwas? *Was hatte sie von Jeff gewollt?*

Er füllte ein Glas mit kaltem Wasser aus der Leitung und wartete, bis seine Hände aufgehört hatten zu zittern, ehe er ins Wohnzimmer zurückkehrte. Suzy hatte sich nicht von der Stelle bewegt und immer noch ihre Sonnenbrille auf und die überdimensionierte Leinentasche in der Hand. So, als wollte sie die Wohnung jeden Moment fluchtartig verlassen. Will reichte ihr das Glas Wasser.

»Danke.«

»Setz dich doch.« Er wies auf das Sofa.

»Danke«, sagte sie noch einmal und hockte sich zögerlich auf die Sofakante. »Das Wasser ist schön kalt.«

»Hab ich selbst gemacht«, witzelte er. »Ich hab nicht mit dir gerechnet. Ich dachte, ich würde dich nie wiedersehen.«

»Ich war mir nicht sicher, ob du mich wiedersehen wolltest«, gab sie zu und neigte den Kopf in seine Richtung. »Setzt du dich nicht?«

Will ließ sich auf dem anderen Ende des Sofas nieder und wartete darauf, dass sie weitersprach.

»Bestimmt hast du alle möglichen Fragen.«

»Nein«, sagte er und dachte: Was hast du von Jeff gewollt?

»Dein Bruder hat neulich erwähnt, wo er arbeitet«, fuhr sie fort, als hätte er seinen Gedanken laut geäußert. »Ich bin dorthin gefahren, um ihn zu bitten, dir etwas auszurichten.«

»Du musst nichts erklären.«

»Bitte, lass mich.«

»Also, ich habe mindestens genauso viel zu erklären wie du.

Schließlich war ich derjenige, der einfach so vor deiner Haustür aufgekreuzt ist.«

»Bist du verheiratet?«, unterbrach Suzy ihn.

»Was? Nein.«

»Dann liegt die Erklärungsschuld bei mir.«

»Wofür?«

»Ich hätte es dir sagen sollen.«

»Warum?«

»Weil ich es hätte tun sollen. Das war ich dir mindestens schuldig.«

»Du bist mir gar nichts schuldig. Du warst einfach nett.«

»Nett? Wie kommst du darauf?«

»Indem du Kristins Spiel mitgespielt und bei der Wette mitgemacht hast.«

»Es klang doch ganz lustig.« Suzy lächelte, zog ihre Mundwinkel dabei jedoch nach unten. »Wir hatten doch auch einen netten Abend, oder?«

»Den hatten wir«, stimmte Will ihr zu.

»Wusstest du, dass dein Freund mich bis nach Hause verfolgt hat?«

»Was? Nein«, sagte Will rasch. »Und er ist nicht mein Freund.«

»Da bin ich froh.«

»Er ist ein Idiot«, erklärte Will. »Ein unberechenbarer Irrer. Offenbar hat er uns den ganzen Abend schon verfolgt.«

»Schade, dass wir ihm keine bessere Show geboten haben.«

Wills Blick schoss zu ihren Augen, die jedoch weiter hinter ihrer dunklen Brille verborgen blieben. Was wollte sie damit sagen? Dass es ihr leidtat, dass sie sich schon nach einem Kuss verabschiedet hatte, dass sie an mehr interessiert war, dass das der eigentlich Grund für ihren Besuch war: Wollte sie sich gar nicht dafür entschuldigen, dass sie ihm nicht gesagt hatte, dass sie verheiratet war? Bereute sie vielleicht, dass sie nicht aufs Ganze gegangen war? Wenn ich nur ihre Augen sehen könnte, dachte er und wünschte sich, Frauen besser zu verstehen. Wenn unvermittelt ein Geist erscheinen und ihm einen Wunsch gewähren würde, wäre es das, dachte er und erinnerte sich an den Witz, den Jeff in der Bar erzählt hatte. »Warum nimmst du die nicht ab?«, sagte er schließlich und griff nach ihrer Brille.

Sie wich zurück. »Es ist wahrscheinlich besser, wenn ich sie aufbehalte.«

»Warum?« Will schob die Sonnenbrille sanft aus ihrem Gesicht. »O Gott«, sagte er und ließ die Brille in seinen Schoß fallen, als er die zahlreichen Blutergüsse sah, die Suzys ansonsten blasses Gesicht zeichneten, pulsierend wie Stroboskoplichter, ein aufleuchtendes blasses Violett hier, eine Spur matten Gelbs dort. »Das war er«, stellte Will fest, ohne dass sie es ihm sagen musste.

»Nein, ich bin gestürzt.«

»Du bist nicht gestürzt.«

»Es war ein Unfall mit dem Hund des Nachbarn. Ich hab mich in der Leine verheddert.«

»Hast du das Jeff erzählt?«

Sie senkte den Kopf. »Er hat mir auch nicht geglaubt.«

Mit zitternden Fingern tastete Will über ihre Wange. »Wie kann jemand so was tun?«

»Das ist schon in Ordnung. Mir geht es gut.«

»Es ist meine Schuld«, sagte Will.

»Das hat nichts mit dir zu tun.«

»Wenn wir nicht vor deiner Haustür aufgetaucht wären wie ein Haufen alberner Teenager ...«

»Es hätte keine Rolle gespielt.«

»Was willst du damit sagen?«

»Gar nichts.«

»Soll das heißen, er hat das schon mal getan?«

»Es war *meine* Schuld«, beharrte Suzy.

»Wie kommst du darauf?«

»Ich provoziere ihn.«

»Du provozierst ihn«, wiederholte Will ungläubig.

»Ich hätte nie ins Wild Zone gehen dürfen. Ich wusste, wie riskant es war.«

»Was heißt riskant?«

»Bars sind absolut tabu, wenn Dave weg ist.«

»Was?«

»Normalerweise begleite ich Dave, wenn er an einem auswärtigen Kongress teilnimmt«, erklärte sie, mehr für sich als für Will, als versuche sie zu verstehen, was passiert war. »Aber dieses Mal hat er gesagt, dass er die ganze Woche mit Meetings und Vorträgen beschäftigt sein würde. Es sei doch zwecklos, die ganze Zeit alleine in einem Hotelzimmer zu hocken. Ich könne ebenso gut daheimbleiben und mich um ein paar Dinge im Haus kümmern. Und meistens langweile ich mich auch endlos auf diesen medizinischen Kongressen. Ich habe mich wirklich drauf gefreut, ein bisschen Zeit für mich zu haben, am Strand spazieren zu gehen und durch die niedlichen kleinen Geschäfte an der Promenade zu schlendern. Ich hätte nie ins Wild Zone gehen dürfen. Ich hätte jedenfalls bestimmt nicht ein zweites Mal dorthin gehen dürfen. Ich weiß auch nicht, was ich gedacht habe. Vermutlich, dass Dave es nicht erfahren würde. Er sollte erst am Samstag zurückkommen. Aber er ist nach dem letzten Meeting am Freitagabend ohne Pause den ganzen Weg von Tampa hierhergefahren, um bei mir zu sein. Nur dass ich nicht da war.«

»Du warst mit mir zusammen«, sagte Will mit einem flauen Gefühl im Magen. Nachdem sie sich verabschiedet hatten, war er förmlich nach Hause geschwebt. Er hatte auf diesem Sofa geschlafen und von weichen, zärtlichen Küssen geträumt, während sie zu Hause blutig geschlagen worden war.

»So gut habe ich mich schon lange nicht mehr amüsiert.«

»Das verstehe ich nicht. Warum bleibst du bei ihm? Du hast keine Kinder. Oder?«, fragte Will einfältig, als ihm mit einem Mal klar wurde, wie wenig er über sie wusste.

Sie lächelte, und er bemerkte einen kleinen Riss in ihrer Oberlippe, der ihm vorher nicht aufgefallen war. »Nein, ich habe keine Kinder. Und ich habe auch keine Wahl.«

»Natürlich hast du eine Wahl«, widersprach Will. »Du kannst ihn verlassen, du kannst ihn anzeigen, du kannst ...«

»Kann ich nicht«, sagte sie schlicht.

»Warum nicht?«

»Er würde mich umbringen«, sagte sie noch schlichter.

»Nein, das würde er nicht tun. Er ist ein Schläger, aber ...«

»Er bringt mich um«, sagte sie noch einmal. »Bitte. Ich kann nicht viel länger bleiben. Können wir bitte über etwas anderes reden?«

»Du möchtest über etwas anderes reden?«, fragte Will hilflos. Ihm schwirrte der Kopf vor lauter nicht zu Ende gedachten Einwänden.

»Wie findest du Miami?«, fragte sie fröhlich, als wäre das die natürlichste Frage der Welt.

»Was?«

»Bitte, Will. Können wir einfach so tun, als wären wir ein normales Paar? Junge trifft Mädchen. Nur ein paar Minuten, bevor ich gehen muss.«

In ihren Augen standen Tränen, und Will spürte, wie auch seine eigenen Augen feucht wurden. Er wandte den Blick ab. Warum musste alles immer so kompliziert sein, dachte er. Vielleicht hatten Kristin und Jeff am Ende recht, und man musste die Dinge so einfach wie möglich halten. Keine Erwartungen, keine gegenseitigen Vorwürfe. »Ich finde Miami toll«, sagte er. »Ein bisschen heiß, aber ...«

»Wir sind in Florida«, sagte sie und kicherte schüchtern. »Es ist vermutlich ganz anders als in New Jersey.«

»Eigentlich komme ich aus Buffalo. Ich habe nur in New Jersey studiert.«

»Ich bin weder da noch dort je gewesen.«

»Buffalo ist okay«, spielte er das Spiel weiter mit. »Ich meine, ich weiß, dass alle gerne über die Stadt herziehen, aber mir hat es immer gefallen. Es war cool, dort seine Kindheit zu verbringen.«

»Du hattest eine glückliche Kindheit«, sagte sie eher, als dass sie ihn fragte.

»Du nicht?«

»Wir sind dauernd umgezogen, sodass ich nirgendwo richtig heimisch geworden bin. Es war schwer, Freundinnen zu finden. Ich war immer die Neue. Und wenn ich gerade anfing, mich einigermaßen wohlzufühlen, sind wir wieder umgezogen.« Sie führte das Glas Wasser an die Lippen und ließ es wieder sinken, ohne etwas zu trinken. »Und was wolltest du als kleiner Junge werden?«, wechselte sie unvermittelt das Thema. »Erzähl mir nicht, dass du Philosoph werden wolltest.«

Er lachte. »Nein. Ich wollte Feuerwehrmann werden. Wollen das nicht alle kleinen Jungen?«

»Ich weiß nicht. Wollen sie das?«

»Ich schon. Genau wie Jeff«, fügte Will hinzu und erinnerte sich, wie sein Bruder gebettelt hatte, zu Halloween ein Feuerwehrmannkostüm zu bekommen, ein Wunsch, der ihm verweigert worden war.

»Und du wolltest Jeff sein«, sagte Suzy.

»Ich glaube schon.« Das will ich immer noch, dachte er. »Und was ist mit dir?«

»Ich wollte nie Jeff sein.«

Will lächelte. »Was *wolltest* du denn sein?«

»Als ich klein war, wollte ich Tänzerin werden.«

»Natürlich.«

»Als ich ein bisschen älter war, habe ich es mir anders überlegt und wollte Modedesignerin werden.«

»Und was hat dich bewogen, es dir anders zu überlegen?«

Die Faust meines Vaters, dachte Suzy und sagte: »Kein Talent.«

»Als Teenager wollte ich Rockstar werden«, gestand Will.

»Sänger oder Leadgitarrist?«

»Schlagzeuger.«

Suzy lachte. »Hör auf.«

»Nein, im Ernst. Ich war wild entschlossen, wie mit allem, was ich angefangen habe. Sehr, sehr ernsthaft und konzentriert. Ich habe meine Eltern tatsächlich überredet, mir ein unglaublich teures Schlagzeug zu schenken, auf das ich dann von morgens bis abends eingedroschen und alle in den Wahnsinn getrieben habe…«

»Und?«

»Und dann hat jemand mit meinen Stöcken Löcher in alle Felle gestochen. Das Set waren komplett ruiniert.«

»Jeff?«

»Nein«, sagte Will. »Obwohl das damals alle vermutet haben. Aber es war nicht Jeff.«

»Wer denn?«

Will atmete tief ein und langsam wieder aus und spürte ein schmerzhaftes Kratzen in der Luftröhre. »Ich war es selbst«, gab er zu.

»Du hast dein eigenes Schlagzeug kaputt gemacht?«

»Ich konnte es nicht mehr sehen. Apropos kein Talent?« Er lachte. »Ich war es leid, Unterricht zu nehmen, zu üben und nie besser zu werden und dabei noch so zu tun, als würde es mir Spaß machen. Aber meine Eltern hatten so viel Geld ausgegeben. Da konnte ich doch nicht einfach aufgeben, oder? Und dann kam ich eines Nachmittags von der Schule nach Hause, meine Eltern waren nicht da, und Jeff saß in meinem Zimmer hinter meinem Schlagzeug und spielte. Und er war super. Perfekt. Für ihn war es mühelos. Wie alles andere auch. Und ich weiß nicht: Ich bin einfach ausgerastet. Ich habe ihn angebrüllt, er solle aus meinem Zimmer verschwinden und nie wieder meine Sachen anrühren, der übliche Kleiner-Bruder-Scheiß, und dann hatte ich, ehe ich mich versah, alle Felle aufgeschlitzt wie ein Monster in einem Horrorfilm. Natürlich haben meine Eltern Jeff dafür verantwortlich gemacht. Und ich war zu feige, die Wahrheit zu beichten.«

»Hat Jeff nie was gesagt?«

»Wozu? Er wusste, dass sie ihm eh nicht glauben würden.«

»Und du hast zugesehen, wie er bestraft wurde?«

Will ließ den Kopf hängen. Plötzlich war er wieder zwölf Jahre alt und weinte in der Abgeschiedenheit seines Zimmers. Warum hatte er ihr die Geschichte erzählt? Bisher hatte er seine Scham nie jemandem gestanden. »Er hat nie was bekommen, weißt du. Im Gegensatz zu mir. Ich war ›der Auserwählte‹. So hat Jeff mich immer genannt. Und er hatte recht. Ich war der Goldjunge meiner Eltern. Stolz und Freude meiner Mutter. Was immer ich wollte, sie sorgte dafür, dass ich es bekam. Schlagzeug, Basketbälle, Privatschulen, Geld für Princeton.« Er rieb sich die Stirn. »Jeff war wie Aschenbrödel, das Kind, das keiner wollte. Er musste um jeden Krümel betteln. Und dafür war er zu stolz. Er ertrug es genau so lange, wie er musste.«

»Und dann?«

»Ist er nach Miami gegangen, hat sein Studium nach ein

paar Semestern abgebrochen, sich bei der Armee gemeldet und ist dann Fitnesstrainer geworden. Er hält Kontakt zu seiner Schwester Ellie«, erklärte Will, als er Suzys fragende Miene sah. »Über sie wusste ich, wo ich ihn finde.«

»Bist du hergekommen, um es wiedergutzumachen?«

»Ich weiß nicht genau, warum ich gekommen bin.«

»Hast du schon mit Jeff darüber geredet?«

»Was gibt es da zu reden? Er weiß es doch schon längst, oder?«

»Du kannst ihm sagen, dass es dir leidtut«, antwortete Suzy.

»Ich hab ihn verehrt, weißt du?«, fuhr Will fort, als sei bei ihm ein Ventil geöffnet worden, das er aus eigener Kraft nicht wieder schließen konnte. »Regelrecht vergöttert. Er war alles, was ich sein wollte. Alles, was ich nicht war. Gut aussehend, charismatisch, sportlich, talentiert. Die Mädchen konnten die Hände nicht von ihm lassen. Er musste nur den kleinen Finger krümmen, und sie kamen gerannt. Genau wie ich. Als kleiner Junge bin ich ihm ständig hinterhergerannt, was ihn wahnsinnig gemacht hat. Er schrie mich an, ich solle verschwinden, beschimpfte mich als Trottel und Loser, und ich suhlte mich in seiner Wut. Endlich hatte ich seine Aufmerksamkeit. So sehr, wie er mich hasste, liebte ich ihn. Aber ich hasste ihn auch, hasste ihn für alles, was ich nie sein würde, dafür, dass er meine Liebe nicht erwiderte. Scheiße«, sagte Will, als ihm unerwartet Tränen in die Augen schossen.

Suzy nahm seine Hand. »Ich denke, du solltest es ihm sagen.«

Ihre Berührung jagte einen Schauder durch seinen Arm. »Ich denke, du solltest deinen Mann verlassen.«

Sie lächelte und zog ihre Mundwinkel dabei wieder nach unten statt nach oben.

Lächeln, Kleiner, hörte er sie sagen, als aus den Tiefen ihrer Handtasche die Melodie von Beethovens »Freude, schöner Götterfunken« ertönte.

»O Gott. Das ist Dave.« Hastig zog sie ihr Handy aus der Leinentasche. »Ich muss rangehen.«

»Willst du, dass ich in der Küche warte?«

Sie schüttelte den Kopf und ließ das Telefon in ihren Schoß sinken. »Ich will, dass du mich küsst«, sagte sie. »So wie neulich abends.«

Im nächsten Moment lag sie in seinen Armen, seine Lippen streiften behutsam die ihren, ängstlich, zu viel Druck auf ihren geschwollenen Mund auszuüben.

»Keine Angst«, flüsterte sie. »Ich bin nicht zerbrechlich.«

Will küsste sie noch einmal, fester, inniger. Wieder drängten sich die ersten Takte von Beethovens »Freude, schöner Götterfunken« zwischen sie.

Widerwillig löste Suzy sich aus Wills Armen, obwohl er sie weiter festhielt. Sie lächelte ihr trauriges Lächeln und klappte das Handy auf. »Hi«, sagte sie.

»Wo bist du?«, hörte Will Dave fragen. »Warum hast du so lange gebraucht, um dranzugehen?«

»Ich bin auf dem Weg zum Supermarkt«, log Suzy. »Es hat eine Sekunde gedauert, bis ich mein Handy gefunden hatte.«

»Bist du sicher?«

Suzys Blick zuckte zum Fenster, als könnte Dave dort stehen und hineinblicken. Will sprang auf, ging zur Wohnungstür, öffnete sie, trat ein paar Schritte auf den Flur und kehrte kopfschüttelnd zurück. Draußen war niemand.

»Natürlich bin ich sicher. Ich hab mir überlegt, zum Abendessen Hühnchen mit Cumberland-Sauce zu machen, und dann hatten wir keinen Johannisbeergelee mehr, also bin ich…«

»Es könnte sein, dass ich heute ein bisschen später komme«, unterbrach er sie.

»Gibt es ein Problem?«

»Sieh zu, dass du das Essen um sieben Uhr fertig hast.«

Dann war die Verbindung ohne ein weiteres Wort unterbrochen.

Suzy stopfte das Handy wieder in ihre Handtasche und blieb ein paar Sekunden reglos mit gesenktem Kopf sitzen, als wäre ihr Atem gefroren. Als sie wieder aufblickte, waren ihre Augen klar, und ein Hauch von Trotz blitzte darin auf. Sie sah Will an. »Ich habe bis sieben Uhr Zeit«, sagte sie.

KAPITEL 13

»Bitte, Tom«, sagte Lainey und hob abwehrend die Hände vor die Brust. »Mach keine Szene.«

»Wer macht denn eine Szene?«, fragte Tom und blickte sich demonstrativ um, als wolle er einen potenziellen Störer entdecken. Er sah den jungen Mann an, der die Hände noch immer voller Schaum hatte. Seine schwarzen Augen waren so weit aufgerissen, dass sie drohten seine Stirn zu übernehmen. »Sie müssen Donatello sein. Ich bin Tom, Laineys Mann.« Er streckte die Hand aus.

Der junge Mann schüttelte sie nervös, ohne etwas zu sagen.

»Das ist Carlos«, erklärte Lainey. »Er wäscht Haare. Er spricht kaum Englisch.«

»Wenn das so ist, *vamanos*, Carlos«, sagte Tom abschätzig.

Carlos sah Lainey an. »Ist schon okay«, erklärte sie ihm nickend.

»Was – brauche ich jetzt schon seine Erlaubnis, um mit meiner Frau zu sprechen?«

»Was willst du, Tom?«, fragte Lainey leise und verächtlich, während Carlos um die geschwungene Wand im Hauptraum des Salons verschwand.

Tom bemerkte, dass die Furcht in ihren dunklen Augen schwand, und ballte frustriert die Fäuste. Für wen hielt sie sich? Ihr nasses Haar klebte an ihrem Kopf wie eine Badekappe und betonte ihre breite Nase. Sie war wohl kaum eine Schönheit, dachte Tom und beobachtete, wie sie die Haare aus dem Gesicht strich und das Seifenwasser, das ihre Wange hinablief, mit der flachen Hand abwischte, als wäre sie sich seines stummen Urteils bewusst. Woher nahm sie sich das Recht, wie konnte sie es *wagen*, sich so hochnäsig aufzuführen? Wie kam sie darauf, dass sie etwas Besseres war als er? »Du weißt, was ich will«, sagte er.

»Nein, weiß ich nicht. Das habe ich nie gewusst.«

»Was soll das wieder heißen?«

»Das soll heißen, dass ich nicht weiß, was du willst, und auch keine Lust mehr habe, es herauszufinden.«

»Du hast keine Lust mehr, *was* herauszufinden?«

»Was du willst«, fauchte Lainey ihn offenbar lauter als beabsichtigt an, sodass ihre Stimme von den Wänden zurückprallte und durch den ganzen Salon hallte. Sie senkte das Kinn und starrte auf die schmalen Walnussdielen auf dem Boden. »Lass es uns einfach lassen. Ich bin zu müde, um weiter im Kreis zu laufen.«

»Willst du damit sagen, dass du es leid bist, verheiratet zu sein?«

»Ich bin deine ganze Einstellung leid.«

»Welche Einstellung?«

»Du benutzt unser Haus wie ein Hotel. Du kommst nur, wenn sich nichts Besseres ergibt. Es interessiert dich nicht, wie ich mich fühle. Was *ich* will, kümmert dich einen Scheißdreck.«

»Das ist Bullshit.«

»Ist es nicht.«

»Ich sage dir, es ist Bullshit«, gab Tom wütend zurück.

»Okay. Nenn es, wie du willst, aber ich bin es unendlich leid.«

»Und … was? Du haust einfach ab?«

»Ich bin nicht einfach abgehauen.«

»Als ich neulich abends nach Hause kam, warst du nicht da, und die Kinder waren auch nicht da. Wie würdest du das denn nennen?«

»Darum geht es doch gar nicht.«

»Worum geht es denn, Scheiße noch mal?«

»Bitte, Tom, kannst du etwas leiser sprechen?« Lainey blickte nervös zum vorderen Teil des Salons. »Es muss ja nicht gleich jeder über unsere Probleme Bescheid wissen.«

»Nur die Anwälte«, sagte er.

»Was?«

»Ich weiß, dass du mit einem Anwalt gesprochen hast, Lainey.«

»Woher weißt du das?«

Tom bemerkte, dass die Angst in ihre Augen zurückgekehrt war, und musste unwillkürlich lächeln.

»Hast du mich verfolgt?«

»Glaubst du, ich würde zulassen, dass du mir einfach so die Kinder wegnimmst?«

»Niemand versucht, dir die Kinder wegzunehmen. Wenn alles geklärt ist und du in deine eigene Wohnung gezogen bist …«

»Meine eigene Wohnung? Wovon zum Henker redest du? Ich habe ein Haus. Ich ziehe nirgendwohin.«

»… und eine Besuchsregelung vereinbart ist«, fuhr sie unbeirrt fort, »kannst du die Kinder sehen.«

»Ich habe dir doch gerade erklärt, dass ich nirgendwohin gehe.«

»Du hast keine Wahl, Tom. Du hast auf deine Ansprüche verzichtet, als meine Eltern sich bereiterklärt haben, unsere Hypothek zu übernehmen.«

Tom schüttelte den Kopf. »Ich wusste nicht, was ich da unterschrieben habe.«

»Dann solltest du vielleicht auch einen Anwalt konsultieren.«

»Oh, ich sollte vielleicht auch einen Anwalt konsultieren«, äffte er sie nach. »Und woher soll ich das Geld dafür nehmen? Kannst mir das auch sagen, du blöde Kuh, wo du ja offenbar auf alles eine Antwort hast.«

»Okay, Tom. Das reicht. Ich denke, du gehst jetzt besser.«

»Oh, denkst du, ja?«

»Hier werden wir jedenfalls bestimmt nichts regeln.«

»Glaubst du, du hättest irgendwelche Ansprüche, die zu regeln wären?«, fragte er, sie absichtlich missverstehend. »Glaubst du etwa, dass ich dir einfach so Geld dafür gebe, dass du mich aus meinem eigenen Haus wirfst?«

»Ich verlange keinen Unterhalt«, sagte Lainey mit einem leichten Zittern in der Stimme.

»Wie großzügig«, höhnte Tom.

»Nur den Kindesunterhalt.«

»Den Kindesunterhalt?« Wovon zum Henker redete sie? Er verdiente kaum genug Geld, um seine eigenen verdammten Kosten zu decken. »Wovon?«

»Von einem Teil deines Verdienstes. Das Gericht wird entscheiden, was gerecht ist.«

»Nichts von all dem ist gerecht, und das weißt du. Es ist mir egal, was das Gericht entscheidet. Du kriegst keinen verdammten Penny.«

»Es ist nicht für mich, Tom. Es ist für deine Kinder, die du angeblich so liebst.«

»Willst du vielleicht etwas anderes behaupten?«

»Ich sage nur, dass sie gewisse Bedürfnisse haben, Sachen brauchen...«

»Ich sage dir, was sie brauchen. Sie brauchen ihren Vater«, brüllte er.

»Vielleicht hättest du dir das vorher überlegen sollen.«

Ein Mann spähte um die geschwungene Wand. Sein Haar war zu einer hohen Tolle frisiert, und er trug ein weißes T-Shirt, das in seiner engen schwarzen Lederjeans steckte. »Ist alles in Ordnung hier hinten?«, fragte er.

»Wer sind Sie, verdammt noch mal?«

»Ich bin Donatello. Das ist mein Salon«, sagte der Mann höflich und fügte weniger höflich hinzu: »Und wer sind Sie, verdammt noch mal?«

»Ich bin der Ehemann der Dame. Es wäre nett, wenn wir ein wenig Privatsphäre genießen könnten.«

»Dann sollten Sie vielleicht Ihre Stimme senken.«

»Tut mir leid, Donny-Boy«, sagte Tom. »Ab jetzt geben wir uns Mühe, leiser zu sein.«

»Ich glaube, Ihre Frau möchte nicht mehr mit Ihnen sprechen«, sagte Donatello und blickte zu Lainey.

Sie nickte.

»Ich fürchte, ich muss Sie bitten, das Geschäft zu verlassen«, sagte Donatello.

»Und ich fürchte, ich muss Ihnen einen Tritt in Ihren fetten kleinen Arsch geben.«

Donatello drehte sich auf den Absätzen seiner schwarzen Lederstiefel um und ging zurück in den vorderen Teil des Ladens.

»Blöde Schwuchtel«, murmelte Tom und wandte sich wieder Lainey zu, die ihn mit neuerlicher Entschlossenheit ansah.

»Ich will, dass du gehst«, sagte sie.

»Und ich will, dass du nach Hause kommst.«

»Das wird nicht passieren.«

»Hör mal. Es tut mir leid. Okay?«, sagte Tom und hasste

den jammervollen Ton in seiner Stimme. »Ich wollte keine Szene machen. Du hast bloß keine Ahnung, wie frustrierend das alles für mich ist.«

»Glaub mir, ich weiß ganz genau, wie frustrierend es ist.«

»Du weißt gar nichts, verdammt«, fuhr Tom sie an.

»Gut«, sagte Lainey.

»Gut«, wiederholte er. »Du denkst, du weißt alles, was? Du glaubst, du würdest bestimmen, wo's langgeht. Du glaubst, du könntest mich einfach so rumkommandieren. Und wenn du sagst ›spring‹, frage ich nur: ›Wie hoch?‹«

»Ich glaube, dass wir schon lange nicht mehr glücklich sind.«

»Wer war nicht glücklich? Ich war glücklich.«

»Und das ist alles, worauf es ankommt, nehme ich an?«

»Willst du mir sagen, dass du nicht glücklich warst?«

Lainey sah ihn, als wäre ihm plötzlich ein zweiter Kopf gewachsen. »Wo warst du in den letzten paar Jahren, Tom?«

»Wovon zum Henker redest du?«

»Ich hab dir gesagt, dass ich unglücklich bin, bis meine Zunge fransig war. Es war, als würde ich gegen eine Wand reden.«

»Du willst immer nur reden, reden, reden«, sagte Tom. »Reden und nörgeln. Alles ist immer irgendwie nicht richtig. Nichts, was ich mache, ist je gut genug.«

»Das liegt daran, dass du nie was machst!«, gab Lainey zurück.

»Und du bist perfekt oder was?«

»Ich habe nie behauptet, ich wäre perfekt.«

»Oh, du bist alles andere als perfekt, Schatz, das kann ich dir versichern. Du musst bloß in den Spiegel gucken, wenn du sehen willst, wie wenig perfekt du bist.« Er packte ihren Ellbogen und zwang sie, sich der verspiegelten Wand gegenüber den

Waschbecken zuzuwenden. »Glaubst du, du wärst irgendein Hauptpreis? Glaubst du, die Männer stehen Schlange, wenn du mich abserviert hast? Du siehst scheiße aus, falls du es noch nicht gemerkt hast. Du hast deinen Schwangerschaftsspeck immer noch nicht wieder runter, dabei ist Cody inzwischen beschissene zwei Jahre alt. Und da soll ich gern nach Hause kommen? Soll Zeit mit dir verbringen und mit dir ausgehen wollen, dich stolz meinen Freunden zeigen? Nimm ein paar Pfund ab, lass dir die Nase richten und die Brüste machen, vielleicht hab ich dann mehr Lust, Zeit zu Hause zu verbringen.«

Tränen schossen in Laineys Augen, als hätte er sie geohrfeigt. »Ich habe wahrscheinlich immer gewusst, dass du mich nicht liebst«, sagte sie leise.

»Da hast du allerdings recht«, erwiderte Tom.

»Aber ich glaube, mir war bis heute nicht klar, wie sehr du mich in Wahrheit hasst.«

»Noch mal richtig, Schatz.«

Lainey atmete tief ein, ließ die Schultern sacken und wandte sich von den Spiegeln ab. »Warum bist du dann hier, Tom?«

»Ich will, dass du mit den Kindern nach Hause kommst«, sagte er, als wäre das die logische Erklärung.

»Tut mir leid. Das geht nicht.«

»Ich habe also gar kein Mitspracherecht?«

»Ich glaube, du hast schon mehr als genug gesagt.«

»Oh, ich fange gerade erst an.«

»Ich würde sagen, Sie sind mehr oder weniger fertig«, verkündete Donatello, als er den hinteren Teil des Salons wieder betrat. Sicherheitshalber hielt er Abstand zu Tom.

»Verpiss dich, du Wichser.«

»Ich habe die Polizei verständigt. Sie wird jeden Moment hier sein.«

Tom stöhnte. »Scheiße. Du willst mich verarschen.«

»Ich empfehle Ihnen, meinen Laden zu verlassen, bevor sie hier ist.«

Tom fuhr herum und sah Lainey an. »Ich warne dich, du Miststück. Du wirfst mich nicht aus meinem Haus. Du nimmst mir meine Kinder nicht weg.«

Lainey sagte nichts.

»Die Sache ist noch nicht zu Ende«, sagte Tom, stieß Donatello im Hinausgehen gegen die geschwungene Wand und verließ fluchtartig den Salon.

Sie lagen sich seit einer knappen Stunde in den Armen, redeten, kicherten, tauschten sanfte Küsse und schüchterne Zärtlichkeiten wie nervöse Teenager, die Angst hatten, zu schnell zu weit zu gehen, als sie Schritte auf dem Außengang hörten, die vor ihrer Tür abrupt stehen blieben. Es folgte ein lautes Pochen.

»O nein«, flüsterte Suzy, löste sich aus Wills Armen und starrte entsetzt zur Tür.

»Aufmachen da drinnen«, verlangte eine Stimme, gefolgt von weiterem Klopfen.

»Tom?«, fragte Will und sprang auf.

»Mach die verdammte Tür auf!« Wieder lautes Pochen. »Will, bist du das? Scheiße noch mal, mach die verdammte Tür auf!«

Mist, dachte Will und machte Suzy ein Zeichen, sich im Schlafzimmer zu verstecken. »Ich sehe zu, dass ich ihn so schnell wie möglich wieder loswerde«, sagte er leise und hielt sie fest, als sie gehen wollte, um sie noch einmal zu küssen.

»Könntest du mich einfach eine Weile küssen?«, hatte sie gefragt, und er hatte ihren Wunsch gerne erfüllt. Er könnte den ganzen Tag damit zubringen, sie zu küssen, dachte er, als er sie um die Ecke verschwinden sah. Was zum Teufel wollte Tom hier?

»Platzt du immer so rein?«, fragte er, als er die Tür aufmachte.

Tom ruderte wild gestikulierend mit den Armen. »Wo ist Jeff?«

»In seinem Fitnessstudio.«

»Scheiße. Natürlich ist er im Fitnessstudio. Wo sollte er sonst sein? Scheiße«, sagte Tom noch einmal.

»Gibt es ein Problem?«, fragte Will zögernd.

»Ist Kristin zu Hause?«, fragte Tom mit einem Blick zum Schlafzimmer.

»Sie hatte noch was zu erledigen«, sagte Will hastig, bereit, sich Tom in den Weg zu werfen, sollte er einen Schritt in Richtung Schlafzimmer machen.

»Du willst mir also erzählen, du bist ganz alleine?«

»Ich will dir gar nichts erzählen.«

»O Mann, nicht du auch noch«, stöhnte Tom. »Von dem Mist hab ich heute von Lainey schon genug gehört.«

»Ich weiß nicht, wovon du redest.«

»Lainey war heute Morgen bei einem Anwalt.«

»Das tut mir leid«, sagte Will, obwohl es ihm kaum gleichgültiger hätte sein können. Er wollte Tom bloß schnell wieder loswerden, damit er Suzy weiter küssen konnte.

Tom ließ sich in den Ledersessel gegenüber dem Sofa fallen und streckte seine langen Beine aus, als würde er in absehbarer Zeit nirgendwohin gehen. Er zeigte auf das Glas auf dem Boden. »Was trinkst du?«

»Wasser.«

»Hast du auch was Stärkeres da?«

»Ist es dafür nicht noch ein bisschen früh?«

»Bist du meine Mutter oder was?«

»Ich glaube, im Kühlschrank ist Bier.«

»Klingt gut«, sagte Tom, ohne sich zu rühren.

Will ging in die Küche und dachte an Suzy im Schlafzimmer. Wie lange würde sie warten? Wie lange würde es dauern, bis sie die Nerven verlor und heim zu Dr. Dave rannte? Er öffnete den Kühlschrank, entdeckte eine Flasche Miller Light und brachte sie ins Wohnzimmer.

»Was? Kein Glas?«, fragte Tom.

»Bedien dich selbst.«

Tom setzte die Flasche an. »Geht auch so.« Er legte den Kopf in den Nacken und trank einen großen Schluck. »Schon viel besser. Das war vielleicht ein Vormittag.«

»Hör mal, ich habe eigentlich zu tun.«

»Lass dich nicht abhalten.«

Will setzte sich auf das Sofa und schwieg. Trink dein Bier aus und verschwinde, sagte sein Blick.

»Weißt du, was das Miststück zu mir gesagt hat?«, fragte Tom. »Sie hat gesagt, ich müsse Kindesunterhalt bezahlen. Sie kriegt die Kinder, aber ich muss für deren Unterhalt zahlen.«

»Es sind deine Kinder«, erinnerte Will ihn.

»Eher verrotte ich für den Rest meines Lebens im Knast, als dass ich ihr einen beschissenen Penny zahle.«

Mach das, dachte Will. »Solltest du nicht bei der Arbeit sein?«, fragte er laut.

»Ich kündige den Scheißjob. Wenn Lainey glaubt, sie könnte die Hälfte von meinem Lohnscheck abgreifen, hat sie sich jedenfalls geschnitten.«

»Würdest du dir damit nicht eher ins eigene Fleisch schneiden?«, fragte Will und bereute es sofort.

»Was?«

»Ach nichts.«

»Was redest du – mir ins Fleisch schneiden… was?«

»Sich ins eigene Fleisch schneiden«, wiederholte Will. »Das hat meine Mutter immer gesagt.«

»Ach ja? Klingt ganz nach der bösen Hexe. So haben Jeff und ich sie immer genannt. Die böse Hexe von Buffalo.«

»Sie zählt umgekehrt auch nicht zu deinen größten Bewunderern, soweit ich weiß.«

Tom zuckte die Achseln und trank noch einen Schluck Bier. »Ist mir doch egal. Wann fährst du überhaupt wieder zurück? Die böse Hexe vermisst ihren Goldjungen bestimmt.«

»Das habe ich noch nicht entschieden.«

»Man sollte Gastfreundschaft nicht überstrapazieren, kleiner Bruder. Du weißt doch, was man über Gäste sagt, oder?« Als Will nicht antwortete, fuhr Tom fort: »Sie sind wie Fisch. Nach drei Tagen fangen sie an zu stinken.«

Wieder sagte Will nichts. Er fragte sich, was Suzy machte, ob sie ihr Gespräch belauschte. Er dachte an ihre weiche Haut, den sauberen frischen Duft ihrer Haare, den leichten Pfefferminzgeschmack ihrer Lippen.

»Du hättest sie sehen sollen«, sagte Tom jetzt lachend. »Sie saß da, den Kopf im Waschbecken, die Haare tropfnass ...«

»Wovon redest du?«, fragte Will ungeduldig.

»Ich rede von Lainey. Bei ihrem Frisör. Heute Morgen«, antwortete Tom genervt, als ob Will das längst wissen müsste.

»Ich dachte, sie war bei einem Anwalt.«

»*Erst* war sie beim Anwalt, *dann* beim Frisör.« Tom sah ihn wütend an. »Es hat ihr nicht gefallen, dass ich da aufgekreuzt bin, das kann ich dir sagen. Sie wurde richtig nervös und hat mich gewarnt, ich sollte keine Szene machen, als ob das alles meine Schuld wäre, als ob nicht *sie* mit den Kindern abgehauen wäre. Wir haben also ein bisschen geredet, und plötzlich kam Donny Osmond und meinte, ich müsste den Laden verlassen.«

»Donny Osmond?«

»Ja, du Idiot. Als ob Donny Osmond zu Laineys Frisör gehen würde. Bist du beschränkt oder was? Das war eine Redewendung.«

Eine Redewendung, dachte Will, der immer weniger begriff, wovon Tom redete. »Okay, das ist also nicht gut gelaufen.«

»Die blöde Schwuchtel hat die Bullen gerufen.«

»Und dann bist du schnurstracks hierhergekommen«, sagte Will.

»Erst bin ich eine Weile rumgefahren, um mich zu beruhigen. Miami, Mann. Könnte genauso gut Havanna sein. Ich sag dir, die Ausländer übernehmen hier alles. Gut, kubanische Frauen tragen immerhin Miniröcke statt Burkas, und Paella ist auf jeden Fall leckerer als der Scheißfraß in Afghanistan, aber am Ende läuft es auf das Gleiche hinaus. Bald ist dieses Land ein einziges Meer von braunen Gesichtern. Lainey hat mir erzählt, sie hätte irgendwo gelesen, dass die Weißen in zehn Jahren in der Minderheit sein werden. Scheiße«, sagte er und trank sein Bier aus. »Ich hätte sie einfach erschießen sollen, Mann. Hätte ihr blödes Hirn über die hässlichen blauen Waschbecken und Ledersessel verspritzen sollen.« Lachend zog er die Pistole unter seinem Hemd hervor.

»Verdammt, was soll das?«, rief Will und sprang auf.

»Glaubst du, dieser Donny-Boy bumst sie?«

»Steck das Ding weg.«

»Den hätte ich auch umlegen sollen. Für alle Fälle.«

»Steck die Waffe weg, Tom.«

»Willst du mich dazu zwingen?«

»Steck die Waffe weg, Tom«, sagte eine Stimme ein paar Schritte entfernt.

Tom fuhr herum, Will hielt den Atem an.

Suzy kam ins Wohnzimmer. »Steck die Waffe weg«, wiederholte sie.

KAPITEL 14

Tom wich zurück. »Was machst du denn hier?« Er blickte von Will zu Suzy und zurück zu Will und sagte vorwurfsvoll: »Scheiße, Mann. Du hast sie flachgelegt?«
»Sieht so aus, als hättest du hundert Dollar verloren«, sagte Suzy.
»Scheiße. Allein dafür sollte ich dich erschießen.«
»Entspann dich«, erklärte Will ihm. »Dein Geld ist sicher.«
»Du hast sie nicht flachgelegt?«
»Doch«, sagte Suzy.
»Habe ich nicht«, widersprach Will.
Tom ließ die Waffe sinken, machte jedoch keine Anstalten, sie einzustecken. »Erzähl mir nicht, ich hätte euch gestört.«
»Perfektes Timing, wie immer.«
»Ich wollte sowieso gerade gehen«, sagte Suzy.
»Nein«, sagte Will rasch. »Bleib noch ein bisschen. Tom wollte gerade gehen. Nicht wahr, Tom?«
Sofort ließ Tom sich wieder in den braunen Ledersessel sinken. »Sieht nicht so aus, als würde ich irgendwo hingehen.«
»Ich sollte wirklich los«, sagte Suzy.
»Sie hat einen Ehemann, schon vergessen?«, fragte Tom.
Suzy ging zur Tür.
»Hat dein Mann dein Gesicht so zugerichtet?«
»Was?« Suzy fasste an ihre Wange und verdeckte mit der

Hand den Bluterguss an ihrem Kinn. »Nein, natürlich nicht. Er ist Arzt. Er würde nie… Ich bin gestolpert…«

»Hm-hm. Kaufst du ihr den Scheiß ab, kleiner Bruder?«

»Bitte geh nicht« flüsterte Will, als Suzy nach dem Türknauf griff.

»Bettel nicht«, sagte Tom. »Das ist erbärmlich.«

»Fahr zur Hölle.«

»Warum fahren wir nicht alle zur Hölle?« Tom hob die Waffe und zielte direkt auf Suzy.

»Herrgott noch mal, Tom…«

»Ich kann ihr in den Fuß schießen, wenn du willst. Das wird sie aufhalten.«

Will machte einen Schritt auf Tom zu und fragte sich, ob er stark genug war – mutig genug, *tollkühn* genug –, Tom die Waffe zu entwinden, als Suzys Stimme ihn innehalten ließ.

»Oder du könntest stattdessen meinen Mann erschießen«, sagte sie.

»Was?« Will fuhr zu Suzy herum.

Panik leuchtete in ihrem Blick auf. »Es tut mir so leid«, entschuldigte sie sich. »Ich kann nicht glauben, dass ich das gesagt habe. Ich habe es nicht so gemeint. Du weißt, dass ich es nicht so gemeint habe.«

»Ich weiß«, sagte Will.

»Für mich klang es schon so, als ob du es gemeint hättest«, widersprach Tom.

»Es war dumm dahergeredet.«

»Ich weiß nicht«, sagte Tom glucksend. »Ich meine, wenn du das wirklich willst, könnten wir bestimmt irgendeinen Deal machen.«

»Bitte, vergesst einfach, dass ich irgendwas gesagt habe.« Suzy öffnete die Tür und trat auf den Außenflur, dicht gefolgt von Will.

Tom winkte. »Schöne Grüße an den Onkel Doktor.«

Suzy blieb stehen. »Bitte sag mir, dass du weißt, dass ich es nicht so gemeint habe«, flüsterte sie Will zu.

»Schon gut. Ich verstehe das.«

»Das weiß ich.« Sie beugte sich vor, küsste Will seitlich auf den Mund und sah ihm dabei in die Augen. Lass mich nicht gehen, sagte ihr Blick. »Folge mir nicht«, brachte sie laut heraus. Und im nächsten Moment rannte sie den Flur und die Treppe hinunter.

»Du hast es vermasselt«, sagte Tom, als Will zurück in die Wohnung kam und die Tür hinter sich schloss.

»Du bist echt der Größte«, murmelte Will.

»Genau. Und außerdem hab ich eine Knarre«, erinnerte Tom ihn und schwenkte die Waffe wie eine kleine Flagge hin und her. »Eine echte Knarre. Mit echten Kugeln.« Er richtete den Lauf auf Wills Brust.

»Du willst mich erschießen?« Will machte zwei große Schritte in die Mitte des Zimmers. Sein Herz pochte. Vor seinen Augen drehte sich alles. »Na los. Dann erschieß mich doch.«

Tom steckte die Pistole grinsend wieder in seinen Gürtel, so dass der Knauf deutlich sichtbar blieb. »Vielleicht tu ich dir eines Tages den Gefallen«, sagte er.

Als sie auf den Besucherparkplatz kam, hörte Suzy Schritte hinter sich. Sie blickte sich um, sah jedoch niemanden. Wenig später vernahm sie das Geräusch wieder, die Schritte nahmen den Rhythmus ihrer eigenen auf, parodierten ihren Gang und kamen näher. War Dave ihr zum Fitnessstudio nachgefahren, hatte er sie bei ihrem Kaffee mit Jeff belauscht und war ihnen beiden dann hierhergefolgt? Hatte er wenig später verwirrt beobachtet, wie Jeff und Kristin das Haus wieder verlassen hatten, und seither geduldig, die Wohnung immer fest im Blick, gewartet und gespannt ihren nächsten Schritt vorausberechnet?

Hatte er Toms plötzliches Erscheinen mitbekommen, gefolgt von ihrem hastigen Aufbruch? Hatte er die Hände mordlustig zu Fäusten geballt, als er beobachtet hatte, wie sie Will einen zärtlichen Kuss auf die Lippen gehaucht hatte? Wartete er jetzt mit geballten Fäusten auf sie?

Suzy zog ihre Autoschlüssel aus der Handtasche und hielt sie in der ausgestreckten Hand, während sie forschen Schrittes auf ihren Wagen zuging. Ihr Atem ging abgerissen, ihre hektischen Blicke suchten Daves rote Corvette. Sie konnte sie nirgends entdecken, was jedoch nicht bedeuten musste, dass er nicht da war. Verdammt, warum hatte sie nur in einer so entlegenen Ecke geparkt?

Suzy hörte, wie die Schritte hinter ihr plötzlich schneller wurden. Sie straffte die Schultern und wappnete sich instinktiv gegen Daves wütende Schläge auf ihren Rücken. Würde er so kühn sein, sie hier am helllichten Tag in aller Öffentlichkeit anzugreifen? Oder würde er nur lächelnd ihren Arm packen, »Hallo, Schatz« murmeln, sie zum Wagen bugsieren und warten, bis sie sicher in den eigenen vier Wänden waren, ehe er sie blutig prügelte?

Sie hätte beinahe gelacht. Wann war sie in ihren eigenen vier Wände je sicher gewesen, fragte sie sich und spürte einen Luftzug im Rücken, ein leichtes Vibrieren, als würde jemand die Luft beiseiteschieben, und dann eine Hand auf ihrer Schulter.

»Nein, bitte«, rief sie und hatte schon Tränen in den Augen, als sie sich umdrehte.

»Tut mir leid«, entschuldigte sich eine Frau. »Ich wollte Sie nicht erschrecken. Ich glaube, Sie haben das hier verloren.«

»Was?« Suzy musste mehrmals blinzeln, ehe Daves Züge sich auflösten und dem Gesicht der kleinen, älteren Frau wichen, die vor ihr stand.

»Das wollen Sie bestimmt nicht verlieren«, sagte sie und drückte Suzy etwas in die Hand. »Man liest doch ständig, dass die Leute Opfer von Identitätsdiebstahl werden. Es *ist* doch Ihrer, oder? Ich war sicher, dass der Ihnen aus der Handtasche gefallen ist.«

Suzy starrte auf das kleine Foto auf ihrem Führerschein. Er musste ihr aus der Handtasche gefallen sein, als sie ihren Schlüssel herausgeholt hatte. »Das bin ich«, bestätigte Suzy, obwohl sie die unversehrte, selbstbewusste junge Frau auf dem Foto kaum wiedererkannte. »Danke.«

»Schönen Tag noch«, sagte die Frau, ging zu einem schwarzen Accord, der mehrere Stellplätze entfernt stand, und stieg unbeholfen ein.

»Ihnen auch«, sagte Suzy leise und steckte den Führerschein wieder in ihre Handtasche. Sie ließ den Blick über den Betonboden des Parkplatzes wandern, um zu sehen, ob sie auf dem Weg noch mehr von sich verloren hatte.

»Wer bist du überhaupt?«, fragte sie kurz darauf ihr Spiegelbild im Rückspiegel des Wagens. »Bist du ganz sicher, dass du weißt, was du tust?« Sie ließ den Wagen an, setzte rückwärts aus der engen Lücke und sah sich nach Dave oder seinem Wagen um. Keine Spur.

Das hatte allerdings nichts zu bedeuten, dachte sie und bog auf die Straße. Dave würde sich erst zeigen, wenn er es wollte. Wenn Dave ihr folgte, würde sie ihn im Gegensatz zu Tom erst entdecken, wenn es zu spät war.

Sie sah auf die Uhr. Kurz vor zwei. Was hatte Dave vor, dass er nicht vor sieben nach Hause kommen würde? Plante er eine Überraschung? Etwas, um die Brutalität seiner jüngsten Angriffe wiedergutzumachen, etwas, um ihr seine Liebe zu versichern? Kurz nach ihrer Hochzeit, als sie noch so naiv gewesen war zu glauben, dass seine Entschuldigungen ernst gemeint waren, als er sich noch Mühe gegeben hatte, das Vergnügen zu verbergen, das es ihm bereitete, sie zu quälen, hatte er manchmal kleine Geschenke mitgebracht – ein antikes Schmuckstück, das sie in einem Schaufenster bewundert hatte, ein Schokoladenosterei gefüllt mit Vanille oder der klebrigen Zitronencreme, die sie so mochte, oder den neuesten Roman von Nora Roberts. »Es tut mir leid«, sagte er dann und versprach, dass es nie wieder vorkommen würde. »Du weißt, dass ich dir nicht wehtun wollte.«

Inzwischen sagte er nicht mehr, dass es ihm leidtat. Stattdessen war sie diejenige, die sich ständig entschuldigte. Wie war das geschehen? *Wann* war das geschehen? Wann hatte sie angefangen, die Schuld für das, was er ihr antat, auf sich zu nehmen? Seit wann fühlte sie sich für seinen Jähzorn verantwortlich?

Wie hatte sie das zulassen können? Sie, die auf alles eine Antwort wusste, die sie ihre Mutter verachtet und beschimpft hatte, weil sie allzu ähnliche Misshandlungen erduldet hatte; die sie geschworen hatte, dass ihr das nie passieren würde; die sie sich für so intelligent, tough und selbstbestimmt gehalten hatte, während sie in Wahrheit nichts als eine blasse Kopie ihrer Mutter war, wie man an den schwarz-blauen Spuren in ihrem Gesicht deutlich erkennen konnte.

Sie hatte irgendwo gelesen, dass Menschen sich an Muster hielten, die ihnen vertraut waren, egal wie abscheulich und schlecht sie auch sein mochten. Und oft kopierten sie diese Muster zu ihrem eigenen Schaden, weil sie sich unbewusst wohl darin fühlten. So wussten sie zumindest, was sie zu erwarten hatten.

Von wegen, dachte sie. Sie wissen gar nichts.

Hatte ihr Unterbewusstsein die ganze Zeit gewusst, was für ein Mann Dave Bigelow war? Hatte sie ihn in dem Wissen geheiratet, wer er war, *was* er war? Hatte sie es nur geleugnet und so getan, als könne sie ihn ändern, wenn sie nur gut genug, sanft genug, umsichtig genug, Frau genug, *anders genug als ihre Mutter* war? Als könne sie die traurige Geschichte ihrer Mutter umschreiben, damit sie ein Happy End bekam? Hatte sie sich das vorgemacht? Und entschuldigte sie sich nun deswegen ständig?

Nur dass sie sich jetzt lange genug entschuldigt hatte.

Die Ampel an der nächsten Ecke sprang auf Gelb, und sie drückte aufs Gaspedal, rauschte über die Kreuzung und wäre um ein Haar mit einem links abbiegenden Wagen zusammengestoßen. Mit angehaltenem Atem wich sie nach links aus und nahm den Fuß vom Gas.

Ich kann ihr in den Fuß schießen, wenn du willst, hörte sie Tom sagen.

Oder du könntest stattdessen meinen Mann erschießen, hatte ihre spontane Antwort gelautet.

Hatte sie das wirklich gesagt?

Hatte sie es so gemeint?

Und konnte sie das wirklich durchziehen?

»Was ist los mit mir?«, fragte sie sich laut, als sie merkte, dass sie seit zehn Minuten fuhr, ohne zu wissen, wohin. Oder eigentlich eher die letzten zehn Jahre ihres Lebens, dachte sie und hielt sich Richtung Biscayne Bay.

Bald erreichte sie den Teil der Innenstadt von Miami, der unter dem Namen Brickell bekannt war. Das Nobelviertel, erbaut in den 80ern und angeblich finanziert mit Geld aus dem Kokainhandel, war berühmt für seine futuristischen Gebäude, die das benachbarte South Beach regelrecht bieder erscheinen ließen. Hier pulsierte das Leben zu einem deutlich spürbaren lateinamerikanischen Rhythmus und lud ein zum Genuss all dessen, was anderswo vielleicht als exzessiv gegolten hätte. In Brickell war Extravaganz die Norm.

Alles war überdimensioniert, von Restaurants wie Bongos Cuban Cafe, das problemlos 2500 Gäste bewirten konnte und dessen Barhocker die Form von riesigen Bongotrommeln hatten, bis zum Duo, einem amerikanischen Bistro mit einer mehr als 600 Weine umfassenden Weinkarte. Nicht zu vergessen die Nachtclubs, bei der letzten Zählung mindestens ein Dutzend, die alle um den Titel des größten, lautesten, angesagtesten konkurrierten.

Suzy fuhr an einem alten Lagerhaus vorbei, das jetzt Bricks Nightclub & Sunset Lounge beherbergte, die jüngste Attraktion der Szene. Kurz nach ihrem Umzug nach Miami war sie mit Dave einmal dort gewesen. Der Laden warb mit seiner »kinetischen Lightshow«, zu deren Geflacker Partygänger zu House, Latin und Hip-Hop tanzten, aber Dave meinte, er bevorzugte die Clubs auf der anderen Seite des Flusses, gut ein Dutzend Blocks weiter nördlich. Das Metropolis Downtown, 5000 Quadratmeter voller junger, betrunkener oder sonst wie berauschter Traumtänzer unter kreisenden bunten Spotlights und flackerndem Stroboskoplicht. Oder das Nocturnal, 2000 Quadratmeter über drei Etagen und eine Terrasse verteilt, Gesamtbaukosten grob zwölf Millionen Dollar. Und natürlich das Space, ein mehrstöckiges, höhlenartiges Labyrinth ohrenbetäubender Energie über mehrere Ebenen, wo die Tänzer Edel-Drogen konsumierten und die DJs Vinyl zu Gold spannen. Sie waren ein paar Mal dort gewesen, obwohl die Party eigentlich erst in den frühen Morgenstunden richtig losging. Aber dann hatte Dave ihr vorgeworfen, einen Kellner zu lange angestarrt zu haben, sie am Nacken gepackt und wie ein unartiges Hündchen aus dem Club gezerrt, begleitet von vereinzeltem Beifall. Alles, was irgendwie ausgeflippt war, musste schließlich ermutigt werden. Keiner war ihnen nachgelaufen, um zu sehen, ob es ihr gut ging.

Würde irgendjemand es bemerken, wenn sie einfach vom Antlitz der Erde verschwände, hatte sie sich Jahr um Jahr gefragt. Würde es irgendwen bekümmern?

Will, dachte sie und sah sein süßes Gesicht vor sich. Will würde es bemerken. Und es würde ihn bekümmern. Sie strich sich über ihre Lippen und spürte seine sanften Küsse, seine zärtlichen Berührungen.

Und das war genau das Problem, wie ihr klar wurde, als sie vor der Pawn Shop Lounge rechts am Straßenrand hielt und auf das ANKAUF VON GOLD-Schild auf der heruntergekommenen Fassade des Nachtclubs starrte, in dem früher offenbar einmal eine Pfandleihe untergebracht gewesen war. Will war zu süß, zu sanft. Seine weichen geduldigen Küsse verrieten ihr, dass er zu vorsätzlicher Gewalt nicht fähig war, dass er nie in der Lage sein würde, einen anderen Menschen zu töten.

Tom hingegen war eine ganz andere Geschichte. Gewalt war für ihn wie eine zweite Natur. Brutalität floss mühelos durch seine Adern, begleitet von gleich hohen Dosen an Wut und Selbstgerechtigkeit. Es juckte ihn förmlich, einen Streit anzufangen. Und er hatte eine Pistole.

Aber selbst wenn Suzy wusste, dass Tom keine Probleme haben würde, ein Leben auszulöschen, erkannte sie auch, dass er, um es mit Wills Worten zu sagen, ein unberechenbarer Irrer war. Bei ihm würde sie sich nie darauf verlassen können, dass er tat, was zu tun war, ohne es zu vermasseln oder eine zu hohe Gegenleistung zu verlangen.

Und sie hatte nicht vor, einen Psychopathen gegen einen anderen einzutauschen.

Damit blieb nur noch Jeff.

Mit seinem harten und zynischen Gehabe, dabei nicht ganz so clever, wie er selbst gern glaubte, war Jeff genau der Mann, den Suzy sich gewünscht hatte. Er war stolz wie ein Gockel auf seine Frauengeschichten und verzweifelt bemüht, sich zu beweisen – gegenüber Männern, gegenüber Frauen, aber vor allem gegenüber sich selbst. Jeff markierte den starken Mann und konnte den verängstigten kleinen Jungen dahinter doch nur mühsam verbergen. Und verängstigte kleine Jungen ließen sich leicht manipulieren.

Konnte sie das tun, fragte Suzy sich, während sie ein dunkelhaariges Pärchen beobachtete, das Arm in Arm vorüberschlenderte. Der Mann war mindestens einen Kopf größer und geschätzt zwanzig Jahre jünger als die Frau. Als die beiden an der Ecke stehen blieben, fasste der Mann mit einer Hand den Po der Frau, der sich deutlich unter ihrem bunten Jerseykleid abzeichnete. Die Frau legte lachend den Kopf in den Nacken, und der Mann bedeckte ihren entblößten Hals mit Küssen. Wer benutzte hier wen, fragte Suzy sich.

Sie dachte unwillkürlich an Dave und stöhnte auf.

Ja, sie konnte es tun, entschied sie in diesem Moment, ließ das Wagenfenster herunter und atmete die heiße, feuchte Luft ein. Sie konnte Jeff benutzen, Tom benutzen, Will benutzen – wenn nötig auch alle drei –, um Dave loszuwerden. Sie fädelte sich wieder in den Verkehr ein und sauste die Straße hinunter in Richtung Interstate 95.

Blieben nur noch zwei Fragen: Wann und wie?

»Okay, Nora. Ein Bein neben das andere, nicht so weit gespreizt. Den Rücken gerade. Gut. Und jetzt Kniebeugen. Zwei Mal zehn.«

»Ich hasse Kniebeugen.«

»Ich weiß«, sagte Jeff und blickte zur Uhr an der Wand. Es war fast vier. War Suzy immer noch mit Will in seiner Wohnung? War zwischen den beiden irgendwas gelaufen?

»Und nützen tun sie auch nichts«, jammerte Nora Stuart.

Noch fünf Minuten, dann war er sie los, dachte Jeff und betete um Geduld.

Nora war eine der Kundinnen, die er am wenigsten mochte, eine birnenförmige Vettel, die sich ständig über irgendetwas beschwerte: Es war zu warm, die Musik zu vulgär oder die Übungen waren zu hart.

»Glauben Sie mir, Kniebeugen sind das Beste, was Sie für Ihre Gesäßmuskeln tun können«, sagte er und dachte daran, wie Suzy plötzlich an der Anmeldung aufgetaucht war, wie sie ihn in der Bäckerei angesehen hatte.

Du glaubst, ich wäre deinetwegen hier, hatte sie gefragt.

Das hatte er verdammt noch mal geglaubt. Er wusste genug über Frauen, um zu spüren, wann eine interessiert war. Und Suzy war definitiv interessiert. Und egal was sie sagte oder wie heftig sie es bestritt, nicht an Will.

Nora Stuart verdrehte die stark geschminkten Augen zur Decke und verzog mürrisch ihren breiten roten Mund. Ihr unnatürlich schwarzes Haar hing schlaff herunter, und man sah ihr jedes ihrer dreiundvierzig Jahre an. »Wenn Kniebeugen so verdammt gut für einen sind, warum hängt mein Hintern dann immer noch einen halben Meter über dem Boden?«

»Doppelt so hoch wie vorher«, sagte Jeff in der Hoffnung auf einen Lacher.

»Soll das etwa komisch sein?«, fragte Nora stattdessen, die Hände in die breiten Hüften gestemmt. »Larry, ich glaube, ich bin gerade beleidigt worden.« An ihrem Ton konnte man nur schwer erkennen, ob sie es scherzhaft meinte oder nicht. Kippwitze, hatte seine Schwester das immer genannt.

Larry, der gerade vier Zwanzig-Pfund-Scheiben auf eine Hundert-Pfund-Hantel schob, blickte auf und zog die Kopfhörer seines iPods aus den Ohren. »Sorry. Gibt es ein Problem?«

»Ich weiß nicht«, sagte Nora und sah Jeff an. »Gibt es ein Problem?«

»Was sagen Sie, wenn wir die Kniebeugen heute mal auslassen?«, fragte Jeff.

»Gute Idee. Lieber nie beugen als Kniebeugen.« Nora lachte über ihren eigenen Witz.

Sie kicherte immer noch leise, als Jeff eine Matte auf dem Boden ausbreitete und sie anwies, sich auf den Rücken zu legen.

»Was? Das war's? Wollen Sie jetzt schon mit dem Stretching anfangen?«, fragte Nora. »Sind wir schon durch?«

»Es ist vier Uhr.«

»Na und? Wir haben erst um zehn nach drei angefangen.«

»Weil Sie zehn Minuten zu spät gekommen sind.«

»Ich habe Ihnen doch erklärt, dass ich nichts dafür konnte.«

»Das verstehe ich, aber auf mich wartet der nächste Kunde.« Jeff nickte Jonathan Kessler zu, der sich bereits auf dem Laufband aufwärmte.

»Ich zahle viel Geld für meine Trainingsstunden.«

»Das weiß ich zu schätzen.«

»Das glaube ich nicht.«

»Gibt es ein Problem?«, fragte Larry wieder und kam auf sie zugeschlendert.

»Ich würde gerne den Trainer wechseln«, erklärte Nora ihm. »Ab nächster Woche würde ich lieber mit Ihnen trainieren.«

Larry blickte von Nora zu Jeff und wieder zurück zu Nora. »Ist irgendetwas vorgefallen?«

»Die Chemie stimmt einfach nicht«, sagte Nora.

Larry nickte verständnisvoll und lächelte. »Fragen Sie Melissa wegen eines Termins. Ich bin sicher, wir finden etwas.« Als er sich wieder Jeff zuwandte, war sein Lächeln verschwunden. »Wir sprechen uns später«, sagte er.

KAPITEL 15

»Möchten Sie darüber reden?«, fragte Kristin und präsentierte ihr üppiges Dekolleté, als sie sich über die Theke beugte. Ein voller Busen, ein offenes Ohr – normalerweise eine unschlagbare Kombination, die ein sattes Trinkgeld garantierte. Aber der Mann mittleren Alters, der auf einem Hocker am anderen Ende der Bar saß und sich an einem Glas Single Malt festhielt, wirkte merkwürdig unbeeindruckt.

»Hmm?«, antwortete er, ohne aufzublicken. Er hatte teigige Haut und schütteres Haar, sein blaues Hemd war durchgeschwitzt. Nervös stützte er sein immer länger werdendes Gesicht in die Hände.

»Ich dachte, Sie wollten Ihren Drink vielleicht noch mal aufgefrischt bekommen«, sagte Kristin.

»Gute Idee.« Ohne den Kopf zu heben, gab er ihr sein Glas.

»Irgendwas Bestimmtes?«, fragte Kristin.

»Was auch immer.«

Kristin zog eine Flasche Canadian Club aus dem Regal und goss dem Mann einen großzügig dosierten weiteren Drink ein. Der arme Kerl sah aus, als ob er es gebrauchen könnte, dachte sie, füllte ein Schälchen mit Erdnüssen und schob es ihm hin.

»Alles in Ordnung?«

Der Mann blickte von den Erdnüssen auf die falsche Rolex an seinem Handgelenk. »Wie spät ist es nach Ihrer Uhr?«

Kristin sah auf die alte Bulova-Uhr, die sie schon seit mehr als einem Jahrzehnt trug. »Fünf nach sechs.«

»Nach meiner auch.«

»Hat sich jemand verspätet?«

»Jemand ist versetzt worden«, sagte er und sah sie direkt an. Kristin runzelte mitfühlend die Stirn. »Wann waren Sie denn verabredet?«

»Um halb sechs.«

»Na, so viel zu spät ist sie noch nicht. Vielleicht ist sie in einen Stau geraten oder findet keinen Parkplatz.«

»Oder sie kommt nicht«, sagte der Mann.

»Haben Sie versucht, sie anzurufen?«

»Ich habe schon drei Nachrichten hinterlassen.«

Die Tür ging auf, und eine gut aussehende Frau mit langem rotem Haar kam herein, etwa dreißig Jahre alt, groß und geschmeidig in schwarzen Samtshorts und schwarzen Lederstiefeln bis zu den Oberschenkeln. »Ist sie das?«, flüsterte Kristin, bemüht, nicht allzu überrascht zu klingen.

»Hoffentlich«, sagte der Mann, zog den Bauch ein und wollte gerade aufstehen, als die Tür erneut aufging und ein Mann mit dunklen Locken, schmalen Hüften und einem durchtriebenen Lächeln hereinkam, den Arm um die Hüfte der Rothaarigen legte und sie auf den Mund küsste. Lachend und wie an der Hüfte miteinander verwachsen gingen sie zu einem Tisch im hinteren Teil des Lokals. »Das war sie wohl doch nicht«, sagte der Mann, setzte sich auf seinen Barhocker und ließ seinen Bauch wieder über den Bund einer grauen Hose quellen.

»Sie wissen nicht, wie sie aussieht?«

»Wir haben uns im Internet kennengelernt«, gab der Mann zu. »Sie heißt Janet. Wir schreiben uns schon seit Monaten E-Mails. Das sollte heute unser erstes Treffen sein.«

»Vielleicht kommt sie ja noch.«

»Nee. Die kommt nicht mehr. Ich bin ein Idiot.«

»Sie sind kein Idiot«, sagte Kristin und dachte: Bist du doch.

»Wie heißen Sie?«

»Mike.« Er lächelte schüchtern. »Sie nennt mich Mikey.«

Kristin blickte zum Eingang, als könne sie durch schiere Willenskraft bewirken, dass die Tür aufging und Janet auf der Suche nach Mikey hereinkam. Aber die Tür blieb störrisch geschlossen. »Tut mir leid«, sagte sie, nachdem eine weitere Minute verstrichen war.

Mike zuckte die Achseln, wie um zu sagen, was will man machen.

Eine halbe Stunde später füllte sich die Bar langsam, aber Janet war immer noch nicht aufgetaucht. Kristin goss Mike noch ein Glas Whisky ein. »Der geht auf mich«, wollte sie gerade sagen, als eine modisch gekleidete Frau mittleren Alters mit gefärbten Haarspitzen und Schildpattbrille hereinkam und an die Theke trat. »Könnte ich bitte einen Gin Tonic haben?«

»Sie heißen nicht zufällig Janet, oder?«, fragte Kristin hoffnungsvoll.

»Nein«, sagte die Frau. »Brenda. Warum? Sehe ich aus wie eine Janet?«

»Ach, das ist nur ein kleines Spiel, das ich mit mir selber spiele«, erklärte Kristin ihr und versuchte, Mike mit den Augen ein Zeichen zu geben. »Ein Gin Tonic kommt sofort.«

»Ich setze mich da drüben hin«, sagte die Frau und zeigte auf einen Tisch in der Nähe.

»Und was meinen Sie?«, fragte Kristin Mike, sobald Brenda an ihren Tisch gegangen war.

»Was meine ich wozu?«

»Brenda«, sagte Kristin und goss Beefeater-Gin in ein Glas.

»Wie meinen Sie das?«

Kristin verdrehte die Augen zur Decke. Waren Männer

wirklich so beschränkt?«»Sie sind allein. Sie ist allein. Sie sieht sehr nett aus.« Sie goss Tonic zu dem klaren Gin. »Sie könnten ihr diesen Drink bringen...«

Ohne den Kopf zu heben, drehte der Mann sich in Brendas Richtung um. »Kein Interesse.«

»Warum nicht?«

»Nicht mein Typ.«

»Warum nicht?«, fragte Kristin noch einmal.

»Zu alt für mich.«

»Zu alt? Wovon reden Sie? Wie alt sind Sie denn?«

»Sechsundvierzig.«

»Und? Sie ist höchstens vierzig.«

»Zu alt für mich«, wiederholte Mike. »Fünfunddreißig ist meine Grenze. Außerdem ist sie ja wohl kaum eine Schönheit.« Er griff nach seinem Whiskyglas.

Soll das ein Scherz sein, fragte Kristin stumm. Hat der Kerl in letzter Zeit mal in den Spiegel geschaut? Was war nur mit den Männern los, fragte sie sich. Waren sie von Natur aus darauf programmiert, nur zu sehen, was sie sehen wollten? »Das macht zwölf Dollar«, sagte sie ungehalten.

Mike schob ihr einen Zwanzig-Dollar-Schein über die Theke. »Geben Sie mir sechs zurück«, erklärte er ihr.

Typisch, dachte Kristin und zählte ihm sechs Ein-Dollar-Scheine auf den Tresen. Und die Ratte hatte ihr auch noch leidgetan. Sie gab Brendas Gin Tonic einer Kellnerin. »Tisch drei.«

»Und«, sagte Mike und hob sein Glas, »wann haben Sie hier Feierabend?«

»Wir schließen um zwei.«

»Das ist ein bisschen spät für mich. Meinen Sie, Sie könnten vielleicht früher Schluss machen?«

»Was?«

»Ich habe gefragt, ob Sie vielleicht früher gehen können.«

»Warum sollte ich?« Wollte er sie anmachen, fragte Kristin sich mit einem flauen Gefühl im Magen. Das hatte man davon, wenn man nett zu Männern war, dachte sie.

»Ich dachte, wir könnten später vielleicht irgendwo eine Kleinigkeit essen.«

»Tut mir leid. Das geht nicht.«

»Dann vielleicht ein anderes Mal?«

»Ich glaube nicht, dass mein Freund darüber besonders glücklich wäre.«

Mike leerte seinen Scotch in zwei hastigen Schlucken und rutschte von seinem Barhocker. »Nun ja, versuchen kann man's ja mal, oder?«

»Aber immer doch«, erwiderte Kristin. »Machen Sie's gut.«

Sie sah Mike in Richtung Eingang schwanken und hoffte, dass er klug genug war, ein Taxi nach Hause zu nehmen. Sie blickte zu Brenda, die vorsichtig an ihrem Gin Tonic nippte und sehnsüchtig auf den leeren Platz neben sich starrte. Nein, dachte sie. Mike hatte seinen Verstand allein in der Hose. Warum waren Männer schlau genug, die Welt zu beherrschen, aber trotzdem zu dumm, um zu wissen, was gut für sie war?

»Das haben Sie sehr elegant hingekriegt«, sagte eine Männerstimme, die in ihre Grübeleien drang.

Kristin riss sich aus ihren Gedanken.

»Ich stelle mir vor, Sie werden oft angemacht«, fuhr der Mann fort. Er war Ende dreißig, Anfang vierzig und sah mit seinem Leinenanzug und der dunkelblauen Krawatte auf eine intellektuelle Art attraktiv aus. Sie hatte ihn nicht hereinkommen sehen und fragte sich, wie lange er schon dort saß.

Sie ignorierte die Bemerkung, weil sie in der Regel selbst eine Anmache war. »Was kann ich Ihnen bringen?«

»Wodka on the rocks.«

»Ein Wodka on the rocks, gerne.«

»Sie haben meine Frage nicht beantwortet.«

»Ich habe keine Frage gehört.«

Er lachte. »Sie haben recht. Es war eine Vermutung.«

Sie brachte ihm seinen Drink. »Dann haben Sie richtig vermutet. Zwölf Dollar«, sagte sie. »Wenn Sie keinen Deckel machen wollen.«

Er gab ihr einen Fünfzig-Dollar-Schein. »Stimmt so«, sagte er.

Kristin steckte das Geld ein, bevor er seinen Fehler bemerkte oder es sich anders überlegte. Ihre Miene verriet weder Überraschung noch übertriebene Dankbarkeit.

»Glauben diese Witzfiguren wirklich, sie hätten eine Chance bei jemandem wie Ihnen?«, fragte der Mann.

»Versuchen kann man's ja mal«, zitierte sie Mike. »Hab ich zumindest gehört.«

Der Mann lachte. »Muss auf die Dauer trotzdem ziemlich öde werden.«

»Ich nehme an, es gibt Schlimmeres.«

»Ganz bestimmt.«

»Hey, Kristin«, rief ein Mann am anderen Ende der Theke. »Können wir noch ein paar Bier bekommen?«

»Kommt sofort. Verzeihung«, sagte sie zu dem Mann.

»Lassen Sie sich Zeit. Ich lauf nicht weg.«

Es dauerte fast zehn Minuten, ehe sie zurückkehrte. »Ein paar echte Rowdys«, sagte sie lachend über den Lärm vom anderen Ende der Theke hinweg. »Wie sieht es mit Ihrem Drink aus?«

Der Mann hielt sein Glas hoch. »Ich könnte glatt noch einen vertragen.«

»Noch ein Wodka, ist schon unterwegs.«

»Sie heißen Kristin?«, fragte er.

»Ja.«

»Hübscher Name.«

»Danke.«

»Und, Kristin«, sagte der Mann, und der Name ging ihm schon ganz leicht über die Lippen. »Was wollen Sie mal werden, wenn Sie groß sind?«

Kristin stöhnte innerlich, lächelte jedoch unverdrossen weiter. Sie hatte etwas deutlich Niveauvolleres erwartet. »Ich bin schon ziemlich ausgewachsen, falls es Ihnen entgangen sein sollte.«

»Oh, das ist mir schon aufgefallen. Sie sind sehr schön.«

»Danke.«

»Zu schön, um hinter einem Tresen zu stehen.«

»Ist das der Moment, wo Sie mir Ihre Karte geben und mir erklären, dass Sie Fotograf oder Model-Scout sind?«

Er lachte. »Ich bin weder Fotograf noch Model-Scout.«

»Filmproduzent? Talentsucher? Fernsehregisseur?«

»Die haben Sie alle schon mal angesprochen?«

»Ein jeder.«

»Und wie steht es mit Ärzten?«

»Was für ein Arzt?«

»Radiologe. Drüben im Miami General Hospital.« Er streckte die Hand aus. Kristin bemerkte einen Bluterguss an seinen Fingerknöcheln. »Dave Bigelow«, sagte er. »Freut mich, Sie kennenzulernen.«

Jeff kam gerade aus der Dusche, als das Telefon klingelte. Wahrscheinlich Will, dachte er, schlang ein knappes weißes Handtuch um die Hüfte und rannte ins Schlafzimmer. Will war nicht zu Hause gewesen, als er um kurz nach sechs von der Arbeit heimgekommen war. Wahrscheinlich war er mit Suzy unterwegs, hatte Jeff gedacht und entschieden, dass es idiotisch gewesen war, sie seinem Bruder bis an die Haustür zu liefern. Meine Haustür, dachte er jetzt und nahm das Telefon auf dem Nachttisch ab. »Hallo?«

»Jeff? Hier ist Ellie. Bitte leg nicht auf.«

Jeffs Kinn sackte in Richtung Brust. »Wie geht's dir, Ellie?« Er stellte sich vor, wie seine Schwester ihr Gewicht von einem Fuß auf den anderen verlagerte und sich auf die schmale Unterlippe biss, während sie mit ihren langen schmalen Fingern die Telefonschnur aufwickelte und bereits jetzt Tränen in den grau-grünen Augen hatte. Er hatte sie bloß gefragt, wie es ihr ging, und sie weinte schon.

Ellie schluckte den Kloß in ihrem Hals herunter. »Gut. Und dir?«

»Mir ging's nie besser.«

»Und wie geht es Kirsten?«

»Kristin«, verbesserte Jeff sie.

»Tut mir leid. Natürlich. Kristin. Irgendwann muss ich sie mal kennenlernen.«

Jeff sagte nichts, sein nasses Haar tropfte über seine Stirn auf die Wangen. Er betrachtete sich in dem Spiegel über der Kommode und dachte, dass es wahrscheinlich Zeit wurde, ein bisschen nachzubessern.

»Will hat erzählt, sie wäre eine tolle Frau«, sagte Ellie.

»Dann muss sie wohl toll sein«, erwiderte Jeff spöttisch.

»Jeff...«

»Wie geht es Bob und den Kindern?«

»Denen geht es gut. Taylor wird im August zwei. Ich kann nicht glauben, dass du sie immer noch nicht gesehen hast«, fuhr sie fort, als Jeff nicht reagierte.

»Hör mal, Ellie. Du erwischst mich zu einem wirklich ungünstigen Zeitpunkt...«

»Du musst nach Hause kommen, Jeff«, flehte Ellie.

»Das geht nicht.«

»Unsere Mutter liegt im Sterben«, erklärte Ellie ihm. »Letzte Nacht hat sich ihr Zustand deutlich verschlechtert. Der Arzt sagt, dass sie vielleicht noch eine, höchstens zwei Wochen zu leben hat.«

»Was willst du, was ich sage, Ellie? Dass es mir leidtut? Das kann ich nicht.«

»Ich will, dass du sagst, dass du nach Hause kommst, um sie vor ihrem Tod noch einmal zu sehen.«

»Das kann ich auch nicht.«

»Warum nicht? Wäre es denn so schwer?«

»Ja«, sagte Jeff. »Es wäre so schwer.«

»Sie hat ihren Fehler eingesehen. Sie möchte sich nur entschuldigen.«

»Nein. Sie will Vergebung«, erwiderte Jeff. »Und das ist ganz und gar nicht das Gleiche.«

»Bitte, Jeff. Sie weint ständig. Es tut ihr alles so leid.«

»Das kommt ein bisschen zu spät.«

»Es muss nicht zu spät sein«, beharrte Ellie. »Nicht für dich.«

»Der Zug ist schon vor langer Zeit abgefahren.« Jeff ließ den Hörer sinken.

»Jeff, bitte...«, hörte er seine Schwester flehen, ehe er die Verbindung beendete.

Er starrte sein Spiegelbild an. »Viel zu spät«, murmelte er.

»Freut mich, Sie kennenzulernen. Dr. Dave Bigelow«, sagte Kristin und schüttelte die Hand des Mannes.

»Sie können mich Dr. Bigelow nennen«, scherzte er, und Kristin lächelte freundlich.

»Und was genau macht ein Radiologe am Miami General?«, fragte sie.

»Er sieht sich Röntgenaufnahmen an, stellt Diagnosen, heilt Kranke, hilft den Geschlagenen und wirkt regelmäßig Wunder.«

»Also ungefähr das Gleiche, was ich hier mache.«

»Mehr oder weniger«, sagte Dave lachend. »Arbeiten Sie schon lange hier?«

»Seit der Eröffnung. Ungefähr ein Jahr, schätze ich. Sind Sie zum ersten Mal im Wild Zone?«

»Ja. Ich bin erst vor ein paar Monaten hierhergezogen. Ich fange gerade erst an, mich ein wenig umzusehen.«

»Woher kommen Sie?«, fragte Kristin.

»Ursprünglich aus Phoenix. Zuletzt aus Fort Myers.«

»Wirklich? Ich habe gerade neulich jemanden aus Fort Myers kennengelernt. Eine Suzy. Kennen Sie sie?« Sie lachte.

»Könnte sein. Ich kannte mal eine Suzy. Und so groß ist Fort Myers auch nicht. Wissen Sie, wie sie mit Nachnamen heißt?«

Kristin schüttelte den Kopf. »Ich glaube, den hat sie mir nicht gesagt.«

»Wie sieht sie denn aus?«

Kristin dachte daran, wie Jeff die junge Frau durch die Tür ihrer Wohnung schob. »Hübsch, dunkle Haare, blasse Haut«, ratterte sie herunter. »Sehr schlank.«

»Hört sich nicht bekannt an. Kommt sie oft hierher?«

»Nein. Sie war nur ein paar Mal hier.« Sie fragte sich, was zwischen den beiden passiert war, wenn überhaupt etwas passiert war. Als sie vor der Arbeit in die Wohnung zurückgekehrt war, war niemand dort gewesen.

»Waren Sie je zusammen im Kino?«, fragte Dave.

»Was?«

»Die Suzy, die ich in Fort Myers kannte, liebt Filme.«

Kristin nickte. »Ich auch. Aber allzu viele kriege ich bei meinen Arbeitszeiten nicht zu sehen.«

»Irgendjemand hat mir erzählt, dass es hier in der Nähe ein Kino gibt, das die ganze Nacht geöffnet hat.«

»O ja. Das Rivoli. Es ist eins von diesen altmodischen Kinos. Eine Leinwand mit richtigem Vorhang, keine ansteigenden Sitzreihen, super Popcorn. Sie sollten mal hingehen.«

»Wollen Sie mich einladen?«

Kristin lächelte. »Ich fürchte, das geht nicht.«

»Ist es gegen die Hausregeln?«

»Es ist gegen *meine* Regeln.«

»Sie haben also wirklich einen Freund? Sie sagen das nicht nur, um die Typen auf Abstand zu halten?«

»Ich habe einen Freund«, bestätigte Kristin.

»Und ich habe wirklich einen Freund, der Fotograf ist«, sagte Dave zwinkernd.

Kristin lachte.

»Großes Pfadfinderehrenwort. Er heißt Peter Layton. Soweit ich weiß, ist er ziemlich berühmt.«

Kristin schüttelte den Kopf: »Kann nicht behaupten, dass ich schon mal von ihm gehört hätte.«

»Er arbeitet viel für die Modebranche und Zeitschriften. Sie sollten ihn mal kennenlernen.«

»Wahrscheinlich.«

»Ich könnte das arrangieren, wenn Sie möchten.«

»Ich glaube nicht.«

»Hey, Kristin«, rief der Mann am anderen Ende der Theke wieder. »Wir fühlen uns hier ein bisschen vernachlässigt.«

»Ich komme«, rief sie zurück.

»Das ist kein blöder Spruch«, sagte Dave und legte seine Hand auf ihre. »Ich bin Arzt, schon vergessen? Und Ärzte lügen nie.«

Kristin spürte einen unerwünschten Stromstoß, der sich von seinen auf ihre Finger übertrug. Sie machte keine Anstalten, ihre Hand wegzuziehen. »Haben Sie wirklich einen Freund, der Modefotograf ist?«

»Ich schwöre.«

»Nicht. Das würde Ihrer Mutter nicht gefallen.«

»Aber Sie würden ihr gefallen. Sie würde sagen: ›Dave, das Mädchen ist ein Feuerkopf. Lass sie nicht entwischen.‹«

»Ich habe einen Freund«, wiederholte Kristin.

Dave lächelte. »Hier ist meine Karte. Rufen Sie mich an, falls die Umstände sich ändern sollten.«

KAPITEL 16

»Ich sag's dir doch, Mann. Er hat sie nicht flachgelegt.« Tom zog intensiv an seiner Zigarette und lachte lange und laut in sein Handy.

»Du spinnst«, gab Jeff zurück. »Wie konnte er es vermasseln? Ich habe sie persönlich und mit einer Schleife drum bei ihm abgeliefert, Herrgott noch mal. Ich hab alles gemacht außer die beiden ins Bettchen zu bringen.«

»Er hat sie nicht flachgelegt.«

Jeff schwieg kurz, bevor er fragte: »Woher weißt du das?«

Tom schilderte seinen Tag in allen Einzelheiten, inklusive seiner Begegnung mit Lainey bei Donatello's und seinem anschließenden Besuch in Jeffs Wohnung. »Sieht so aus, als wäre ich gerade rechtzeitig gekommen«, prahlte er.

»Na, dann Ruhm und Ehre für dich, Tommy-Boy. Du hast den Tag gerettet.«

»Ganz zu schweigen von den hundert Dollar.«

»Vielleicht verlierst du die hundert trotzdem noch«, sagte Jeff. »Sieht so aus, als ob der große Bruder wieder im Rennen wäre.«

Tom stieß ein weiteres gezwungenes Lachen hervor. Typisch, dass sich gleich wieder alles um Jeff drehte, während Toms glorreicher Moment zur bloßen Anekdote schrumpfte und seine Chancen, vielleicht selbst bei Suzy zu landen, im selben Atemzug verworfen wurden. Nein, nicht bloß verworfen, sondern negiert. Komplett ignoriert. Als ob die Möglichkeit, dass Tom bei Suzy Erfolg haben könnte, zu absurd wäre, um sie auch nur in Erwägung zu ziehen. Denn schließlich war der große Bruder wieder im Rennen. Deshalb musste sich kein anderer mehr die Mühe machen, auch nur anzutreten. »Warum hat es so lange gedauert, bis du rangegangen bist?«, fragte Tom, um seine Verärgerung zu überspielen.

»Ich dachte, es wäre wieder meine Schwester«, sagte Jeff. »Sie versucht, mich zu überreden, nach Hause zu kommen. Ich soll zu meiner Mutter gehen, bevor sie stirbt.«

»Und machst du es?«

»Ich weiß nicht«, gab Jeff nach einer Pause zu.

»Lass dir von ihr kein schlechtes Gewissen einreden«, sagte Tom. »Es gibt nichts, wofür du dich schuldig fühlen musst.«

»Das weiß ich.«

»Sie hat dich im Stich gelassen, Mann. Sie hat dich zur Bösen Hexe von Buffalo abgeschoben.«

»Offenbar will sie sich entschuldigen.«

»Bullshit. Sie will dich nur sehen, damit sie sich besser fühlt, bevor sie stirbt.«

»Das weiß ich auch.«

»Sie fährt zur Hölle, Mann. Segnet das Zeitliche. Was heißt das eigentlich genau?«

Jeff lachte. »Keinen blassen Schimmer.«

»Frauen«, sagte Tom verächtlich, zog an seiner Zigarette, blies den Rauch aus und sah, wie er um seinen Kopf kreiste wie eine wütende Wolke. »Sekunde. Ich muss das Fenster aufmachen.«

»Welches Fenster? Wo bist du?«

»In meinem Wagen.« Tom zog ein letztes Mal an seiner Zigarette, öffnete das Fenster und schnippte die noch brennende Kippe auf die Straße.

»Ich hör gar keinen Verkehr.«

»Hier ist ja auch kein Verkehr.«

»Wo bist du?«

Tom musste fast lachen, als er die Sorge in Jeffs Stimme hörte. »Nirgendwo speziell.«

»Bitte sag mir, dass du Lainey nicht immer noch folgst.«

»Ich folge Lainey nicht mehr«, wiederholte Tom gehorsam.

»Braver Junge.«

»Muss ich auch gar nicht«, sagte Tom.

»Was soll das heißen?«

Tom zuckte die Achseln. »Das heißt, dass ich schon weiß, wo sie ist. Sie und die Kinder sind bei ihren Eltern«, fuhr er unaufgefordert fort. »Die Schlampe ist ungefähr vor einer Stunde nach Hause gekommen und hat sich seitdem nicht gerührt. Wahrscheinlich sitzen sie gerade beim Abendessen.«

Nach einer weiteren Pause sagte Jeff: »Du parkst vor ihrem Haus.«

Tom konnte förmlich sehen, wie Jeff verzweifelt den Kopf schüttelte. »Nein.« Er lachte. »Ich parke drei Häuser weiter.«

»Scheiße«, rief Jeff. »Willst du mich verarschen, Mann?«

»Reg dich ab. Sie wissen gar nicht, dass ich hier bin.«

»Bist du dir da sicher?« Jeffs Frage ließ erkennen, dass er sich dessen keineswegs sicher war.

»Todsicher. Willst du wetten?«

»Ich will, dass du verdammt noch mal von dort verschwindest.«

»Ich muss nur schauen, dass ich meine Interessen im Blick behalte.«

Jeff seufzte vernehmlich. »Okay, pass auf. Tu, was du tun musst. Ich fahre in circa einer Stunde ins Wild Zone. Wenn du mich dort treffen willst, gut.«

Tom blickte durch die Windschutzscheibe auf den weiträumigen, grün berankten Bungalow, in dem Laineys Eltern wohnten. Ihm fiel auf, dass alle Lichter brannten, obwohl es draußen noch nicht ganz dunkel war. Er schnaubte verächtlich. Lainey lag ihm ständig in den Ohren von wegen Energie sparen, folgte ihm von Zimmer zu Zimmer, machte die Lichter aus, die er angelassen hatte, schaltete unbenutzte Geräte ab und zitierte diverse Experten zum Thema globale Erwärmung. Was für eine Heuchlerin, dachte er, fischte eine weitere Zigarette aus der Brusttasche seines blau karierten Hemdes und zündete sie an.

Die Haustür des Bungalows ging auf, und ein untersetzter Mann mit breiter Brust und vollem schwarzem, an den Schläfen leicht ergrautem Haar kam heraus. Er stand ein paar Sekunden lang reglos in der Tür und bewegte sich erst, als sein junger Enkelsohn von hinten seine Beine umklammerte.

»Cody?«, flüsterte Tom.

»Was?«, fragte Jeff in seinem Ohr.

»Komm, Opa«, juchzte Cody. »Jetzt musst du dich verstecken.«

»Tom?«, fragte Jeff. »Bist du noch da?«

»Sam? Was machst du draußen?«, rief eine Frau aus dem Haus, die auch ein Stück die Straße hinunter noch mühelos zu verstehen war.

»Komm, Opa. Lass uns spielen.«

»Tom?«, fragte Jeff noch einmal. »Tom? Sag was.«

»Kommt gar nicht in Frage, dass ich mir von der Hexe meine Kinder wegnehmen lasse«, sagte Tom, als Laineys Vater mit Cody ins Haus zurückkehrte und die Tür hinter sich schloss.

»Tom, hör mir zu. Mach keine Dummheiten.«

»Wir sehen uns in einer Stunde«, sagte Tom und legte auf.

»Ich habe mit Jeff gesprochen«, sagte Ellie.

Will lehnte sich auf der Parkbank zurück, auf der er seit

gut einer Stunde saß, und versuchte, seine Nerven nach den schockhaften Ereignissen des Nachmittags zu beruhigen. Im einen Moment hatte Suzy in seinen Armen gelegen, im nächsten hatte Tom mit einer Pistole vor seiner Nase herumgefuchtelt. Was zum Teufel war passiert? Hatte er Tom wirklich herausgefordert, ihn zu erschießen? Will streckte die Beine aus, nahm das Handy von der Rechten in die Linke und merkte, dass seine Hände immer noch zitterten.

»Wann hast du mit ihm gesprochen?«

»Vor zwanzig Minuten, vielleicht einer halben Stunde.«

»Und?« Will hörte im Hintergrund kleine Kinder streiten und stellte sich Ellie in ihrer winzigen Küche vor: ihr hellbraunes Haar, das ihr in lockeren Wellen um das Kinn fiel, ihre leicht geröteten Wangen, während ihre beiden Kinder um sie herumtanzten.

»Er sagt, er kommt nicht.«

»Und bist du überrascht, dass ...«

»Ich bin nicht überrascht, ich bin enttäuscht.«

»Kannst du es ihm wirklich verübeln?«, fragte Will.

»Ich mache ihm ja gar keine Vorwürfe. Taylor, hör auf, Max zu hauen.«

Will kicherte und malte sich aus, wie seine kleine zweijährige Nichte, ein kleiner Feuerkopf, auf ihren ruhigeren fünfjährigen Bruder losging.

»Ich glaube einfach, dass es für sein seelisches Wohlbefinden wichtig wäre, unsere Mutter zu sehen, bevor sie stirbt.«

»Wegen Jeffs seelischem Wohlbefinden würde ich mir keine allzu großen Sorgen machen.«

»Er muss sich mit seinen Gefühlen auseinandersetzen.«

»Ich glaube, Jeff weiß ganz genau, was er empfindet«, stellte Will fest. »Er hasst seine Mutter abgrundtief.«

»Erwachsene Menschen hassen einander nicht abgrundtief.«

Will zuckte die Achseln. Ellie hatte einen Abschluss in Psychologie. Es war zwecklos, ihr zu widersprechen. Vor allem, wenn sie recht hatte.

»Du musst mit ihm reden«, drängte Ellie ihn.

»Das habe ich schon«, wandte Will ein. »Er hört nicht auf mich.«

»Du musst ihn überzeugen.«

»Gib es auf, Ellie. Er kommt nicht zurück.«

»Und wenn du mit Kirsten redest?«

»Kristin«, verbesserte Will sie.

»Wie auch immer«, sagte Ellie ungeduldig. »Vielleicht kann sie ihn überreden.«

»Glaub mir«, sagte Will. »Sie ist klug genug, es nicht zu versuchen.«

»Es ist in ihrem eigenen Interesse«, beharrte Ellie.

»Und wieso?« Die Frage war Will über die Lippen gerutscht, ehe er sich bremsen konnte. Dabei wollte er dieses Gespräch auf keinen Fall unnötig in die Länge ziehen.

»Bis er die Geschichte mit unserer Mutter klärt«, stellte Ellie nachdrücklich fest, »wird er immer Probleme mit Frauen haben. Er wird das Gesicht unserer Mutter auf ihres projizieren. Und alte Wunden brechen auf…«

»Da hat wohl jemand zu viel Oprah Winfrey geguckt«, sagte Will und hörte Toms höhnischen Unterton in seiner eigenen Stimme. »Hör mal, ich muss wirklich Schluss machen«, fügte er sanfter hinzu.

»Warum? Was machst du denn?«

»Ich will noch mal weg«, log Will und ließ seinen Blick durch den Park schweifen. Ein Vater schubste sein Kind auf der Schaukel an, ein Mann warf ein Frisbee für seinen großen schwarzen Labrador.

»Hast du ein Date?«

Will hörte den hoffnungsvollen Unterton in ihrer Stimme. »Ellie«, setzte er an, »du bist bloß meine Halbschwester. Meinst du, du könntest die geschwisterliche Sorge ein paar Grad runterfahren?«

Sie lachte. »Keine Chance. Was hast du vor?«

Er seufzte. »Nichts Besonderes. Wahrscheinlich gehe ich nur auf einen Drink ins Wild Zone.«

»Ist das die Bar, in der Kirsten arbeitet?«

»Kristin«, sagte Will.

»Du trinkst doch nicht zu viel, oder?«, fragte Ellie, ohne seine Korrektur zu beachten.

Will lachte, sagte jedoch nichts.

»Deine Mom hat heute Morgen angerufen«, wechselte Ellie unvermittelt das Thema. »Sie macht sich Sorgen um dich. Sie sagt, sie hätte seit fast einer Woche nichts von dir gehört. Vielleicht rufst du sie mal an und beruhigst sie, dass du noch lebst und, nun ja, dass Jeff dir nichts Schreckliches angetan hat.«

»Das mache ich.«

»Und du redest auch noch mal mit ihm?«, fügte sie hinzu. »Du musst ihm klarmachen, dass nicht mehr viel Zeit bleibt.«

»Ich werde es versuchen«, versprach Will, weil er wusste, dass es zwecklos war, etwas anderes zu sagen.

»Du bist ein guter Junge«, erklärte Ellie ihm, bevor sie auflegte.

»Hallo, Mom?«, fragte Tom und dachte, Idiot, natürlich war es seine Mutter. Wer sollte es sonst sein?

»Alan«, rief sie fröhlich. »Wie geht es dir, mein Junge? Hey, alle«, verkündete sie, »es ist Alan.«

»Hier ist nicht Alan. Hier ist Tom.«

»Tom?«

»Dein Sohn Tom. Das schwarze Schaf in der Mitte«, fügte er verbittert hinzu.

»Tom«, wiederholte seine Mutter, als versuchte sie ein Wort in einer Fremdsprache zu verstehen. »Es ist Tom«, berichtete sie den anderen Anwesenden, wer immer es sein mochte. »Stimmt irgendwas nicht? Hast du Ärger?«, fragte sie dann.

»Muss ich Ärger haben, um zu Hause anzurufen?«

»Hast du?«

»Nein.«

Die Erleichterung seiner Mutter war deutlich zu hören, auch wenn sie nichts sagte. Tom stellte sich vor, dass sie in dem Durchgang zwischen Küche und Esszimmer stand und mit ihren traurigen braunen Augen hilfesuchend zu der Runde um ihren Tisch blickte, den Mund zu einem sorgenvollen Schmollen verzogen, als würde sie ein saures Bonbon lutschen.

»Störe ich bei irgendwas?«, fragte Tom.

»Wir haben uns gerade zum Abendessen hingesetzt. Vic und Sara sind hier mit den Kindern.«

Tom versuchte ein Bild seines eineinhalb Jahre älteren Bruders heraufzubeschwören, was ihm, da er ihn in den letzten zwölf Jahren kaum ein halbes Dutzend Mal gesehen hatte, schwerfiel. Als Tom und seine Brüder noch jünger waren, konnten die Leute sie nur mit Mühe auseinanderhalten, so ähnlich waren sie sich in Statur und Erscheinung. Aber im Laufe der Jahre war Tom in die Höhe geschossen, Alan breiter geworden und Vic attraktiver. In ihren späten Teenagerjahren hatte niemand mehr Probleme, sie zu unterscheiden, vor allem weil man sie kaum noch zusammen sah. »Wie geht es allen?«

»Gut. Lorne und Lisa wachsen wie Unkraut.«

»Carole, hör auf zu telefonieren«, hörte Tom seinen Vater sagen. »Dein Essen wird kalt.«

»In was für einen Schlamassel ist er jetzt wieder geraten?«, murmelte Vics Frau Sara im Hintergrund, laut genug, dass Tom jedes Wort verstehen konnte.

»Rufst du aus irgendeinem Grund an?«, fragte seine Mutter nervös.

»Brauche ich einen Grund, um anzurufen?«, fragte Tom zurück, zündete sich an der Kippe seiner brennenden Zigarette die nächste an und schnippte den Stummel durch das Wagenfenster auf den wachsenden Haufen auf der Straße.

»Du bist doch nicht krank, oder?«

»Herrgott noch mal, Carole«, sagte Toms Vater. »Es geht ihm gut.«

»Lass mich mal mit ihm reden«, sagte Vic.

»Ich will nicht mit Vic reden«, protestierte Tom.

»Tom, alter Junge, wie geht's?«, meldete sich sein Bruder mit einer tiefen Stimme, die Erfolg und Selbstvertrauen ausstrahlte.

»Mir geht's gut, Vic. Und dir?«

»Fantastisch. Sara geht es super, die Kinder machen sich toll. Ich liebe meine Arbeit…«

»Wie kann man es lieben, den ganzen Tag lang auf Zahlen herumzukauen?«

»Ich bin gesund«, fuhr Vic fort, als hätte Tom nichts gesagt.

»Wie alt bist du – achtzig? Du klingst wie ein alter Mann. ›Ich bin gesund.‹ Was für ein Scheiß.«

»Gesundheit ist mit Geld nicht zu bezahlen. Glaub mir.«

»Wieso sollte ich dir glauben? Du bist ein beschissener Buchhalter, Kacke noch mal. Wer glaubt schon einem Buchhalter?«

»Verstehe. Ganz der alte Klugscheißer.«

»Du verstehst gar nichts.«

»Dann solltest du es mir erklären«, sagte Vic. »Was ist los, Tom? Brauchst du Geld? Rufst du deswegen an?«

»Was machst du?«, zischte Sara. »Wir geben deinem Bruder kein Geld mehr. Beim letzten Mal hat er es auch nicht zurückgezahlt.«

»Du hast deinem Bruder Geld geliehen?«, fragte Toms Vater ungläubig.

»Es war nicht viel«, sagte Vic abschätzig. »Nur ein paar tausend...«

»Hey, soll das ein Angebot sein?«

»Himmel noch mal, Vic«, sagte Sara näher beim Telefon als zuvor.

»Ein paar tausend klingt ziemlich gut.«

»Das geht leider nicht«, sagte Vic.

»Da hast du verdammt recht«, sagte Sara.

»Du hast es angeboten«, erinnerte Tom seinen Bruder.

»Ich kann vielleicht ein paar hundert Dollar erübrigen. Mehr nicht.«

»Was machst du?«, wollte Sara wütend wissen. »Du gibst deinem Bruder keinen Cent.«

»Was ist los, Mommy? Warum schreist du Daddy an?«, fragte ein Kind im Hintergrund.

»Was ist los, Tom? Gibt es etwas, was du uns nicht erzählst?«

»Lainey und ich haben uns getrennt«, gab Tom nach einer Pause zu.

»Das ist nicht dein Ernst! Lainey hat ihn verlassen«, rief Vic den anderen zu.

»Was?«, fragte seine Mutter.

»Wundert das einen?«, brummte sein Vater.

»Warum erst jetzt?«, meine Sara.

»Sie droht, mir die Kinder wegzunehmen«, sagte Tom.

»Klingt so, als würdest du einen Anwalt brauchen.«

»Ich brauche *Geld* für einen Anwalt«, bellte Tom. »Und ein paar hundert Dollar werden nicht reichen.«

»Es tut mir leid, Tom, ehrlich. Ich würde dir helfen, wenn ich könnte.«

»Du gibst deinem Bruder kein Geld«, protestierte Sara.

»Sag der blöden Fotze, sie soll ihr beschissenes Maul halten«, brüllte Tom.

»Hey«, warnte Vic ihn, »Vorsicht.«

»Was ist los mit dir? Hast du keine Eier oder was, Scheiße, Mann? Lässt du dich von der Schlampe rumkommandieren?«

»Genug jetzt, Tom.«

»Genug? Ich fange gerade erst an, wenn es um die blöde Kuh geht.«

»Nein, Tom. Glaub mir. Es reicht.«

Damit wurde die Verbindung beendet.

»Scheiße!«, brüllte Tom, bis ihm der Atem ausging, knallte die Hände aufs Lenkrad und drückte versehentlich auf die Hupe. Das Geräusch zerriss die schwere, schwüle Luft wie eine Explosion. »Scheiße, verdammte Scheiße!« Tom ließ den Kopf sinken, und Tränen der Enttäuschung brannten in seinen Augen. Scheiß auf diesen selbstgefälligen Wichser von seinem Bruder, seine tolle Frau, die wohlgeratenen Kinder und den Job, den er so liebte. Nicht zu erwähnen seine beschissene Gesundheit. »Gesundheit ist mit Geld nicht zu bezahlen. Glaub mir!«, äffte er ihn nach, riss den Kopf hoch und stieß ein lautes Lachen aus, das im Innern des Wagens widerhallte und die Straße hinunterschallte. »Glaub mir!«, brüllte er. »Als ob ich dir irgendwas glauben würde, du elendes Stück Scheiße!«

In diesem Moment sah er im Rückspiegel den Streifenwagen und einen Polizisten, der, die Hand auf sein Pistolenhalfter gelegt, vorsichtig auf ihn zukam.

»Alles in Ordnung?«, fragte der Beamte.

»Alles bestens«, sagte Tom, ohne ihn anzusehen.

»Darf ich mal Ihren Führerschein und die Zulassung sehen?«, fragte er, obwohl es mehr ein Befehl war.

»Weshalb? Ich mache doch gar nichts. Ich fahre nicht mal.«

»Zulassung und Führerschein«, wiederholte der Polizist und machte seinem im Wagen wartenden Kollegen ein Zeichen, als würde er Ärger befürchten.

Tom fischte seinen Führerschein aus der Seitentasche seiner Jeans und beugte sich vor, um die Zulassung aus dem Handschuhfach zu nehmen. Der Beamte, ein junger Mann südamerikanischer Abstammung mit einer Narbe über der Oberlippe, warf einen Blick auf die Dokumente und gab sie seinem älteren Partner. »Wir haben eine Beschwerde bekommen, dass jemand in einem Wagen, dessen Beschreibung auf Ihren passt, in der Gegend herumlungert«, erklärte er.

Tom blickte zum Haus seines Schwiegervaters. Der Mistkerl hatte ihn also gesehen und die Polizei angerufen. Der beschissene Schwachkopf. »So lange bin ich noch gar nicht hier.«

»Lange genug, um eine halbe Schachtel Zigaretten zu rauchen.« Der Polizist warf einen Blick auf die weggeworfenen Zigarettenkippen neben seinen Stiefeln.

»Was – ist es in diesem Land jetzt schon ein Verbrechen zu rauchen?«

»Hätten Sie etwas dagegen, kurz auszusteigen?«, fragte der Polizist.

»Ja, hätte ich«, erklärte Tom ihm. »Ich habe nichts gemacht.«

»Kommen Sie, Tom«, sagte der Beamte, der den Namen auf dem Führerschein gelesen hatte. »Zwingen Sie mich nicht, Sie festzunehmen.«

»Wofür denn, du Wichser?«, fauchte Tom und registrierte, wie der Polizist trotz seiner dunklen Hautfarbe blass wurde.

Das Nächste, was er sah, war der Lauf einer Pistole, die direkt auf sein Gesicht gerichtet war.

KAPITEL 17

»Hey, Süße«, sagte Jeff, nahm an der Theke Platz und lächelte Kristin an. »War Tom schon hier?«

»Ich hab ihn nicht gesehen. Hast du irgendwas von Will gehört?«

Jeff schüttelte den Kopf. »Wahrscheinlich ist es ihm zu peinlich, sich hier blicken zu lassen.«

»Weshalb sollte ihm das peinlich sein?«

Jeff beugte sich vor und senkte die Stimme zu einem Flüstern. »Weil zwischen ihm und Suzy Granatapfel wieder nichts gelaufen ist, deshalb.« Er lachte. »Ist das zu fassen? Fehlschlag Nummer zwei!«

»Woher weißt du, dass nichts passiert ist?«

»Weil Tom dazwischengekommen ist.«

»Er hat sie gestört?«

»Offenbar gab es nichts, was er hätte stören können. Kannst du das glauben?«, fragte er noch einmal und ließ seinen Blick durch die fast leere Bar schweifen. »Ist ja nicht viel los heute«, bemerkte er.

»Es ist Montag«, sagte Kristin. »Obwohl es am frühen Abend schon ziemlich voll war.« Sie ertastete die Visitenkarte in der Seitentasche ihres engen schwarzen Rocks und fragte sich, ob sie sie Jeff zeigen sollte. *Dr. Dave Bigelow, Radiologe, Miami General Hospital.* Wie würde Jeff reagieren? Würde es ihn gleichgültig lassen oder doch ein wenig aufregen? Und wollte sie das – ihn aufregen? Und wenn ja, wie sehr?

Er wusste bereits, dass andere Männer sie attraktiv fanden. Er liebte ihre Geschichten von den Typen, die versuchten, sie anzumachen, von den Männern, die sie praktisch allabendlich abwies und deren hoffnungsvoll überreichte Karten sie postwendend in den Mülleimer warf.

Aber diese Karte hatte sie nicht weggeworfen.

Warum nicht?

Zog sie es tatsächlich in Erwägung, den Mann anzurufen?

Und wie würde Jeff darauf reagieren?

»Was trinkst du?«, fragte sie ihn.

»Gib mir ein Miller vom Fass.« Jeff lachte. »Ich kann nicht glauben, dass er es wieder vermasselt hat.«

Er kicherte immer noch vor sich hin, als Will zehn Minuten später zur Tür hereinkam. »Sieh an. Endlich taucht der geschlagene Held wieder auf«, sagte Jeff und hob sein Glas. »Gib dem Mann einen Drink, Krissie. Er sieht aus, als bräuchte er einen.«

»Miller vom Fass«, erklärte Will Kristin.

»Brav. Und jetzt raus damit. Details, Details.«

»Du weißt doch, was passiert ist«, erwiderte Will gereizt. »Ich bin sicher, Tom konnte es gar nicht erwarten, dir alles brühwarm zu erzählen.«

»Ich weiß, was *nicht* passiert ist. *Wieder nicht*«, sagte Jeff. »Was ich nicht weiß, ist, warum.«

»Wir sind nicht alle wie du, Jeff«, erklärte Will seinem Bruder. »Manche von uns lassen es eben gern langsam angehen.«

»Langsam ist eine Sache. Dumm eine andere.«

»Alles okay?«, fragte Kristin und gab Will sein Bier.

»Mir geht es gut. Ehrlich. Es war ein reizender Nachmittag.«

»Ein reizender Nachmittag?«, fragte Jeff ungläubig. »Wovon redest du? Wer zum Teufel sagt Sachen wie ›ein reizender Nachmittag‹?«

»Leute wie ich«, sagte Will. »Du kannst mich ja gerne verrückt nennen, aber ist irgendwas verkehrt daran, jemanden erst kennenzulernen?«

»Du bist verrückt«, sagte Jeff.

»Ich finde es süß«, schaltete Kristin sich ein.

»Suzy ist im Augenblick sehr verletzlich«, sagte Will. »Es wäre nicht fair, die Situation auszunutzen ...«

»Wen kümmert es, was fair ist?«, wollte Jeff wissen. »Was ist los mit dir? Kein Wunder, dass Amy dich abserviert hat.«

Will führte sein Glas zum Mund und leerte es mit einem Schluck zur Hälfte.

»Jeff«, mahnte Kristin. »Lass gut sein.«

»Schon okay«, sagte Will. »Es ist schließlich nichts, was ich mir nicht selbst schon hundert Mal gesagt habe.«

»Du musst die Gelegenheit ergreifen, den Augenblick nutzen, kleiner Bruder. Was glaubst du, wie viele Chancen du kriegst?«

»Das müssen wir wohl einfach abwarten, nehme ich an.«

»Das müssen wir wohl«, stimmte Jeff ihm zu und blickte zur Tür. »Du hast nicht zufällig Tom gesehen, oder?«

»Seit heute Nachmittag nicht mehr.«

Will dachte, dass es, ganz egal wann er Tom wiedersah, in jedem Fall zu früh sein würde. »Hat der Irre dir erzählt, dass er mich mit einer Waffe bedroht hat?«

»Er hat was?« Kristin stockte der Atem. »Jeff, du musst seinetwegen wirklich was unternehmen.«

»Und was genau soll ich deiner Meinung nach tun?«, fauchte Jeff.

Kristin zuckte die Schultern und warf resigniert die Hände in die Luft.

»Ellie hat angerufen«, begann Will vorsichtig. »Sie hat gesagt, sie hätte mit dir gesprochen und dich gebeten, nach Hause zu kommen...«

»Fang nicht damit an«, warnte Jeff ihn.

»Mach ich ja gar nicht. Ich wollte bloß...«

»Tu's nicht«, sagte Jeff noch einmal.

Will trank sein Bier aus und hielt das leere Glas in Kristins Richtung. »Tut mir leid«, erklärte er Jeff. »Ich sollte mich um meine eigenen Angelegenheiten kümmern.«

»Und ich hätte mir den Spruch über Amy sparen sollen.«

Will nickte, obwohl er dachte, dass Jeff wegen Amy recht hatte. Wenn er nicht so verdammt nett und respektvoll zu ihr gewesen wäre, wenn er den Augenblick genutzt, seine Chance ergriffen hätte, wenn er kraftvoller, mehr Mann, *mehr wie Jeff* gewesen wäre, hätte sie ihn vielleicht nicht wegen eines anderen verlassen.

»Hey. Schön vorsichtig mit dem Bier«, ermahnte Kristin ihn, als sie ihm sein neues Bier brachte.

Im selben Moment ertönte die gedämpfte Melodie von »Star-Spangled Banner«. Jeff zog sein Handy aus der Gesäßtasche seiner Jeans und las auf dem Display eine Nummer, die er nicht kannte. Ohne abzunehmen, steckte er das Handy wieder ein. Wenige Sekunden später klingelte es erneut.

»Geh lieber ran«, sagte Kristin. »Sonst stehen wir hier noch den ganzen Abend stramm.«

Lachend klappte Jeff sein Handy auf. »Hallo? Tom, wo zum Teufel steckst du? Ich wäre beinahe nicht drangegangen. Ich hab die Nummer nicht erkannt. Was? Das ist nicht dein Ernst.«

»Was ist los?«, fragte Will, unwillkürlich neugierig.

»In Ordnung. Halt durch. Wir sind so schnell wie möglich da.«

»Wohin gehst du?«, fragte Kristin.

Jeff leerte sein Bier. »Trink aus, kleiner Bruder. Wir fahren in den Knast.«

»Warum hast du so lange gebraucht, Scheiße noch mal?« Tom hätte beim Aufspringen beinahe den Metallklappstuhl umgestoßen, auf dem er gesessen hatte, als Jeff, dicht gefolgt von Will, den kleinen fensterlosen Raum betrat. Tom warf die Naturzeitschrift, in der er geblättert hatte, auf den Holztisch vor sich. »Scheiße, Mann. Was macht der denn hier?«, fragte er mit einem Blick auf Will.

»Die Frage ist wohl eher, was machst *du* hier?«, gab Jeff zurück. Er hasste Polizeiwachen. Wenn er nur an einer vorbeiging, hatte er schon das Gefühl, irgendwas verbrochen zu haben.

»Der Vater von der blöden Fotze hat die Bullen angerufen und ein verdächtig aussehendes Fahrzeug gemeldet. Und die Bullen haben mich dann hierhergebracht.«

Jeff blickte zur Tür. »Hab ich dir nicht gesagt, du sollst von dort verschwinden, verdammt noch mal?«

»Was? Darf ich meinen Wagen nicht mehr in einer öffentlichen Straße parken? Ich habe nichts verbrochen. Dieses Land wird ein scheißfaschistischer Polizeistaat, wenn man nicht mal mehr in seinem Auto sitzen und ein paar Zigaretten rauchen darf...«

»Vielleicht solltest du die Stimme senken«, mahnte Will ihn und legte einen Finger auf die Lippen.

»Vielleicht solltest du mal einen hochkriegen«, gab Tom zurück.

»Okay, okay«, sagte Jeff, bemüht, ein Lachen zu unterdrücken. »Will hat recht. Du willst die Nacht doch nicht in der Arrestzelle verbringen.«

»Auf welcher Grundlage wollen die mich denn festhalten? Ich hab nichts gemacht, Scheiße noch mal. Die können mich nicht festsetzen.«

»Das haben sie schon«, sagte Will.

»Was weißt du schon! Ich bin nicht festgenommen.«

»Und was machst du dann hier?«

»Ich weiß nicht, was *du* hier machst. Ich hab jedenfalls bestimmt nicht darum gebeten, dass du kommst. Wieso hast du ihn überhaupt mitgebracht?«, fragte Tom Jeff.

»Sei froh«, erklärte Jeff ihm. »Die Bullen lassen dich nur unter der Bedingung frei, dass jemand dich nach Hause fährt. Sie halten deinen emotionalen Zustand für zu instabil – ihre Worte, nicht meine«, stellte Jeff klar, »um dich hinters Steuer eines Wagens zu lassen. Das sehe ich, ehrlich gesagt, ähnlich.«

»Emotional instabil? Wovon zum Henker redest du? Scheißfaschisten«, murmelte Tom.

»Hör zu«, sagte Jeff. »Du hast Glück, dass du mit einer Verwarnung davonkommst.«

Ein uniformierter Beamter steckte den Kopf zur Tür herein. »Wie läuft es hier? Hat er sich ein wenig abgekühlt?«

»Sie haben kein Recht, mich festzuhalten«, brüllte Tom.

»Immer noch heiß«, bemerkte der Beamte trocken.

»Der beruhigt sich schon«, sagte Jeff. »Geben Sie uns noch ein paar Minuten. Was ist?«, fragte er Tom, sobald der Polizist wieder außer Sichtweite war. »Willst du die Nacht in einer Arrestzelle verbringen?«

»Weswegen?«

»Weil du ein blöder Wichser bist«, sagte Will nicht leise genug.

»Was hast du gesagt?«

»Wegen Stalking«, improvisierte Jeff.

»Stalking? Ich habe niemanden verfolgt.«

»Du hast Lainey den ganzen Tag beschattet. Du hast beim Frisör eine Szene gemacht. Du hast länger als eine Stunde vor dem Haus ihrer Eltern geparkt...«

»Ich habe ein Stück die Straße runter geparkt.«

»Das gilt immer noch als Stalking. Wie viel Munition willst du Lainey noch liefern?«

»Die Schlampe kriegt gar nichts von mir.«

»Dann beruhige dich endlich. Du musst clever sein. Gib dich zerknirscht. Keinen Scheiß mehr, Tom, sonst verlierst du alles.«

»Ich habe schon alles verloren«, stöhnte Tom, ließ sich wieder auf den Klappstuhl sinken und vergrub das Gesicht in den Händen.

Einen Moment lang glaubte Will, Tom würde anfangen zu weinen, und er ertappte sich dabei, Mitleid mit ihm zu haben.

Im selben Moment hob Tom den Kopf und grinste. »War das zerknirscht genug?«, fragte er zwinkernd.

»Viel besser«, sagte Jeff lachend.

»Scheiße«, sagte Will.

»Okay. Denkst du, du bist so weit, hier zu verschwinden?«

»Er fährt meinen Wagen nicht«, sagte Tom und zeigte auf Will.

»Schön. Dann fahr ich deinen Wagen«, sagte Jeff. »Will, du kannst meinen Wagen nehmen.«

»Einverstanden.«

»Okay, und was erzählen wir den Bullen?«, fragte Jeff Tom.

»Dass es mir leidtut und dass ich verspreche, ein braver Junge zu sein«, antwortete er.

»Und Sie werden sich von Ihrer Frau fernhalten?«, fragte der Polizist, der ihn eingeliefert hatte, kurz darauf.

»Ich würde sie nicht mal mit der Kneifzange anrühren.«

»Gut«, sagte der Beamte. »Denn soweit ich weiß, wird sie

gleich Morgen früh eine gerichtliche Anordnung erwirken, dass Sie sich ihr nicht mehr nähern dürfen.«

»Was zum Henker ...«

»Tom«, warnte Jeff ihn.

»Genauso wenig wie ihren Eltern. Sobald das geschieht, sind uns die Hände gebunden. Wir müssen Sie verhaften, wenn Sie ihr irgendwie nahe kommen.«

»Dreckskerle ...«

»Hören Sie«, sagte der Polizist. »Ich kann Ihren Frust ja verstehen. Wirklich. Meine Ex hat mit mir das Gleiche durchgezogen. Aber Sie können nichts tun, außer alles noch schlimmer zu machen. Glauben Sie mir.«

»Glauben Sie mir«, wiederholte Tom. »Wieso sagen die Leute das dauernd?«

»Bist du so weit?«, fragte Jeff.

Tom nahm die Zeitschrift, in der er vor Jeffs und Wills Ankunft gelesen hatte. »Was dagegen, wenn ich die mitnehme?«, fragte er. »Ich hab da diesen Artikel gelesen ...«

»Von mir aus gerne.«

»Danke.«

»Und sehen Sie zu, dass Sie sich aus allem Ärger raushalten«, rief der Beamte ihnen nach, als sie an dem hohen Empfangstresen in der Haupthalle vorbei zum Ausgang gingen. Eine Polizistin lächelte Jeff zu, als sie hinausgingen.

Sobald sie auf dem Parkplatz waren, warf Tom die Zeitschrift in den nächsten Papierkorb.

»Warum hast du das gemacht?«, fragte Will.

»Es ist eine beschissene Naturzeitschrift«, höhnte Tom. »Apropos, wusstest ihr, dass die Gürteltiere im Staat Florida Amok laufen?«

Jeff lachte. »Steig in den Wagen, du Blödmann, bevor ich dich höchstpersönlich wieder bei den Bullen abliefere.« Er warf Will seinen Wagenschlüssel zu. »Weißt du, wie du nach Hause kommst?«

»Keine Ahnung«, sagte Will.

»Er ist halt ahnungslos«, sagte Tom und rutschte auf den Beifahrersitz seines Wagens.

»Okay, fahr mir nach«, sagte Jeff, setzte sich hinter das Steuer von Toms Impala und ließ den Wagen an. »Scheiße. Weißt du, dass dein Tank fast leer ist?«

»Es war nicht meine Idee, den weiten Weg hierher zu fahren.« Tom fing an zu lachen und lachte immer noch, als Jeff aus der engen Parklücke setzte und in die dunkle Straße bog.

»Du findest das komisch, ja?«, fragte Jeff, an dem Gestank von abgestandenem Zigarettenqualm würgend. Er kurbelte das Fenster herunter.

»Du würdest es auch komisch finden, Mann, wenn du wüsstest, was ich weiß.«

»Und das wäre?«

»Halt mal kurz an, dann zeige ich es dir.«

»Was?«

»Ich sage dir, du sollst den Wagen mal anhalten.«

Einen Block von der Polizeiwache entfernt hielt Jeff am Straßenrand. Will blieb direkt hinter ihnen stehen.

»Was ist los?«, fragte Will, der eilig ausgestiegen und vorgelaufen war.

»Guck mal unter dem Sitz nach«, wies Tom Jeff an.

»Was?«

»Du sollst unter dem Sitz nachgucken.«

Jeff kramte mit einer Hand unter dem Fahrersitz, bis er auf etwas Hartes und Kaltes stieß. Als er die Hand wieder hervorzog, umklammerten seine Finger den Lauf einer Waffe.

»Scheiße«, rief Will und hatte das Gefühl, sich übergeben zu müssen.

»Was für ein Brüller!«, rief Tom. »Die blöden Bullen fahren meinen Wagen bis hierher und durchsuchen ihn nicht mal. Wahrscheinlich hatten sie keinen Durchsuchungsbefehl. Ist das zu toppen? Die blöden Faschisten.«

»Ich glaube es einfach nicht«, sagte Will, dessen Beine in einer Mischung aus Angst und Erleichterung zu zittern begannen. »Wegen dir landen wir alle noch im Gefängnis, du blöder Mistkerl.«

»Steig wieder in den Wagen«, wies Jeff ihn an. »Wir treffen uns in der Wohnung.« Er ließ die Pistole in seinen Schoß fallen.

»Gib her«, sagte Tom und griff danach.

Jeff schlug seine Hand weg. »Was man gefunden hat, darf man behalten«, sagte er.

Kristin erwartete sie an der Tür ihrer Wohnung.

»Was machst du denn schon zu Hause?«, fragte Jeff sie, als die drei Männer an ihr vorbei hineingingen. Er sah auf seine Uhr. Es war noch nicht mal elf.

Kristins Blick folgte der Bewegung von Jeffs Arm. »Es war nicht viel los. Joe hat gesagt, ich könne früher gehen. Ist das eine Pistole?«, fragte sie im selben Atemzug.

Jeff gab sie ihr. »Verstau sie an einem sicheren Platz«, sagte er ohne weitere Erklärung.

»Hey«, protestierte Tom. »Das ist meine.«

»Nicht, bevor du lernst, dich zu beherrschen.«

Tom ließ sich auf den braunen Sessel fallen, den er schon am Nachmittag besetzt hatte. »Ist auch egal. Du kannst sie behalten. Ich hab noch mehr davon.«

Will ging in die Küche, ließ ein Glas voll Wasser laufen und leerte es in einem Zug.

»Will mir vielleicht irgendjemand erzählen, was passiert

ist?«, fragte Kristin, und ihr Blick wanderte von der Waffe in ihrer Hand zu Jeff.

»Wenn ihr gestattet«, sagte Tom und schilderte knapp die Ereignisse der vergangenen zwölf Stunden. »Wusstet ihr, dass es tatsächlich so etwas gibt wie fliegende Eichhörnchen, Flughörnchen, obwohl sie eigentlich nicht richtig fliegen, sondern auf einer ballonartigen Hautfalte gleiten?«

»Wovon zum Teufel redet er?«, fragte Kristin Will, als er ins Zimmer zurückkam.

Will zuckte mit den Schultern und ließ sich leicht benommen aufs Sofa sinken.

»Es ist wahr«, sagte Tom. »Das habe ich im *Wildlife Digest* gelesen. Irgendjemand Bock auf ein Bier?«

»Die Bar ist geschlossen«, sagte Kristin. »Hör mal, Tom, du hattest einen ziemlich ausgefüllten Tag. Ich denke, du solltest nach Hause fahren und mal ordentlich ausschlafen.«

Widerwillig rappelte Tom sich auf die Füße. »Und du willst mir meine Pistole wirklich nicht wiedergeben?« Er streckte seine Hand zu Kristin aus.

»Kommt nicht in Frage«, sagte Jeff und trat zwischen die beiden.

»Aah«, stöhnte Tom. »Dabei war mir heute Abend wirklich danach, jemanden umzubringen.«

»Halt dich einfach von Lainey fern«, warnte Jeff ihn.

»Wie wär's, wenn wir stattdessen den guten Doktor umlegen?«

»Was?«, fragten Jeff und Will gleichzeitig.

»Was?«, fragte auch Kristin eine halbe Sekunde später.

»Den Ehemann von Suzy Granate. Offenbar ist er Chefarzt am Miami General.«

»Er heißt nicht zufällig Dave Bigelow, oder?«, fragte Kristin, und die Köpfe aller drei Männer schnellten in ihre Richtung. Mit angehaltenem Atem griff Kristin in die Seitentasche ihres kurzen, schwarzen Rocks und zog Daves Karte hervor.

»Woher hast du die?«, fragte Jeff, nahm ihr die Karte aus der Hand und überflog sie.

»Er war heute Abend in der Bar«, erklärte Kristin und spürte, wie ihr Puls schneller schlug, »und hat mich angemacht.«

»Der aufgeblasene Drecksack«, sagte Jeff und zerknüllte Daves Karte in seiner rechten Faust. »Ist es zu fassen?«

»Aber woher sollte er wissen...?«, begann Kristin.

»Er hat das Wild Zone neulich am Wagen erwähnt. Suzy muss es ihm erzählt haben«, sagte Jeff.

»Wahrscheinlich hat er es aus ihr herausgeprügelt«, sagte Will.

»Das miese Stück Scheiße«, sagte Tom. »Wir sollten gleich vorbeifahren und das Schwein umbringen. Wie Suzy uns gebeten hat.«

»Was?«, fragten Jeff und Kristin wie aus einem Mund.

»Das hat sie nicht ernst gemeint«, sagte Will rasch.

»Das sehe ich anders«, widersprach Tom. »Ich glaube, sie hat es verdammt ernst gemeint. Wir können ja wetten. Wer den ersten Schuss abfeuert, gewinnt die Dame in Not. Was meint ihr?«

»Ich meine, dass du nach Hause fahren sollst, Tom«, sagte Jeff.

»Es ist perfekt. Wir fahren zu ihr und erschießen das Schwein. Und Suzy ist so dankbar, dass sie uns alle drei fickt. Du kannst auch mitmachen, wenn du Interesse hast«, bot er Kristin an.

»Fahr nach Hause, Tom«, sagte Kristin.

»Werdet ihr wenigstens drüber nachdenken?«

Jeff brachte Tom bis zur Tür. Der Typ hatte Nerven, dachte er. Was versuchte der arrogante Dreckskerl zu beweisen? Dass er der Boss war? Dass man ihm nicht folgenlos in die Quere kam? Nun, wenn der gute Doktor wollte, dass die ganze Sache Konsequenzen hatte, dann sollte er sie zu spüren bekommen. Jeff legte einen Arm um Toms Schulter. »Ich überlege es mir«, sagte er.

KAPITEL 18

Jeff träumte von Afghanistan, als das Telefon klingelte. Zunächst deutete sein Unterbewusstsein das Klingeln als das Geräusch einer Kugel, die an seinem Ohr vorbeizischte. Jeff grub sich stöhnend tiefer in sein Bett und zog das Kissen über seinen Kopf. In der Nähe explodierte ein Geschoss, und er hörte, wie Tom den Befehl zum Angriff gab. Hinter geschlossenen Augen sah Jeff, wie er selbst mit einem Gewehr in der Hand auf die Feinde zulief, obwohl er verdammt noch mal nicht wusste, wo sie steckten. Sie konnten überall sein, es gab so viele beschissene Höhlen, und das Land war so karg, so felsig, so verdammt *fremd*, dass sie auch auf dem Mond hätten sein können. Kugeln flogen ihm um die Ohren, Geschosse explodierten, um ihn herum schrien Soldaten, manche vor Schmerz, andere im puren Adrenalinrausch. Die Hölle brach los, und plötzlich rannte jemand direkt auf ihn zu. Jeff feuerte aus seiner Waffe, so viele Schüsse so schnell wie möglich, trotzdem kam der Mann weiter auf ihn zu. Die Vorderseite seiner weißen Jacke war blutdurchtränkt, aber er rückte weiter vor, und Jeff schoss, bis der Mann rückwärts taumelte, zusammenbrach und, alle Viere von sich gestreckt, liegen blieb. Jeff ging zu ihm, trat gegen das Stethoskop, das sich wie eine Schlange um den Hals des Mannes wand, ignorierte die um Gnade flehend zu ihm aufblickenden Augen und tötete Dr. Dave Bigelow mit einem Schuss ins Herz.

»Jeff«, rief eine Stimme irgendwo neben ihm.

Jeff hob die Waffe und feuerte eine weitere Salve in den Himmel. Er spähte in die Dunkelheit, aber da war niemand.

»Jeff«, sagte die Stimme noch einmal.

Er spürte etwas Hartes in seiner Seite. Ein Bajonett, dachte er, packte danach und drehte es heftig.

»Hey«, rief die Stimme. »Das tut weh. Was machst du? Lass los.«

Jeff öffnete seine Hand.

Kristin rieb sich die schmerzenden Finger, als Jeff die Augen aufschlug. »Willst du nicht ans Telefon gehen?«

Benommen griff Jeff nach dem Telefon neben dem Bett, während ihm nur langsam dämmerte, was los war. Er war nicht in Afghanistan, sondern in seiner Wohnung; er lief nicht durch unvertrautes, tückisches Gelände, sondern lag in seinem bequemen, warmen Bett. Niemand schoss auf ihn; und er hatte niemanden erschossen. Es war nur das beharrliche Klingeln des verdammten Telefons. Er fragte sich, wie spät es war, und blickte zur Uhr auf dem Nachttisch, als er den Hörer abnahm. Halb sieben, um Himmels willen. Wer rief schon um halb sieben Uhr morgens an, es sei denn, um schlechte Nachrichten zu überbringen?

Ellie, dachte er, als er den Hörer ans Ohr nahm, die anrief, um ihm zu sagen, dass ihre Mutter gestorben war.

»Hallo«, sagte er ängstlich und spürte eine unerwartete Traurigkeit, drohende Tränen, die ihm in den Augen brannten. Er hätte sie besuchen sollen, dachte er. Er hätte sich von ihr verabschieden sollen. Sie war schließlich seine Mutter. Egal was. »Hallo«, sagte er noch einmal, und das eisige Schweigen, das ihm entgegenschlug, war so scharf wie ein Schwert.

Kristin stützte sich auf die Ellbogen und starrte ihn durch halb geöffnete Lider an. »Wer ist es?«

»Hallo?«, fragte Jeff noch einmal.

»Leg auf«, riet Kristin ihm, ließ sich zurück aufs Bett sinken, schloss die Augen und versuchte, wieder einzuschlafen. »Es sind wahrscheinlich bloß irgendwelche Kinder, die Telefonstreiche spielen.«

»Was?«, hörte sie Jeff fragen und wollte ihren Satz gerade wiederholen, als sie merkte, dass er nicht mit ihr sprach. »Okay. Klar«, sagte er. »Ja, ich denke, das kann ich einrichten. Okay.« Er legte auf und schwang die Beine aus dem Bett.

»Was ist los?«, fragte Kristin.

»Ich muss los.«

»Was soll das heißen, du musst los? Es ist halb sieben.« Ihre Blicke folgten ihm auf seinem Weg zur Schlafzimmertür. »Wer war das am Telefon?«

»Larry. Er ist ein bisschen verkatert. Er hat mich gebeten, seinen Sieben-Uhr-Termin zu übernehmen.«

»Ich dachte, Larry trinkt nicht«, sagte Kristin.

»Jedenfalls nicht sehr oft, wie es scheint. Aber egal, ich habe ihm versprochen, ins Studio zu fahren.« Jeff ging durch den schmalen Flur ins Bad und schloss die Tür hinter sich.

Kurz darauf hörte Kristin die Dusche laufen. Sie überlegte, ob sie aufstehen, Jeff ein Glas Orangensaft eingießen oder ihm vielleicht sogar ein Frühstück machen sollte, entschied sich jedoch rasch dagegen. Wenn er um sieben im Fitnessstudio sein wollte, musste er sich beeilen, und wer hatte um diese Uhrzeit schon Appetit? Einige Minuten später hörte sie, wie er sich die Zähne putzte, danach das leise Brummen seines Rasierapparats. Kurz darauf war er zurück im Schlafzimmer, und der beruhigende Duft seines frisch gewaschenen Körpers erfüllte die Luft wie ein sanfter Morgennebel. Kristin hörte ihn auf Zehenspitzen ums Bett schleichen und schlug die Augen weit genug auf, um zu beobachten, wie er in die Jeans schlüpfte, die er in den letzten Tagen getragen hatte, nur um sie gleich wieder auszuziehen. Er ließ sie zerknüllt auf dem Boden liegen, öffnete den Kleiderschrank und zog eine frische Hose heraus. Er zog sie an, zerrte ein schwarzes T-Shirt über den Kopf und steckte sein Handy in die Gesäßtasche, bevor er sich neben das Bett hockte. Kristin dachte, er wollte ihr einen Abschiedskuss geben und streckte ihren Körper vorsichtig in seine Richtung, aber seine Aufmerksamkeit galt dem Nachttisch neben ihrem Bett. Sie sah, wie er die Schublade aufzog und darin herumkramte. »Was machst du?«, murmelte sie verschlafen und dachte an Toms Waffe, die sie in der Schublade versteckt hatte. Suchte er danach?

»Nichts. Alles okay«, flüsterte er. Sein Atem roch nach Zahnpasta und Mundwasser. »Tut mir leid, wenn ich dich gestört habe.«

»Hast du nicht.«

»Schlaf weiter.«

»Rufst du mich später an?«

»Auf jeden Fall.« Jeff ging in den Flur. »Einen schönen Tag wünsche ich dir.«

»Dir auch.« Kristin wartete, bis Jeff um die Ecke verschwunden war, ehe sie sich im Bett aufrichtete und gegen den Impuls ankämpfte, den Inhalt ihrer Nachttischschublade zu überprüfen. Wollte sie wirklich wissen, ob Toms Waffe noch da war? Je weniger sie wusste, umso besser für alle, entschied sie und hörte, wie Jeff im Nebenzimmer mit seinem Bruder sprach.

»Wer hat denn so verdammt früh angerufen?«, fragte Will mit vom Schlaf heiserer Stimme. Sie stellte sich vor, wie er sich mit nackter Brust auf dem Sofa aufrichtete, das Haar attraktiv verstrubbelt, die Decke um die Hüften gewickelt.

»Mein Chef hat einen Kater«, erklärte Jeff. »Er hat mich gebeten, früher zu kommen.«

»Nett von dir, dass du das machst.«
»So bin ich halt. Mr. Nice-Guy.«
»Bis später.«

Man hörte, wie die Wohnungstür geöffnet und wieder geschlossen wurde.

Kristin blickte zum Telefon und fragte sich, wer wirklich um halb sieben Uhr morgens angerufen hatte. Sie wusste, dass es nicht Larry war. Jeffs Boss war ein erklärter Gesundheitsfanatiker, der nie einen Tropfen Alkohol anrührte. Und wann hatte Jeff ihr je einen »schönen Tag« gewünscht? Ohne auf die leise warnende Stimme in ihrem Kopf zu achten, nahm sie das Telefon und drückte die Tasten *69.

»Die Nummer, von der Ihr Anschluss angerufen wurde, lautet...«, informierte sie eine Stimme vom Band und ratterte eine Folge von Zahlen herunter.

Kristin drückte den Hörer einen Moment lang an ihre nackte Brust, bevor sie ihn wieder auf die Gabel legte. Sie bemühte sich, ihren pochenden Herzschlag zu beruhigen, ließ sich zurück aufs Bett sinken, rollte sich zu einem festen Bündel zusammen und war kurz darauf wieder eingeschlafen.

Jeff schritt eilig über den Außenflur und dann die drei Stockwerke zur Tiefgarage hinunter, wo sein dunkelblauer Hyundai neben Kristins Volvo parkte. Was würde sein Bruder denken, wenn er wüsste, was er wirklich vorhatte, überlegte er und fragte sich, seit wann es ihn kümmerte, was sein Bruder dachte. Und warum hatte er Kristin angelogen? Eine der angenehmen Seiten ihrer Beziehung bestand darin, dass er nie das Gefühl gehabt hatte, sie wegen irgendwas anlügen zu müssen. Was war anders geworden? Und war er mit Rücksicht auf Kristin oder aus eigenem Interesse weniger mitteilsam gewesen als sonst? Er schloss den Wagen auf und setzte sich hinters

Steuer. »Hey, meine Idee war das nicht«, erklärte er seinem Abbild im Rückspiegel. Trotzdem verspürte er unvermutet ein nagendes, unbehagliches Schuldgefühl. Wahrscheinlich bloß der Hunger, dachte er. Das würde sich mit einer Tasse Kaffee und einer Portion Spiegeleier mit Speck wieder geben.

Er zog sein Handy aus der Tasche und rief im Fitnessstudio an. Es öffnete um sieben, und jetzt war es fünf vor, weshalb er hoffte, den Anrufbeantworter zu erwischen. Stattdessen nahm Melissa nach dem ersten Klingeln ab.

»Elite Fitness«, meldete sie sich aufreizend fröhlich.

»Hier ist Jeff«, sagte er. »Hör mal, ich fühle mich nicht besonders. Ich hab die ganze Nacht gekotzt«, fügte er noch hinzu.

»Igitt.«

»Ich hoffe, es war bloß irgendwas, was ich gegessen habe, und in ein paar Stunden geht es mir wieder besser.«

»Hoffentlich. Du bist heute völlig ausgebucht.«

»Versuche, die Termine zu verlegen, und sag Larry, dass ich versuche, gegen Mittag da zu sein.« Das sollte ihm mehr als genug Zeit lassen, dachte Jeff.

»Viel Tee trinken.«

»Was?«

»Du sollst viel Tee trinken«, wiederholte Melissa. »Und Toast mit Marmelade. Ohne Butter.«

»Danke für den Tipp.«

»Gute Besserung«, sagte Melissa und legte auf.

Jeff steckte das Handy wieder ein und fuhr aus der Tiefgarage. Wenig später war er unterwegs Richtung Federal Highway und Notheast 54th Street. Er würde zu früh dran sein, aber das war egal. Er würde frühstücken, seine Nerven beruhigen und sich darauf einstellen, was vor ihm lag. Wieso war er überhaupt so verdammt nervös? »Kein Grund zur Beunruhigung«, sagte er sich. »Du hast alles unter Kontrolle.«

Aber schon als er es sagte, wusste er, dass das nicht stimmte. »Scheiße«, sagte er kopfschüttelnd. Er wurde langsam zu einem ebenso schlechten Lügner wie Tom.

Etwa eine Stunde später wurde Kristin vom Duft frischen Kaffees geweckt. Sie hatte von Suzy geträumt, wie ihr bewusst wurde, als sie die Augen aufschlug und gleich wieder schloss, um das flüchtige Bild der jungen Frau mit den traurigen Augen festzuhalten. Sie kämpfte sich aus dem Bett, zog einen pinkfarbenen seidenen Morgenrock über und tapste barfuß in die Küche.

»So was Süßes wie dich gibt es auf der ganzen Welt nicht noch mal«, sagte sie zu Will, der in einem blauen Hemd und einer braunen Hose schon am Küchentisch saß und an einem Toast knabberte. »Woher wusstest du, dass das genau das ist, was ich brauche?« Sie goss sich einen Becher Kaffee ein und atmete das volle Aroma ein.

»Ich kann dir auch Rühreier machen, wenn du möchtest«, bot er an.

»Soll das ein Scherz sein? Das fände ich wundervoll«, sagte Kristin lachend. »Es ist Ewigkeiten her, seit mir irgendjemand Rührei gemacht hat.«

»Nun, Rühreier sind zufällig meine Spezialität.«

Sie wechselten den Platz. Kristin setzte sich an den Küchentisch, während Will an den Tresen trat und lächelte, als ihre Schultern sich kurz berührten.

»Guck mich nicht an.« Sie hielt sich eine Hand vors Gesicht. »Ich sehe beschissen aus.«

»Du siehst hinreißend aus.«

»Ich habe nicht gut geschlafen und bin noch nicht geschminkt.« Sie nippte an ihrem Kaffee und verbarg das Gesicht erfolgreich hinter dem großen Becher.

»Ohne siehst du eh besser aus«, sagte Will. »Und warum hast du schlecht geschlafen?«

»Ich weiß nicht. Ich schätze, ich habe mir Sorgen über Toms Gerede gemacht, dass er Suzys Mann umbringen will. Du glaubst doch nicht, dass er das ernst gemeint hat, oder?« Wieder dachte sie an die Waffe in ihrer Nachttischschublade und fragte sich, ob sie noch dort war.

»Nö«, sagte Will, obwohl er sich in Wahrheit nicht sicher war. Tom verhielt sich zunehmend unberechenbar. Es war garantiert nur eine Frage der Zeit, bis das ganze großspurige Gerede in etwas weit Bedrohlicheres umschlug. »Ich nehme an, der Anruf in aller Herrgottsfrühe war deinem Schlaf auch nicht zuträglich«, sagte Will und versuchte alle Gedanken an Tom zu vergessen. »Nett von Jeff, dass er so früh ins Studio gefahren ist.« Er ging zum Kühlschrank, um die Eier herauszuholen. »Zwei oder drei?«, fragte er.

»Zwei.«

Will nahm zwei braune Eier aus dem Karton. »Mit Milch oder mit Wasser?«

»Entscheide du«, erklärte Kristin ihm.

»Ich ziehe Wasser vor. Das macht die Eier lockerer.«

»Na, dann leg mal locker los.« Sie sah zu, wie Will zwei Eier in eine Schüssel schlug und Wasser, Salz und Pfeffer hinzugab. »Ich wette, das hast du für Amy ständig gemacht, oder?«

»Manchmal«, antwortete Will und spürte, wie der Name auf seiner Haut brannte wie ein Wespenstich.

»Und sie hat dich gehen lassen? Was war los mit dem Mädchen?«

»Vielleicht mag sie lieber gerösteten Toast.«

Kristin lächelte und trank noch einen Schluck von ihrem Kaffee. »Je mehr ich über das Mädchen höre, desto weniger mag ich sie.«

»Was hast du denn gehört?«

»Nur das, was du Jeff erzählt hast.«

»Und was er dir prompt weitererzählt hat.« Es war eher eine Feststellung als eine Frage.

»Ist das ein Problem?«

»Erzählt er dir immer alles?«

»Jeff ist nicht direkt Mr. Diskret.«

»Mir erzählt er gar nichts«, sagte Will.

»Typen wie Jeff reden nicht mit anderen Männern«, erklärte Kristin wissend. »Jedenfalls nicht über persönliche Dinge. Sie reden mit Frauen.« Sie stellte ihren Becher auf dem Tisch ab und legte den rechten Fuß auf den Stuhl gegenüber, sodass ihr nackter Oberschenkel zu sehen war, als sie das Kinn auf ihr Knie stützte.

Will wandte rasch den Blick ab, drehte sich zum Herd und zog eine Pfanne aus dem Schrank, bevor er erneut zum Kühlschrank ging und die Butter herausnahm. Er gab einen Stich davon in die Pfanne und lauschte dem Zischen und Brutzeln. »Was hat Jeff sonst noch über mich gesagt?«, fragte er bemüht nonchalant.

»Wie meinst du das?«

»Ist er froh, dass ich gekommen bin? Kann er es kaum erwarten, bis ich wieder fahre?«

»Er freut sich, dass du hier bist«, sagte Kristin und nahm ihren Fuß wieder runter.

»Hat er das gesagt?«

»Das musste er nicht.«

»Und woher weißt du es dann?«

»Weil ich Jeff kenne. Glaub mir. Er ist froh, dass du hier bist.«

Glaub mir. Wieso sagen die Leute das dauernd, hörte Will Tom spotten, als er die Eier in die Pfanne gab, wo sie rasch stockten. *Wusstet ihr, dass die Gürteltiere im Staat Florida Amok laufen*, hörte er ihn fragen.

»Er macht mir Angst«, sagte Will.

»Jeff?«, fragte Kristin sichtlich überrascht.

»Tom«, verbesserte Will sie, drehte die Flamme kleiner und stocherte mit einem Plastikspatel in den Eiern. »Sorry. Ich musste gerade an gestern Abend denken.«

Kristin beobachtete, wie Will weiter in der Pfanne rührte, während er mit der anderen Hand einen Teller aus dem Schrank holte. »Weißt du, wer mir Angst macht?«

»Wer?«

»Dr. Bigelow.«

»Suzys Mann«, sagte Will, obwohl klar war, wer gemeint war. »Ja, er ist ziemlich unheimlich.« Er gab die Eier auf den Teller und stellte ihn vor Kristin auf den Tisch.

»Hmm. Das sieht fantastisch aus. Isst du nichts?«

»Vielleicht nasche ich mal bei dir.«

»Von wegen«, sagte Kristin lachend, zog den Teller näher zu sich und schaufelte sich eine Gabel voll in den Mund. »Das sind die besten Rühreier aller Zeiten.«

»Freut mich, dass es dir schmeckt.«

»Irgendwer *sollte* das Schwein erschießen«, sagte Kristin mit vollem Mund.

»Was?«

»Sorry. Ich hab bloß laut gedacht. Ich meine, der Typ ist offensichtlich ein Psychopath. Erst hat er neulich euch bedroht, dann kommt er gestern Abend in die Bar und macht mich an.« Sie spießte eine weitere Gabel Rührei auf. »Ich nehme an, ich sollte dankbar sein, dass er mich angebaggert hat, anstatt mich zu verprügeln. Das spart er sich wohl für Suzy auf. Der Typ hat es verdient, erschossen zu werden«, fügte sie schluckend hinzu. »Ich kann gar nicht glauben, dass ich ihn charmant fand.«

»Du fandest ihn charmant?«

»Er hat angeboten, mich einem berühmten Fotografen vorzustellen, der zufällig ein enger Freund von ihm ist. Der älteste Spruch überhaupt, und ich wäre beinahe drauf reingefallen.«

»Du fandest ihn charmant?«, fragte Will noch einmal.

»Nun, er ist kein kompletter Neandertaler. Ich meine, aus irgendeinem Grund muss Suzy ihn doch geheiratet haben, oder?«

»Vermutlich.«

»Erst lässt er seinen Charme spielen, dann seine Fäuste. Die arme Suzy.«

Will senkte den Kopf und versuchte, die Blutergüsse zu vergessen, die Suzys zartes Gesicht verunstalteten.

»Ich verstehe einfach nicht«, fuhr Kristin mit wachsendem Eifer fort, »wie ein Mann seiner Größe, noch dazu ein Arzt, der einen Eid geschworen hat, Menschen zu helfen, es vor sich rechtfertigt, eine Frau zu schlagen, zumal eine so zierliche Frau wie Suzy. Sie besteht doch nur aus Haut und Knochen, Herrgott. Welche Befriedigung kann es einem verschaffen, sie zu verprügeln? Warte ab – eines Tages bringt er sie um. Und wenn er das macht, ist es zum Teil auch unsere Schuld, weil wir Bescheid wussten und nichts getan haben.«

»Was sollen wir denn tun? Die Behörden alarmieren?«

»Als ob das irgendwas nützen würde. Man wird Beweise verlangen, wir müssen zugeben, dass wir keine haben, und man wird uns erklären, dass wir uns um unsere eigenen Angelegenheiten kümmern sollen. Vielleicht wird auch Suzy befragt. Aber wenn sie so reagiert wie die meisten geschlagenen Frauen, wird sie einfach alles abstreiten, und wir stehen da wie die Idioten. Später prügelt er sie dann windelweich oder es passiert noch was viel Schlimmeres.« Kristin aß den letzten Bissen

Ei und schob ihren Teller weg. »Nein, es gibt nichts, was wir tun können. Deshalb fühle ich mich ja so verdammt...«

»...ohnmächtig?«

»Genau.«

Will nickte. Das konnte er nur zu gut nachempfinden. So fühlte er sich meistens.

»Oh, jetzt habe ich dir keine Eier übrig gelassen«, sagte Kristin mit einem Blick auf ihren leeren Teller.

»Kein Problem. Ich kann jederzeit mehr machen.«

»Versprochen?« Kristin stand auf, beugte sich vor und küsste Will auf die Wange. »Du bist wirklich zu süß.« Im nächsten Augenblick war sie wie ein Blitz aus rosfarbener Seide verschwunden.

Das ungemachte Bett lockte, als sie ins Schlafzimmer zurückkehrte, und einen kurzen Moment lang spielte Kristin mit dem Gedanken, wieder hineinzukrabbeln, sich die Decke über den Kopf zu ziehen und noch ein paar Stunden zu schlafen. Aber dafür war es zu spät, entschied sie, ging zum Fenster und zog die Vorhänge auf, wobei sie fast über Jeffs Jeans auf dem Boden gestolpert wäre. Sie lächelte. Interessant, dass er sich die Mühe gemacht hatte, eine frische anzuziehen, wo er es doch angeblich so eilig gehabt hatte, dachte sie und wollte die Hose gerade in den Wäschekorb werfen, als sie etwas in der Gesäßtasche ertastete. »Das wird ja immer interessanter«, murmelte sie und ging zurück in die Küche. »Jeff hat sein Portemonnaie vergessen«, verkündete sie und schwenkte die Börse vor Wills Augen.

Im selben Moment klingelte es.

»Das ist er wahrscheinlich.« Kristin rannte zur Tür. »Hast du vielleicht was vergessen?«, fragte sie, öffnete und trat hastig einen Schritt zurück.

Lainey Whitman marschierte direkt ins Wohnzimmer. Sie

trug ein weißes T-Shirt, Jeans und einen grimmigen Gesichtsausdruck. »Kristin«, sagte sie und sah Will an. »Und du musst der berühmte kleine Bruder sein.«

»Lainey, das ist Will. Will, darf ich dir Toms Frau Lainey vorstellen«, machte Kristin die beiden miteinander bekannt, während sie sich fragte, welche Überraschungen der Tag noch bereithielt.

»Freut mich.« Will dachte, dass Lainey nicht halb so unattraktiv war, wie Tom sie beschrieben hatte. Sie sah vielleicht ein wenig unkonventionell aus, und ihre Züge waren vielleicht ein bisschen zu ausgeprägt für ihr Gesicht, aber nichtsdestoweniger war sie ansehnlich.

»Ist Jeff hier?«, fragte Lainey. »Ich muss mit ihm über Tom sprechen.«

»Er ist bei der Arbeit.«

Lainey sah plötzlich aus, als würde sie jeden Moment in Tränen ausbrechen. Sie stand reglos in der Mitte des Wohnzimmers und sagte nichts.

»Ich bringe ihm das schnell vorbei«, bot Will an und nahm Kristin Jeffs Geldbörse aus der Hand. »Dann können die Damen sich in Ruhe unterhalten.«

»Nein, schon gut«, setzte Kristin an.

»Ich schau später wieder rein«, erklärte Will ihr, ohne ihren Blick zu beachten, der ihn anflehte zu bleiben. Ein Gespräch über Tom war das Letzte, was er jetzt brauchte.

»War nett, dich kennenzulernen«, sagte Lainey.

»Ganz meinerseits.« Will griff nach der Türklinke und steckte Jeffs Portemonnaie ein. Sein Bruder hatte ihn gerettet, ohne es zu wissen, dachte er, als er die Tür hinter sich schloss. Dafür musste er sich bei Gelegenheit bedanken.

KAPITEL 19

»Möchtest du eine Tasse Kaffee?«, fragte Kristin, raffte ihren Bademantel enger um ihren Körper und band den seidenen Gürtel zu. »Will hat eine große Kanne gekocht. Ich glaube, es ist noch welcher da.«
 »Will hat Kaffee gemacht?«
 »Und Rühreier.«
 »Tom macht nie irgendwas«, sagte Lainey. »Außer Ärger«, fügte sie unnötigerweise hinzu.
 »Soll ich dir eine Tasse holen?«, fragte Kristin noch einmal.
 Lainey schüttelte den Kopf. »Nein danke.«
 »Möchtest du dich setzen?« Kristin wies auf das Sofa, wo Wills Decke ordentlich gefaltet an einem Ende lag. Sie hoffte, dass Lainey die Einladung ebenso wie den Kaffee ablehnen und sich mit einer gemurmelten Entschuldigung für die frühe Störung wieder verabschieden würde. Aber sie schien dankbar für das Angebot, ließ sich in das weiche Polster sinken und atmete mehrmals tief durch. »Alles in Ordnung?«, fragte Kristin und setzte sich neben sie.
 »Eigentlich nicht. Hast du von Toms letztem Auftritt gehört?«
 Kristin nickte und zupfte am Saum ihres Bademantels, um ihre Knie zu bedecken.

»Wir wollten die Polizei nicht rufen. Wirklich nicht«, sagte Lainey. »Aber er hat uns keine andere Wahl gelassen. Was sollten wir sonst machen?« Sie warf die Hände in die Luft, spreizte die Finger und schloss sie wieder, als wollte sie nach Antworten greifen. »Er ist mir den ganzen Tag gefolgt, erst zu meinem Anwalt, dann zu meinem Frisör, wo er eine furchtbare Szene gemacht hat, mich vor allen Leuten angebrüllt und unfassbar gemeine Sachen gesagt hat. Und am frühen Abend hat er ein Stück die Straße hinunter vor dem Haus meiner Eltern geparkt, mehr als eine Stunde lang einfach dagesessen und das Haus angestarrt. Meine Mutter hatte solch eine Angst, dass sie beim Abendessen keinen Bissen herunterbrachte. Und mein Vater war so wütend, dass er hinausgehen und ihn zur Rede stellen wollte. Wir haben ihn angefleht, es nicht zu tun, und stattdessen die Polizei gerufen. Die ist dann auch gekommen und hat Tom mit auf die Wache genommen. Festhalten konnten sie ihn allerdings nicht, weil er streng genommen nichts Verbotenes getan hatte. Deshalb müssen wir jetzt eine gerichtliche Anordnung erwirken, dass er sich mir nicht mehr nähern darf. Das wird ihn noch wütender machen, glaube ich. Aber was bleibt mir anderes übrig? Ich habe versucht, vernünftig mit ihm zu reden, doch das hat nicht funktioniert. Er hört nicht zu. Er hat mir nie zugehört. Und ich kann nicht zulassen, dass er mir Tag und Nacht folgt. Ich kann nicht zulassen, dass er meine Eltern und meine Kinder erschreckt. Und ich habe wirklich furchtbare Angst, Kristin. Was, wenn er etwas Verrücktes macht? Wenn er versucht, die Kinder zu entführen?«

»Ich glaube nicht, dass er so etwas machen würde.«

»Das habe ich auch geglaubt. Ich dachte, egal wie verrückt er wird, mir oder den Kindern würde er nie etwas antun. Aber jetzt bin ich mir nicht mehr so sicher.«

»Er ist bloß durcheinander. Er hat nicht damit gerechnet, dass du ihn verlässt.«

»Wie kann ihn das überrascht haben? Ich habe ihn seit Monaten gewarnt, dass genau das passieren würde.«

»Er hat nicht geglaubt, dass du es tatsächlich durchziehst.«

»Was sollte ich denn sonst machen?«, wollte Lainey wissen. »Welche Wahl hat er mir gelassen?«

»Gar keine«, sagte Kristin rasch. »Glaub mir, Lainey, ich verstehe das. Ich bin offen gestanden erstaunt, dass du so lange geblieben bist.«

»Er ist mein Mann, der Vater meiner Kinder. Ich habe versucht, geduldig und verständnisvoll zu sein.« Sie begann nervös an ihrem Ehering zu zerren.

»Das weiß ich.«

»Seit er aus Afghanistan zurück ist, ist er nicht mehr derselbe. Er schläft nicht; er isst kaum; er hat jede Nacht Albträume. Weiß Gott, was er dort gesehen hat, was er getan hat...« Sie verstummte.

»Er braucht Hilfe«, schlug Kristin vor.

»Natürlich braucht er Hilfe«, gab Lainey zurück. »Aber er will nicht einmal über eine Therapie nachdenken. Er sagt, wenn Jeff keine braucht, braucht er auch keine. Nie im Leben lässt er sich darauf ein.«

»Dann hast du getan, was du tun konntest«, erklärte Kristin ihr. »Du musst für dich selbst und deine Kinder sorgen.«

»Ich habe ihm gesagt, dass das passieren würde. Wie oft habe ich es ihm gesagt?«, fragte Lainey. »Ich habe ihm erklärt, wenn er nicht aufhören würde, zu trinken und die halbe Nacht wegzubleiben, würde ich ihn irgendwann verlassen.«

»Du hast ihn reichlich vorgewarnt«, bestätigte Kristin.

»Ich war für ihn bloß bequem. Jemand, der ihm das Essen kocht und sein Bett warm hält. Ich habe versucht, mit ihm zu reden, aber man kann ihm rein gar nichts sagen. Er hört nicht zu. Warum auch? Er weiß ja eh alles besser.«

»Niemand macht dir Vorwürfe, weil du ihn verlassen hast.«

»Ich habe getan, was ich konnte, um ihn glücklich zu machen. Ich habe ihn nie bedrängt, sich einen besseren Job zu suchen, habe mich nie wegen des Geldes beklagt. Ich habe ihn mit Jeff ausgehen lassen, wann immer er wollte. Ich habe ihn nur gebeten, zu einer halbwegs vernünftigen Zeit zu Hause zu sein. Aber manchmal ist er erst um drei oder vier Uhr nachts gekommen. Und vielleicht ist es dir ja egal, wann Jeff nach Hause kommt...«

Kristin wollte etwas einwenden, aber Lainey war noch nicht fertig.

»... aber wir haben zwei Kinder, die nicht weinend nachts aufwachen sollten, weil ihr Vater zu betrunken ist, leise zu sein.«

»Es war bestimmt nicht leicht für dich«, sagte Kristin mitfühlend.

»Leicht?«, wiederholte Lainey. »Soll das ein Scherz sein? Unmöglich kommt der Sache schon näher.«

»Du hast alles versucht. Es gibt keinen Grund, warum du dich schuldig fühlen müsstest.«

»Wer sagt, dass ich mich schuldig fühle?«, fauchte Lainey. »Ich fühle mich nicht schuldig. Ich bin wütend. Ich bin frustriert. Ich habe Angst. Der Mann hat den Verstand verloren. Er hat gestern absolut verletzende Dinge zu mir gesagt. Das kannst du dir nicht vorstellen.«

Kristin nickte und erinnerte sich an die Flut von Beschimpfungen, die ihre Mutter ihr an den Kopf geworfen hatte, als sie Ron vor mehr als zehn Jahren auf ihr liegend erwischt hatte. Worte so tödlich wie Schüsse aus einer Waffe, die ihr so unmittelbar gegenwärtig waren, als wäre es gestern geschehen. Lainey hatte recht. Sie konnte es sich nicht vorstellen. Das musste sie auch gar nicht.

»Und jetzt ist er aufgebracht wegen der Kinder? Was für ein Quatsch! Er hat sich nie um sie geschert«, sagte Lainey. »Vom ersten Tag an nicht. Wie oft hat er mir erklärt, dass er nie Kinder wollte, dass ich sie nur benutzt hätte, um ihn in die Falle zu locken, dass ich absichtlich schwanger geworden wäre, dabei war er derjenige, der kein Kondom benutzen wollte. Aber so ist Tom. Nichts ist je seine Schuld, nichts seine Verantwortung. Alles hat er mir in die Schuhe geschoben. Wahrscheinlich würde er mich auch noch für Afghanistan verantwortlich machen, wenn er könnte.« Sie wischte sich die Tränen ab, die über ihre Wange kullerten. »Er hat sogar gesagt, dass er nicht glaubt, dass die Kinder wirklich von ihm sind. Und jetzt sieht er sich plötzlich als Vater des Jahres und brüllt, dass ich ihm die Kinder nicht wegnehmen könne? Er sagt, dass er eher seinen Job schmeißen würde, ehe er auch nur einen Penny Unterhalt zahlt, und dass wir seinetwegen alle verhungern könnten. Klingt das für dich wie ein Mann, der seine Kinder liebt?«

»Er ist bloß wütend und aufgewühlt. Wenn er sich wieder beruhigt hat...«

»Er wird sich nicht wieder beruhigen. Er wird nicht zur Vernunft kommen«, sagte Lainey mit einem tiefen, zitternden Seufzer. »Er wird Tom bleiben.«

»Und was sollen wir deiner Meinung nach tun?«, fragte Kristin nach einer langen Pause.

»Jeff muss mit ihm reden. Er ist der Einzige, auf den Tom hört, der Einzige, der eine Chance hat, zu ihm durchzudringen.«

»Ich glaube, das hat er schon versucht.«

»Dann muss er es noch mal versuchen. Nachdrücklicher.«

Kristin nickte.

»Mein Vater will, dass er bis Ende der Woche aus dem Haus auszieht«, sagte Lainey, »andernfalls will er ihn wegen unbefugten Betretens anzeigen.«

»Das ist vielleicht keine so gute Idee«, mahnte Kristin. »Vielleicht solltest du ihm ein wenig mehr Zeit lassen, sich an die Situation zu gewöhnen.«

Lainey schüttelte vehement den Kopf. »Mein Anwalt sagt, wenn ich die Sache hinauszögere, wird das Toms Entschlossenheit nur stärken. Ganz zu schweigen davon, dass er selbst klageberechtigt wäre. Irgendwas von wegen einem Präzedenzfall. Ich habe es nicht ganz verstanden...« Sie faltete die Hände im Schoß und nickte ein, zwei Mal, wie um sich selbst zu überzeugen. »Nein, Tom muss gehen. Jeff muss ihn überzeugen, sich eine eigene Wohnung zu suchen.«

»Kann sich Tom überhaupt eine eigene Wohnung leisten?«, fragte Kristin vorsichtig. »Hat er genug Geld für die Kaution?«

»Er hat genug Geld, jeden Abend trinken zu gehen, oder nicht?«, sagte Lainey, brach in Tränen aus und vergrub das Gesicht in den Händen.

Kristin rückte näher und legte einen Arm um Lainey, obwohl sie erwartete, zurückgewiesen oder weggestoßen zu werden. Stattdessen umklammerte Lainey ihre Hüfte, ließ ihren Kopf auf Kristins Brust sinken und schluchzte hemmungslos.

»Schon gut. Alles wird gut«, tröstete Kristin sie. »Ich rede mit Jeff.«

»Ist Jeff hier?«, fragte Will die hübsche Blondine am Empfang von Elite Fitness. Er war schon nach dem einen Treppenabsatz von der Straße außer Puste und lächelte verlegen, während er sich in dem Sportstudio nach seinem Bruder umsah. Wahrscheinlich sollte er sich auch mal für ein paar Trainingseinheiten einschreiben, um an seiner Kondition zu arbeiten, dachte er, als er Leute mit Hanteln und einen Trainer in einem grauen Muscle-Shirt sah, der zwei Frauen anwies, Liegestütze zu machen. Wo war Jeff?

»Ich fürchte, Ihr Bruder ist heute Morgen nicht hier«, sagte Melissa.

»Was soll das heißen, ›er ist nicht hier‹?«

Melissa starrte ihn ausdruckslos an.

»Er muss hier sein«, beharrte Will. »Sein Chef hat heute Morgen angerufen und ihn gebeten, früher zu kommen. Er ist so überstürzt aufgebrochen, dass er sein Portemonnaie vergessen hat.« Will hielt ihr die Geldbörse hin, als wäre es der Beweis dafür, dass sie sich irren musste.

»Ich weiß nicht, was ich sagen soll«, erwiderte Melissa und blickte zu dem Mann in dem grauen Muscle-Shirt. »Jeff hat sich heute Morgen krankgemeldet. Larry war nicht glücklich darüber, das können Sie mir glauben.«

»Jeff hat sich krankgemeldet?«

»Ich habe den Anruf selbst entgegengenommen.«

»Aber das ergibt keinen Sinn.«

»Vielleicht sollten Sie nicht ganz so laut reden«, ermahnte Melissa ihn. »Sie wollen doch bestimmt nicht, dass Jeff Ärger kriegt.«

»Gibt es ein Problem?«, rief Larry zwischen den beiden Frauen, die jetzt auf dem Rücken liegend mit den Beinen strampelten.

»Was? Nein. Kein Problem«, sagte Will, der immer noch Mühe hatte zu begreifen, dass sein Bruder nicht hier war. »Ich hatte bloß gehofft, Jeff zu sehen.«

»Das hatten wir alle gehofft. Heute Nachmittag müsste er wieder hier sein.«

Will gab der Frau am Empfang Jeffs Portemonnaie. »In dem Fall könnten Sie ihm das hier bitte geben, wenn er kommt...«
»Selbstverständlich.«
Was zum Teufel ging hier vor, fragte Will sich, als er die Treppe hinunterlief, ohne den Duft von frischem Brot aus dem Erdgeschoss richtig wahrzunehmen. Wo war Jeff, und warum hatte er gelogen?

Drei Dinge wusste er sicher: Irgendjemand hatte um halb sieben angerufen; kurz darauf war Jeff überstürzt aufgebrochen; und er war nicht zur Arbeit gegangen.

Wo also steckte er?

Es gab nur eine logische Erklärung, dachte Will und ging eilig die Straße hinunter: Tom.

Offensichtlich war es Tom gewesen, der angerufen und genauso irre Reden geschwungen hatte wie am Abend zuvor. Und Jeff war zu ihm gefahren, um ihn zu beruhigen. Er hatte weder Kristin noch Will erzählt, wohin er wirklich fuhr, weil er nicht wollte, dass sie sich Sorgen machten. Oder Tom hatte ihn ausdrücklich gebeten, nichts zu sagen, damit Will nicht mitkam. Er wollte nur Jeff sehen.

Genauso wie Lainey einige Stunden zuvor ebenfalls nur Jeff sprechen wollte.

Immer wollten alle Jeff.

In seinem Kopf tauchte unvermittelt das Bild einer hinreißenden jungen Frau mit meeresblauen Augen und abschwellenden Blutergüssen in ihrem ansonsten makellosen Gesicht auf. Er lächelte, um ihre Aufmerksamkeit zu gewinnen, doch sie blickte an ihm vorbei. Kurz darauf trat Jeff aus den Schatten von Wills Gedanken und legte seine muskulösen Arme um sie, und Will beobachtete, wie sie sich bereitwillig hineinsinken ließ.

Will schüttelte den Kopf und versuchte das Bild zu vertreiben.

Konnte es sein, dass Jeff sich in dem dummen und unbesonnen Versuch, Suzys Gunst zu gewinnen, in diesem Moment mit Tom traf und die beiden tatsächlich auf dem Weg waren, Dr. Bigelow zu ermorden?

Nein, das war unmöglich, beruhigte Will sich sofort. Sein Bruder war kein Mörder, egal wie viele Menschen er in Afghanistan getötet hatte. Jeff würde sich nie zu einer von Toms idiotischen Ideen überreden lassen. Will sah auf die Uhr. Zehn Minuten nach neun. In knapp einer Stunde würden die Läden aufmachen, und Tom würde bei der Arbeit sein. Will beschloss, einen Spaziergang nach South Beach zu machen, Tom bei Gap zu besuchen und herauszufinden, was genau eigentlich Sache war.

Er straffte die Schultern, holte tief Luft und marschierte los.

Um zwanzig nach neun hatte Jeff seine Spiegeleier mit Speck gegessen und war bei der fünften Tasse Kaffee. Was zum Teufel machte er hier?

Er blickte zu dem Eingang des unscheinbaren Coffee-Shops. Seit zwanzig Minuten war niemand mehr durch die holzgerahmte Glastür gekommen. Er saß schon seit fast einer Stunde bei Fredo's. Er hatte die Morgenzeitung von vorne bis hinten durchgelesen und die von Hand auf sechs Tafeln geschriebene Tageskarte so oft studiert, dass er sie auswendig aufsagen konnte. Seine Hände zitterten von dem vielen Koffein in seinem Kreislauf, und er konnte sich nur mit Mühe beherrschen, nicht aufzuspringen und das Lokal fluchtartig zu verlassen.

Zum zehnten Mal in ebenso vielen Minuten ging er die Ereignisse des Vormittags in seinem Kopf durch. Das Telefon hatte ihn aus einem unangenehmen Traum geweckt, an dessen Einzelheiten er sich nicht erinnern konnte. Wie in dichtem Nebel hatte er abgenommen und war erst richtig wach geworden, als er die vertraute Stimme gehört hatte. Jetzt fragte er sich, ob das wirklich passiert war oder ob er sich das Ganze nur eingebildet hatte. Hatte er vielleicht noch immer geträumt?

Aber Kristin hatte das Telefon auch klingeln hören. Sie war es sogar gewesen, die ihn geweckt hatte, fiel ihm wieder ein. Anschließend hatte sie verschlafen die Lügen geschluckt, die er ihr aufgetischt hatte. Obwohl sie wach genug gewesen war, die lahme Ausrede von Larrys Kater anzuzweifeln. Er musste wirklich vorsichtiger sein. Nein, verbesserte er sich im nächsten Atemzug. Er würde ihr die Wahrheit sagen müssen.

Was immer das sein mochte.

War er nicht deswegen hier? Um es herauszufinden?

Wieder blickte er zum Eingang des Cafés. Vielleicht hatte er den Namen falsch verstanden. Vielleicht hieß es nicht Fredo's. Vielleicht war es ein anderer Coffee-Shop mit einem ähnlich klingenden Namen oder er hatte in seinem halb komatösen Zustand die Adresse nicht richtig mitbekommen. Vielleicht gab es ein zweites Fredo's in der Federal Street, und er saß im falschen.

Was zum Teufel machte er hier?

Jeff sah wieder auf die Uhr und stellte fest, dass seit dem letzten Blick keine fünf Minuten vergangen waren. Der Laden war nicht direkt leicht zu finden, und während der Rushhour herrschte in Miami regelmäßig ein Verkehrschaos.

Er zog sein Handy aus der Tasche, sah nach, ob neue Nachrichten eingegangen waren, was nicht der Fall war, sodass er das Handy gerade wieder einstecken wollte, als seine Hand plötzlich in der Luft stehen blieb, bevor sie wie aus eigenem Willen erneut in seine linke Gesäßtasche griff, dann in seine rechte, und dann noch einmal rasch hintereinander in beide. »Scheiße«, murmelte Jeff und schloss die Augen, als ihm klar wurde, dass er sein Portemonnaie nicht dabeihatte. Er stand von der Bank auf, durchwühlte seine Taschen ein drittes Mal, ließ den Blick über die rote Polsterbank wandern und hockte sich schließlich auf alle Viere, um den weißen Kachelboden abzusuchen.

»Alles in Ordnung da drüben, Süßer?«, fragte die Kellnerin, als Jeff sich wieder auf die Füße gerappelt hatte. Sie war etwa fünfzig mit aschblondem Haar, die sie so hoch toupiert hatte, dass sie beinahe so groß wirkte wie Jeff.

»Ich kann mein Portemonnaie nicht finden«, gestand der verlegen und versuchte, sein charmantestes Lächeln aufzusetzen.

Die Kellnerin, deren Namensschild sie als Dorothy auswies, musterte ihn skeptisch. Sie hörte das offensichtlich nicht zum ersten Mal.

»Ich will Sie nicht reinlegen. Ehrlich«, sagte Jeff und fragte sich, ob ihm sein Portemonnaie vielleicht im Wagen aus der Tasche gerutscht war. »Hören Sie? Dürfte ich vielleicht kurz in meinem Auto nachsehen? Ich parke gleich um die Ecke.«

»Sie würden doch nicht versuchen abzuhauen, oder, Süßer?« Dorothy neigte den Kopf auf die Seite, und ihr Haarturm drohte zu kippen.

»Nein, das würde ich nie tun.« Er legte sein Handy auf den Tisch. »Wie wär's, wenn ich Ihnen das hierlasse? Dann können Sie sicher sein, dass ich zurückkomme.«

»Nicht unbedingt. Das Ding könnte auch geklaut sein.«

»Ist es aber nicht. Bitte. Sie können auch mitkommen, wenn Sie wollen.«

Dorothy zögerte, als würde sie sein Angebot ernsthaft in Erwägung ziehen. »Okay, laufen Sie«, sagte sie schließlich. »Aber wenn Sie in drei Minuten nicht zurück sind, ist es mir egal, wie gut Sie aussehen, dann rufe ich die Polizei.«

»Ich bin in zwei Minuten wieder da.«

»Lassen Sie das Handy hier«, wies sie ihn an.

Draußen schien ihm die Sonne direkt in die Augen und blendete ihn wie der Strahl einer Taschenlampe, sodass Jeff die Umgebung nur schemenhaft wahrnahm. Dazu schlug ihm die feuchtheiße Luft ins Gesicht. Einen Moment lang wähnte er sich orientierungslos wieder in Afghanistan. Panik durchschoss ihn und zerfetzte seine Eingeweide wie eine Kugel. Kalter Schweiß brach auf seiner Stirn aus. »Was zum Teufel ist los mit dir?«, fragte er sich laut und zwang sich, ein paarmal tief durchzuatmen. Es musste der ganze verdammte Kaffee gewesen sein, entschied er. Als sein Schwindel sich gelegt hatte, versuchte er, sich zu erinnern, wo er geparkt hatte. Er bog rechts in die nächste Straße ab und beschleunigte seine Schritte, als er seinen Wagen entdeckte.

Eilig suchte er auf den Vordersitzen, der Rückbank, dem Boden und sah sogar ins Handschuhfach für den Fall, dass er sein Portemonnaie dort deponiert und es dann vergessen hatte. »Scheiße«, sagte er, drehte sich um und sah sein Spiegelbild im glänzenden Lack des Wagens. Er erinnerte sich, wie er im Schlafzimmer eine frische Jeans aus dem Kleiderschrank genommen und die getragene, in der sein Portemonnaie steckte, auf dem Boden hatte liegen lassen. »Scheiße«, sagte er noch einmal, als er sich vorstellte, wie Kristin die Jeans aufhob. Hatte sie das Portemonnaie entdeckt? Hatte sie im Studio angerufen? Schlimmer noch – hatte sie versucht, es persönlich dort abzugeben? »Scheiße.«

»Und was wollen Sie jetzt machen?«, fragte Dorothy kurz darauf. »Das Frühstück bezahlt sich schließlich nicht selber.«

Jeff sah sich in dem hell erleuchteten Lokal um, das immer noch halb voll mit Gästen war, die aßen, redeten und lachten. »Keine Ahnung. Sieht nicht so aus, als würde meine Freundin noch kommen…«

»Mittelgroß, dunkle Haare, ein bisschen dünn?«, fragte Dorothy, während Jeff ihrem Blick in eine Ecke des Restaurants folgte.

Sie kam aus der Damentoilette und lächelte zögernd, als sie ihn sah, wobei sie die Mundwinkel statt nach oben nach unten zog.

»Hallo, Jeff«, sagte Suzy.

KAPITEL 20

»Tut mir leid, dass ich so spät dran bin«, entschuldigte sie sich, als sie Platz genommen hatte. »Dave hat ewig gebraucht, bis er endlich aus dem Haus war, und dann hab ich im Stau gestanden. Wartest du schon lange?«

»Eigentlich nicht«, log Jeff. »Ich war ein paar Minuten früher hier und habe gefrühstückt. Bist du sicher, dass du nichts essen willst? Schließlich bezahlst du.«

Sie lächelte, und das spannte den senffarbenen Bluterguss an ihrem Kinn. »Kaffee ist super.« Wie zum Beweis nippte sie an ihrer Tasse. »Als ich dich nicht gesehen habe, dachte ich, du hättest keine Lust mehr gehabt zu warten und wärst gegangen. Gut, dass ich noch auf die Toilette musste, sonst hätten wir uns verpasst.«

»Ja, echt gut.«

»Ich bin froh, dass du gewartet hast.«

»Warum?«, fragte Jeff.

»Was?«, fragte Suzy zurück.

»Was machen wir hier, Mrs. Bigelow?«

Beim Klang des Namens zuckte Suzy zusammen, als hätte Jeff ihr in die Wange gekniffen. »Ich weiß nicht.«

Er betrachtete sie, während sie die Kaffeetasse hob und einen weiteren Schluck nahm. Sie trug eine schlichte weiße Bluse, und ihr Haar war zu einem Pferdeschwanz gebunden, der von einer strassbesetzten Klammer gehalten wurde. Ihre Fingernägel waren blassrosa lackiert, einige jedoch bis zum Nagelbett abgekaut. Das Make-up verdeckte die meisten Blutergüsse. Jeff wollte ihre Hand fassen und ihr Gesicht streicheln. Er verspürte eine buchstäblich schmerzhafte Sehnsucht, sie zu berühren. Warum? Eigentlich war an ihr gar nichts so besonders. Mittelgroßes Mädchen, dunkle Haare, ein bisschen dünn, um es mit Dorothys Worten zu sagen. Sicher, sie war durchaus hübsch, aber Jeff war an hübsche Mädchen gewöhnt. Sie warfen sich ihm allenthalben in die Arme. Was machte diese so anders?

Fand er sie so unerträglich anziehend, weil sie sich ihm *nicht* in die Arme geworfen, sondern stattdessen vielmehr nicht nur ein-, sondern zweimal seinen Bruder vorgezogen hatte? Weil er nicht wusste, woran er mit ihr war, wenn er überhaupt irgendwo war? Weil sie zu gleichen Teilen böser Drache und verletzliches Kind war?

»Trägst du immer schwarz?«, fragte sie plötzlich.

»Hast du mich um ein Treffen gebeten, um nach meiner Garderobe zu fragen?«

»Ich war bloß neugierig.«

»Da gibt es kein großes Geheimnis«, antwortete er mit vorsätzlich scharfem Unterton. »Ich trage schwarz, weil es mir gut steht. Warum hast du mich angerufen?«

»Woher weißt du, dass ich *dich* angerufen habe?«

Jeff ließ sich auf dem Stuhl zurücksinken und gab sich alle Mühe, nicht allzu überrascht auszusehen. Der Gedanke, dass sie vielleicht Will hatte sprechen wollen, war ihm gar nicht gekommen. »Willst du sagen, ich hätte das Telefon eigentlich an meinen Bruder weitergeben sollen?«

Suzy stellte ihre Tasse wieder auf die Untertasse »Nein«, gab sie nach einer Pause zu. »Ich wollte dich sprechen.«

»Und wenn Will drangegangen wäre?«
»Ich weiß nicht.«
»Würde er dann an meiner Stelle hier sitzen?«
»Nein.«
»Warum hast du angerufen?«, fragte Jeff noch einmal.
»Weil ich dich sehen wollte.«

Jeff nickte, als wären, nachdem diese Tatsache festgestellt war, alle Fragen geklärt.

Suzy atmete tief ein und langsam wieder aus. »Um mögliche Missverständnisse auszuräumen«, fügte sie hinzu.

»Missverständnisse?« Jeff beugte sich vor, legte die Ellbogen auf den Tisch und faltete die Hände. »Missverständnisse« hörte sich gar nicht gut an.

»Gestern in deiner Wohnung habe ich Sachen gesagt.«
»Was denn?«
»Sachen, die ich nicht hätte sagen sollen.«
»Ich kann mich nicht erinnern, dass du irgendwas gesagt hättest, das du jetzt besonders bedauern müsstest.«
»Da warst du auch nicht mehr da«, sagte Suzy. »Das war später.«
»Du hast etwas zu Will gesagt?«
»Und deinem Freund aus der Bar, ich vergesse immer seinen Namen.«
»Tom?«

Sie nickte. »Er kam vorbei, offensichtlich aufgewühlt. Er hat mit einer Waffe herumgefuchtelt. Ich dachte, ich verschwinde besser. Er hat etwas davon gesagt, dass er mir in den Fuß schießen wollte, um mich zum Bleiben zu zwingen.« Sie räusperte sich, blickte zur Decke und sah dann wieder Jeff an. »Und da habe ich vorgeschlagen, dass er stattdessen lieber meinen Mann erschießen sollte.«

Jeff nickte, ohne durchblicken zu lassen, dass er das Ganze

schon von Will und Tom gehört hatte. »Interessanter Vorschlag.«

»Darum geht es ja. Ich habe es nicht so gemeint, und ich hätte es niemals sagen dürfen.«

»Ich würde mir deswegen keine Sorgen machen. Ich glaube nicht, dass irgendjemand es übermäßig ernst genommen hat.«

»Da bin ich mir nicht so sicher. Der Ausdruck in Toms Gesicht, als ich es erwähnte ...«

»Eindringlich, eifrig, ein bisschen irre?«, fragte Jeff.

»Ja. Genau.«

»So guckt Tom immer«, sagte Jeff und lachte.

Suzy schien nicht überzeugt. »Ich weiß nicht. Er wirkte ziemlich entschlossen.«

»Hast du ihm irgendwas angeboten?«

»Wie meinst du das?«

»Geld? Sex? Einen Gutschein für McDonald's?«

»Das ist kein Witz, Jeff. Ich mache mir ernsthaft Sorgen.«

»Tom würde deinen Mann nicht umbringen, nur weil du angedeutet hast, dass es eine nette Idee wäre. Das allein reicht nicht«, sagte Jeff und dachte: Aber wenn *ich* es vorschlagen würde ...

»Ich weiß nicht. Ich hatte stark den Eindruck, dass er glaubt, es wäre ein großer Spaß.«

»Und es könnte ja auch durchaus spaßig sein.«

»Sag nicht so was.«

»Willst du behaupten, es würde dich tief erschüttern, wenn dem guten Doktor etwas zustoßen *sollte*?«

Suzy wandte den Blick ab und murmelte etwas Unverständliches.

»Was?«, fragte Jeff.

»Nein«, gab sie zu, und in ihren Augen standen unvermittelt Tränen. »Um ganz ehrlich zu sein, wäre es mir recht. Gott, das ist so furchtbar«, hauchte sie im nächsten Atemzug. »Wie kann ich so etwas sagen?«

»Was meinst du? Ich habe nichts gehört.«

»Wie erträgst du es, mich anzusehen? Ich bin abscheulich. Ich bin ein entsetzlicher Mensch.«

»Bist du nicht.«

»Ich habe dir gerade mehr oder weniger erklärt, dass ich mir wünsche, mein Mann wäre tot.«

»Was absolut verständlich ist, wenn man bedenkt, dass er dich als menschlichen Sandsack missbraucht.«

»Ich habe so schreckliche Gedanken«, fuhr Suzy unaufgefordert fort. »Wenn er schläft, denke ich daran, eins der großen langen Messer aus der Küche zu holen und ihm direkt ins Herz zu stoßen. Oder seine Matratze anzuzünden. Oder ihn mit dem Wagen zu überfahren. Manchmal stelle ich mir vor, wie wunderbar es wäre, wenn ein Einbrecher ihn erschießen würde. Manchmal bin ich auch großzügig und wünsche mir bloß, dass er nach einem Herzinfarkt tot umfällt. Sogar seine Beerdigung habe ich schon geplant.«

Jeff musste unwillkürlich lächeln.

Suzys Blick wurde glasig und schweifte in die Ferne. »Ich würde alle seine Kollegen aus dem Krankenhaus einladen, all die Ärzte, die ihn bewundern und verehren, als wäre er ein Gott, und ich würde in der Kapelle aufstehen und ihnen erklären, dass ihr Gott in Wahrheit der Teufel war. Ich würde ihnen die Wahrheit über ihren kostbaren Dr. Bigelow sagen, wie er mich gequält und geschlagen und vergewaltigt...«

»Er vergewaltigt dich?«, fragte Jeff kaum hörbar.

»Und dann würde ich ihn einäschern lassen«, fuhr Suzy fort, als hätte er nichts gesagt. »Und dann würde ich seine Asche nehmen und in den ersten gottverlassenen Sumpf kippen, den ich sehe.«

Jeff fasste ihre Hand. »Das Drecksschwein hat es verdient zu sterben«, sagte er.

Suzy nickte. »Die Leute bekommen nur selten, was sie verdienen.« Sie zog ihre Hand zurück und wischte sich die Tränen ab. »Aber ich sollte dich damit nicht belasten. Es ist mein Problem, nicht deins.«

»Ich werde nicht zulassen, dass er dir weiter wehtut«, sagte Jeff.

Suzy lächelte. »Wie willst du ihn aufhalten?« Sie machte eine Pause und sah ihm tief in die Augen. »Willst du wissen, warum ich dich wirklich angerufen habe?«

Jeff nickte.

»Weil ich ständig an dich denken muss. Weil ich, sosehr ich mich auch dagegen wehre, dauernd dein Gesicht vor Augen habe. Weil du mir seit dem Abend, als ich dich zum ersten Mal im Wild Zone gesehen habe, nicht mehr aus dem Sinn gehst und ich gleich wusste, dass du Ärger bedeutest. Weil wir beide wissen, dass du recht hattest, als du gesagt hast, ich hätte den falschen Bruder ausgewählt. Weil ich dich so unbedingt will, dass ich an nichts anderes denken kann. Und es ist mir egal, ob ich für dich bloß eine Wette bin…«

»Das bist du nicht.«

»Und es ist mir egal, ob du es den anderen erzählst…«

»Das werde ich nicht tun.«

»Können wir hier verschwinden?«, fragte sie, schob einen Zwanzig-Dollar-Schein unter ihre Kaffeetasse und stand auf.

»Wohin gehen wir?«

»Um die Ecke ist ein Motel«, sagte sie.

Tom hatte die Frau beobachtet, seit der Laden aufgemacht hatte. Hoch und runter, hin und her, in jeden Winkel und jede Nische der mit Kleiderständern zugebauten Gänge war sie gegangen, hatte über die geblümten Sommerblusen gestrichen, die ordentlich und in ansteigender Größe an einer Stange hingen, den weichen Stoff der bunten Kapuzensweatshirts auf den verschiedenen Auslagetischen betastet, die Augen weit aufgerissen, um nur ja kein einzelnes Stück zu übersehen.

»Gibt es ein Problem, Whitman?«, fragte der Store Manager, der hinter Tom aufgetaucht war.

Aufgeschreckt von der quäkenden Stimme seines Vorgesetzten fuhr Tom herum. Er hasste es, wenn sich Leute von hinten anschlichen. »Nichts, was ich nicht selbst regeln könnte.«

»Was gibt es denn zu regeln?«, fragte Carter Sorenson. Carter war knapp 1,65 Meter groß, kurzsichtig und achtundzwanzig. Tom hasste es, dass er klein war, eine Nickelbrille trug und eine schrille Stimme hatte wie ein Mädchen. Besonders hasste er es, dass Carter jünger war als er und über ihn bestimmen konnte. Den Namen des Kerls hasste er auch. Was war Carter überhaupt für ein Name? Carter war ein beschissener Nachname und kein Taufnahme. Obwohl Carter seinen Namen offenbar mochte, weswegen Tom ihn noch mehr hasste.

»Ich behalte bloß die Frau da drüben im Auge.« Tom wies mit dem Kopf auf die fragliche Dame.

»Tatsächlich?«, fragte Carter. »Es sah nämlich so aus, als würden Sie hier einfach rumstehen und gar nichts tun.«

»So hat es also ausgesehen?« Tom zwang sich, Carter nicht an die Gurgel zu gehen und fest zuzudrücken.

»Hat sie in irgendeiner Weise Ihren Verdacht erregt?«, fragte Carter.

»Hören Sie«, sagte Tom, und sein Lächeln konnte seinen herablassenden Ton nicht ganz kompensieren, »ich bin Kriegsveteran, ich war in Afghanistan. Für so etwas entwickelt man einen Instinkt.«

»Wollen Sie damit sagen, dass Ihr Soldateninstinkt Ihnen sagt, dass die Frau eine potenzielle Ladendiebin ist?«

»In Verbindung mit meiner Erfahrung im Einzelhandel, ja. Ich halte es für durchaus möglich.«

In genau diesem Moment sprach Angela Kwan, eine junge asiatische Verkäuferin mit langen schwarzen Haaren und einem enervierend sonnigen Gemüt, die Frau an und fragte sie, ob sie Hilfe benötige.

»Ja, vielen Dank«, antwortete die Frau erleichtert. »Ich habe darauf gewartet, dass mir jemand hilft, aber Sie waren alle so beschäftigt.« Sie blickte in Toms Richtung, als wollte sie sagen: »Bis auf ihn. Er hat die ganze Zeit nur dagestanden.«

»Vielleicht könnten Sie die Überwachung eine Weile zurückstellen und sich darauf konzentrieren, den Kunden zu helfen«, schlug Carter vor, und seine dünne Stimme bog sich unter dem Gewicht seines Sarkasmus. »Ich glaube, die beiden Herren dort könnten möglicherweise von Ihren beruflichen Erfahrungen profitieren.« Er wies auf zwei Teenager, die in diesem Moment den Laden betraten.

»Wird erledigt«, erklärte Tom ihm und fügte leise murmelnd hinzu: »Wichser. Braucht ihr Hilfe, Jungs?«, fragte er die beiden pickeligen Teenager. Wenn es etwas gab, was er noch mehr hasste als Frauen mittleren Alters, waren es halbwüchsige Jungen. Beide Bevölkerungsgruppen glaubten, alles zu wissen.

»Wir sehen uns nur um«, sagte einer der Jungen lachend und ließ eine Kaugummiblase platzen. Tom glaubte, das Wort »Loser« gehört zu haben, als sie in den hinteren Teil des Ladens schlenderten. Er konnte sich nur mühsam beherrschen, ihnen nicht nachzulaufen und sie niederzuschlagen.

Stattdessen stand er etliche Minuten da und spürte, wie Carters Blick Löcher in seinen Hinterkopf und sein rot-schwarz kariertes Hemd brannte. Er hätte sich am liebsten umgedreht und ihn angefahren: Was glotzt du so? Wenn du glaubst, dass ich mir für nicht mal acht Dollar die Stunde den Arsch aufreiße, um ein paar Teenagern hinterherzulaufen, hast du sie nicht alle. Wenn du glaubst, dass ich jede mittelalte Tusse, die hier reinkommt, zuschleime wie dieses blöde Schlitzauge, bist du schiefgewickelt. Wenn man den Mindestlohn zahlt, kriegt man minimalen Ersatz, hat man dir das auf der Wharton School of Business nicht beigebracht, wollte Tom ihn fragen und drehte sich um, bereit, Carter in Grund und Boden zu starren.

Aber Carter beobachtete ihn nicht mehr. Carter war vielmehr nirgends zu sehen. Tom atmete erleichtert aus und entschied, dass es Zeit für seine Pause war, obwohl der Laden gerade erst aufgemacht hatte. Er ging zur Eingangstür, fischte eine Zigarette aus seiner Tasche und zündete sie schon an, noch ehe er an der frischen Luft war.

Die Lincoln Road Mall, eine breite Fußgängerzone, war noch voller als gewöhnlich. Touristen, dachte Tom verächtlich und zog heftig an seiner Zigarette. Warum konnten sie nicht einfach zu Hause bleiben? Sie waren laut und anspruchsvoll und gerieten über praktisch alles aus dem Häuschen. Er sah ein älteres Paar an der Ecke, das einen Stadtplan konsultierte, und ein paar Schwule auf der anderen Straßenseite, die über den richtigen Weg diskutierten. Eine attraktive Frau mit dunkler Haut, silbernen Highheels und drei Einkaufstaschen von Victoria's Secret schlenderte vorbei, sodass eine der Taschen Toms Zigarette streifte. Die Frau drehte sich mit finsterem Blick um, als hätte er sich ihr absichtlich in den Weg gestellt. Schlampe, dachte Tom. Als ob er vorsätzlich ein paar Stringtangas und Push-up-BHs in Brand setzen würde.

Was war überhaupt los mit den Weibern? Glaubten sie, er müsse strammstehen, um ihnen nicht im Weg zu sein? Manchmal kam es ihm beinahe so vor, als ob sie erwarteten, dass man ihre Gedanken las. Wie die Frau in dem Laden – woher sollte er wissen, dass sie Hilfe wünschte? Hätte es sie umgebracht zu fragen? Und diese Schlampe auf Highheels – wenn sie wollte, dass er aus dem Weg trat, hätte sie bloß »Verzeihung« sagen müssen. Ein bisschen Höflichkeit konnte nie schaden. Und Lainey, Scheiße noch mal. Wenn sie wollte, dass er mehr Zeit zu Hause verbrachte, ein aufmerksamer Vater war und... wusste der Himmel, was sie sonst noch wollte. Er war kein Gedankenleser, verdammt noch mal.

Oder das Mädchen in Afghanistan, dachte er und sah ihr Bild mit dem Zigarettenrauch vor sich aufsteigen, das mit wallenden Gewändern unter blauem Himmel aufreizend die Hüften geschwenkt hatte. Hatte sie nicht gelächelt, als er und mehrere andere Soldaten, darunter Jeff, das karg möblierte Haus betreten und nach Spuren des Feindes gesucht hatten? Hatte sie nicht die Augen niedergeschlagen – das Einzige, was man unter der verdammten Burka überhaupt von ihr sehen konnte –, niedergeschlagen und kokett gekichert, eine klare Einladung? Woher sollte er wissen, dass sie erst vierzehn war? Woher sollte er wissen, dass sie Nein sagte, wenn sie sich weigerte, ein Wort Englisch zu reden?

Es war nicht mal seine Idee gewesen, Scheiße noch mal. Es war dieser verdammte Gary Bekker gewesen. »Was meint ihr, reiten wir die Kleine ein?«, hatte er gesagt, als sie das Haus verlassen wollten.

»Ohne mich«, sagte Jeff sofort. »Los komm, Tom, wir verschwinden.«

»Stimmt das, Tommy-Boy? Brauchst du Jeffs Erlaubnis, um ein bisschen Spaß zu haben?«, hatte Gary ihn provoziert. »Was ist eigentlich mit euch beiden los? Habt ihr was laufen, wovon wir anderen wissen sollten?«

»Komm, Tom«, sagte Jeff, ohne sich aus der Reserve locken zu lassen.

»Du kannst ja schon gehen, wenn du willst«, erwiderte Tom. »Sieht so aus, als hätte ich Lust auf ein junges Fohlen.«

»Scheiße«, sagte er jetzt und versuchte das Bild des schmerzverzerrten Gesichts des Mädchens mit dem letzten ausgeatmeten Zigarettenrauch zu vertreiben. Er hätte auf Jeff hören sollen. Dann wäre er nicht unehrenhaft nach Hause geschickt worden. Die Armee hätte seine Ausbildung bezahlt. Er hätte ein Diplom machen, wie Jeff Personal Trainer werden und, umgeben von spärlich bekleideten Frauen, gutes Geld verdienen können, anstatt für den Mindestlohn unter einem Wichser wie Carter Sorenson bei Gap zu arbeiten. Sich mit diesem blöden Mädchen einzulassen, hatte ihn eine Menge gekostet.

Und trotz all ihres Gejammers konnte ihm keiner erzählen, dass sie nicht insgeheim jede Minute genossen hatte.

»Tom?«, fragte eine vertraute Stimme ein Stück entfernt.

Tom reckte den Hals um eine Gruppe junger Frauen herum, die die Straße hinunterschlenderten. Die kleine Brünette hatte einen netten Arsch, dachte er, als unvermittelt Wills Kopf in seinem Gesichtsfeld auftauchte. Mist. Als ob der Tag nicht schon beschissen genug wäre. Was machte der denn hier?

»Freut mich, dich zu sehen«, sagte Will. »Ich war mir nicht sicher, ob du hier sein würdest.«

»Wo sollte ich denn sonst sein?« Tom trat seine Kippe auf dem Bürgersteig aus und blinzelte Jeffs kleinen Bruder gegen die Sonne an.

»Ist Jeff da?«

»Was sollte Jeff denn hier wollen?«

»Du hast ihn heute noch nicht gesehen?«, fuhr Will fort, ohne Toms Gegenfrage zu beachten.

»Sollte ich?«

»Irgendjemand hat in aller Herrgottsfrühe angerufen. Du warst es nicht?«

»Ich war es nicht«, bestätigte Tom wortkarg.

Will trat von einem Fuß auf den anderen. »Jeff hat behauptet, sein Chef hätte angerufen. Er hat ihn gebeten, früher zu kommen.«

»Warum fragst du dann, ob ich es war?«

»Weil er nicht zur Arbeit gegangen ist. Offenbar hat er sich krankgemeldet.«

Tom zuckte seine knochigen Schultern. Seine Neugier war geweckt, aber das wollte er Will nicht zeigen.

»Er hat sein Portemonnaie zu Hause liegen lassen«, sagte der.

Lächelnd versuchte Tom eine Einschätzung der Lage. Jemand hatte Jeff in aller Herrgottsfrühe angerufen, worauf Jeff so überstürzt aufgebrochen war, dass er sein Portemonnaie vergessen hatte. Außerdem hatte er gelogen, als er gesagt hatte, wohin er wollte. Interessant, dachte Tom und entschied, dass eines sonnenklar war. Wenn Jeff nicht dort war, wo er angeblich sein sollte, war er dort, wo er sein *wollte*. Und das konnte nur eines bedeuten: bei einer Frau.

»Hat er irgendwas davon gesagt, dass er heute Morgen etwas erledigen muss?«, drängte Will.

»Glaubst du, wenn er etwas gesagt hätte, würde ich es dir erzählen?«, gab Tom kühl zurück.

»Hör mal. Ich versuche nicht, ihm nachzuspionieren oder mich in irgendwas einzumischen, das mich nichts angeht...«

»Tatsächlich?«, ging Tom mit Carters Ausdruck von vorhin dazwischen. »Weil es irgendwie so aussieht, als ob du genau das machen würdest.«

»Ich mache mir bloß Sorgen. Es sieht Jeff gar nicht ähnlich...«

»Es sieht ihm *absolut* ähnlich.«

»Okay«, gestand Will seine Niederlage ein. »Ich schätze, du kennst ihn besser als ich.«

»Und ob. Verdammt richtig.«

»Wenn du ihn so verdammt gut kennst«, sagte Will spitz, »dann sag mir auch: Wo zum Teufel steckt er?«

Tom spürte, wie er die Fäuste ballte. Er dachte, dass er nichts lieber täte, als dem kleinen Bruder eine blutige Nase zu verpassen. Stattdessen fischte er eine weitere Zigarette aus der Tasche. »Denk doch mal nach«, höhnte er, zündete die Zigarette an und atmete den frischen Rauch tief ein. »Jeff hat sowohl dich als auch seinen Boss darüber belogen, wo er ist. Warum? Was sagt uns das?«

»Mir sagt es, dass er allen möglichen Ärger haben könnte.«

Tom lachte. »Hast du auf deiner schicken Uni einen Kurs belegt, wie man das Offensichtliche übersieht?«

»Wie wär's, wenn du mich aufklärst?«

»Bist du sicher, dass du es wissen willst?«

»Ich bin sicher, dass du es mir erzählen willst.«

»Er ist mit einem Mädchen zusammen«, sagte Tom.

»Einem Mädchen«, wiederholte Will.

»Und nicht bloß mit irgendeinem Mädchen«, fuhr Tom fort und blies Will den Qualm seiner Zigarette direkt ins Gesicht. »Um was wollen wir wetten, dass er mit Suzy Granate zusammen ist?«

»Was? Du bist verrückt.« Will dachte an den Nachmittag, den er mit Suzy verbracht hatte, die stundenlangen weichen Küsse und zarten Liebkosungen.

»Denk doch mal nach«, sagte Tom noch einmal. »Wer hätte ihn sonst so früh anrufen und warum hätte er lügen sollen?« Tom machte eine Pause, um die Fragen sacken zu lassen. »Kein Vertun, kleiner Bruder. Er ist mit deiner Freundin zusammen. Blut ist ja vielleicht dicker als Wasser, aber am Ende übertrumpft eine Pussy alles.« Er lachte. »Scheiße, Mann, du solltest mal dein Gesicht sehen.«

Tom lachte immer noch, als Will sich umdrehte, die Straße hinunterlief und in einer Traube entgegenkommender Touristen verschwand.

KAPITEL 21

In Jeffs Kopf drehte sich alles, als er die Motelzimmertür hinter ihnen schloss. Er fühlte sich, als hätte er den ganzen Morgen Whisky statt Kaffee getrunken, als ob jemand ihm eine bewusstseinsverändernde Droge eingeflößt hätte, unter deren Einfluss alles, was er sah und fühlte, lebendiger und intensiver wirkte, sodass er sich an der Wand abstützen musste. Sofort schmiegte Suzy ihre Hand in seine, ihren Körper an seinen, und er spürte ihren warmen Atem an seinem Hals.

Das Zimmer war dunkel, die schweren Vorhänge ließen nur einige wenige hartnäckige Strahlen der Morgensonne durch. Jeff konnte die Umrisse eines runden Tischs erkennen, zwei Stühle am Fenster, eine Kommode mit Fernseher an einer Wand, daneben eine Stehlampe, ein Doppelbett, das den größten Teil des Zimmers einnahm, und eine Tür zum Bad. Er dachte, dass es ziemlich schlicht war, beinahe schäbig, und dass sie, wenn er sein Portemonnaie nicht vergessen hätte, ein Zimmer in einem der charmanten kleinen Hotels in South Beach hätten nehmen können. Sie hätten sich zwischen frischen weißen Laken den ganzen Tag lieben, in einem Whirlpool mit exotischen Ölen baden, vielleicht sogar Champagner bestellen können. Er dachte, dass sie etwas Besseres verdient hatte, und er wollte es ihr geben. Er wollte sie küssen und alles gutmachen, wollte ihr beweisen, dass nicht alle Männer brutal waren, dass sie auch sanft, freundlich und liebevoll sein konnten. Er dachte, dass er langsam vorgehen musste, behutsam und darauf bedacht, ihr nicht wehzutun, weil man ihr schon zu oft wehgetan hatte und er ihr keine weiteren Schmerzen bereiten wollte.

»Keine Angst«, hörte er sie sagen. »Ich bin nicht zerbrechlich.«

Und dann presste sie ihre Lippen so drängend auf seine, dass er sich wieder fühlte wie mit vierzehn, als die beste Freundin seiner Stiefmutter ihn in die Wunder des weiblichen Körpers eingeführt und ihm gezeigt hatte, wohin er seine zitternden Hände legen, wie er seine eifrige Zunge am besten einsetzen sollte. An all den Nachmittagen, an denen seine Stiefmutter dem kleinen Will bei seinen Schularbeiten geholfen hatte, hatte sie keine Ahnung, dass Jeff genauso emsig beschäftigt war, selbst ein paar wichtige Lektionen zu lernen.

Oder vielleicht auch doch. Vielleicht war es ihr einfach egal gewesen.

Wann war er einer Frau zum letzten Mal nicht egal gewesen?

»Ich will dir nicht wehtun«, murmelte Jeff, als Suzy seine Hände zu ihren Brüsten führte.

»Das wirst du schon nicht.«

Er spürte, wie sich ihre kleinen mädchenhaften Brüste in seine Handflächen drängten, und stöhnte laut, während er seine rechte Hand um ihre schmale Hüfte legte und sein rechtes Bein zwischen ihre Schenkel schob. Sie stolperten zum Bett. Er ging äußerst behutsam vor, löste seine Lippen nicht von ihren, während er die Knöpfe ihrer Bluse öffnete und den dünnen Stoff beiseiteschob. »Du bist so schön«, flüsterte er. Seine Augen hatten sich an die Dunkelheit gewöhnt, sodass er sie deutlich sehen konnte, als er mit den Fingern zart über die teure Spitze ihres BHs strich, fast mühelos den Verschluss auf der Vorderseite fand, ihn öffnete und ihre Brüste entblößte. Sie streckte ihm ihren Körper entgegen und hob ihre Brustwarzen an seine Lippen.

Wenig später lagen sie nackt nebeneinander und erkundeten den Körper des anderen, als wäre es für beide das erste Mal. Als er den Kopf zwischen ihren Schenkeln vergrub und sie mit seiner Zunge sanft erkundete, schrie sie laut auf und griff in sein Haar, und er stieß seine Zunge härter in sie, bis ihr ganzer Körper bebte und sie gleichzeitig lachte und weinte.

Im nächsten Moment drehte sie ihn auf den Rücken, wanderte in einer Linie sanfter Küsse von seiner Brust in seinen Schoß, nahm ihn in den Mund und brachte ihn langsam und geübt bis an den Rand des Höhepunkts. Er zog sich zurück und drang dann rasch in sie ein, sie klammerten sich fest aneinander, ihre Körper verschmolzen vollkommen, jede Zärtlichkeit eine berauschende Mischung aus Überraschung und Vertrautheit. Jeff hatte das Gefühl, mit einer Fremden zu schlafen, die er irgendwie schon sein Leben lang kannte.

Hinterher lagen sie sich still in den Armen. »Alles in Ordnung?«, fragte er nach einigen Minuten. »Ich hab dir doch nicht wehgetan, oder?«

»Du hast mir nicht wehgetan«, antwortete sie und küsste seine Brust. »Du bist ein wundervoller Liebhaber.«

»Ich wollte kein Kompliment hören«, sagte Jeff ehrlich.

»Ich weiß. Ganz im Gegensatz zu *mir*«, sagte sie, stützte sich auf die Ellbogen und kicherte wie ein Teenager. »War ich gut?«

Jeff lachte. »Soll das ein Witz sein? Du warst fantastisch.«

Suzy grinste von einem Ohr zum anderen, sodass man ihr zufriedenes Wohlbehagen auch im Dunkeln noch sehen konnte. »Ich hatte fast vergessen, wie es eigentlich sein soll.

Meistens liege ich einfach bloß da, lasse Dave sein Ding machen und warte, dass es vorbei ist.«

Jeff sagte nichts. Er wollte sich nicht vorstellen, dass Suzy mit einem anderen Mann zusammen war.

»Dave mag es nicht... mit dem Mund, weißt du.«

»Dann ist er nicht nur ein Dreckskerl, sondern auch ein Idiot«, erwiderte Jeff.

Suzy schmiegte sich seufzend enger an Jeff. »Wirst du irgendjemandem erzählen, was passiert ist?«

»Nein.«

»Nicht mal deinem Bruder?«

»Nein. Noch nicht.«

»Und was ist mit Kristin?«

»Was soll mit ihr sein?«

»Wirst du es ihr erzählen?«

»Nein«, sagte Jeff.

»Warum nicht?«, fragte Suzy. »Ich dachte, ihr hättet eine offene Beziehung.«

»Das hier ist etwas anderes«, sagte Jeff, obwohl er nicht wusste, inwiefern. Oder warum.

»Erzähl mir von ihr.«

»Von Kristin? Warum?«

»Ich bin bloß neugierig. Wie ist sie? Außer umwerfend schön.«

»Außer umwerfend schön«, wiederholte Jeff. »Ich weiß es wirklich nicht.«

»Was soll das heißen, du weißt es nicht? Du lebst doch mit ihr zusammen.«

»Kristin ist immer irgendwie reserviert. Sie lässt keinen zu nah an sich ran«, sagte Jeff, obwohl er wusste, dass er es nie wirklich versucht hatte. Selbst im Bett wahrte sie ihre Distanz, dachte er. Sicher, sie machte die richtigen Bewegungen, sagte und tat all die richtigen Dinge, aber irgendwas fehlte. Trotz ihrer provokanten Art ergriff sie selten die Initiative. Und so war es in vielerlei Hinsicht so, wie Suzy ihre ehelichen Pflichten mit Dave beschrieben hatte: Kristin lag einfach da, ließ Jeff sein Ding machen und wartete, dass es vorbei war.

»Wie würdest du reagieren, wenn du herausfinden würdest, dass sie etwas mit einem anderen Mann hatte und dir nichts davon erzählt hat.«

»Ich weiß nicht.« Er wäre vor allem überrascht, dachte Jeff. Vielleicht ein wenig verletzt. Und noch etwas, wie ihm in diesem Moment klar wurde. Er wäre erleichtert. »Wusstest du, dass Dave gestern im Wild Zone war?«

»Was?«

»Er hat Kristin angebaggert, ihr seine Karte gegeben und gesagt, sie solle ihn anrufen.«

»Das verstehe ich nicht. Warum sollte er …?«

»Du weißt doch, wie Hunde ihr Revier markieren, indem sie den Geruch eines anderen Hundes überpinkeln? Ich glaube, dein Mann hat im Grunde das Gleiche getan.«

»Interessanter Vergleich«, bemerkte Suzy.

»Was wollen wir seinetwegen unternehmen?«, fragte Jeff.

»Wie meinst du das?«

»Wirst du ihn verlassen?«

»Er würde mich nie gehen lassen.«

Jeff nickte und schwieg eine Weile. »Meine Mutter liegt im Sterben«, sagte er schließlich.

»Das tut mir leid.«

»Meine Schwester sagt, es könnte jeden Tag so weit sein. Sie will, dass ich nach Hause nach Buffalo komme.«

»Und machst du es?«

»Nein«, sagte er.

»Warum nicht?«

»Meine Mutter hat mich, als ich acht war, bei meinem Vater abgegeben. Sie sagte, dass sie meinen Anblick nicht ertragen könnte, weil ich ihm zu ähnlich sehe. In den folgenden Jahren habe ich sie nur noch unregelmäßig gesehen und dann überhaupt nicht mehr. Als sie noch gesund war, hatte sie kein besonderes Bedürfnis, mich zu sehen. Und mir geht es, jetzt wo sie krank ist, umgekehrt genauso. Das hört sich wahrscheinlich ziemlich gefühllos an.«

»Hey, ich war diejenige, die gesagt hat, sie wünschte sich, ihr Mann wäre tot«, gab Suzy mit ihrem traurigen Lächeln zurück.

»Wir sind schon ein echt tolles Paar.«

»Das finde ich wirklich.«

Jeff strich ihr eine Haarsträhne aus dem Gesicht. »Ich auch.«

»Und ich finde, du solltest hinfahren«, sagte Suzy.

»Was? Warum?«

»Weil ich glaube, dass du ihr sagen solltest, was du empfindest.«

»Ich soll einer Sterbenden sagen, dass ich sie hasse und verachte?«

»Tust du das?«

Jeff schüttelte den Kopf. »Ich weiß nicht.«

»Ich denke, du solltest hinfahren«, wiederholte Suzy, »um es herauszufinden.«

»Ich denke, du solltest deinen Mann verlassen.«

Suzy lächelte. »Wie soll ich das machen?«

»Mir fällt schon was ein«, sagte Jeff.

Kristin bezog gerade das Bett neu, als sie hörte, wie die Wohnungstür geöffnet und wieder geschlossen wurde. »Will?«, rief sie. »Bist du das?«

»Nein, ich bin's«, sagte Jeff, als er ins Schlafzimmer kam

und wiederholt an seinen Fingern schnupperte, um sicherzugehen, dass er alle Spuren von Suzy abgewaschen hatte. »Hast du mein Portemonnaie gesehen? Ich dachte, ich hätte es auf der Kommode liegen lassen.«

»Will hat es«, antwortete Kristin und sah ihn fragend an. »Er wollte es dir bei der Arbeit vorbeibringen? Hast du ihn nicht getroffen?« Kristin war sich nicht sicher, ob sie sich das nur eingebildet hatte oder ob Jeff tatsächlich zusammengezuckt war. Sie strich sich die Haare aus dem Gesicht, steckte ihre blau gestreifte Bluse in ihre abgeschnittenen Jeans und wartete auf seine Antwort.

»Ich war nicht bei der Arbeit«, gab er nach einer kurzen Pause zu.

»Nicht?«

»Nein.« Eine weitere Pause. »Ich habe dich und Will angelogen. Und dann Larry. Ich habe ihm gesagt, ich wäre krank.«

»Warum?«, fragte Kristin. »Wo warst du?«

Es entstand eine weitere Pause, länger als die beiden vorherigen. »Ich war bei Tom.«

»Was? Warum?«, fragte Kristin noch einmal und betrachtete Jeffs Gesicht. Hinter seinen Augen konnte sie die Rädchen seines Gehirns förmlich rotieren sehen wie ein Uhrwerk. Sie hörte zu, wie er seine ersten Lügen durch weitere Lügen erklärte, die sie sofort als solche erkannte – irgendwas darüber, dass Tom kurz vorm Ausflippen gewesen sei, weshalb er zu ihm hätte fahren müssen, um ihn zu beruhigen und ihm auszureden, irgendwas Verrücktes zu unternehmen. Und dann weitere Lügen darüber, dass er ihr und Will nicht die Wahrheit gesagt habe, weil er nicht wollte, dass sie sich Sorgen machten. »Du lügst mich doch sonst nicht an«, sagte Kristin leise, ohne irgendwelche Gefühle zu verraten. »Dafür bist du überraschend gut darin.«

»Es tut mir wirklich leid.«

Kristin nahm seine falsche Entschuldigung nickend entgegen. Dachten Männer wirklich, dass Frauen so leichtgläubig waren, oder war es ihnen einfach egal? »Wie geht es Tom?«, entschied sie, sein Spiel mitzuspielen. »Konntest du ihn beruhigen?«

»Ja.« Jeff seufzte, vor Erleichterung, wie Kristin begriff, dass sie seine Geschichte so schnell geschluckt hatte. »Hat den halben Vormittag gedauert«, schmückte er seinen Bericht unnötigerweise aus, wie Lügner es häufig taten. »Als ich ankam, ist er buchstäblich von den Wänden getitscht. Der ganze Scheiß mit Lainey setzt ihm echt schwer zu.«

»Sie war heute Morgen hier«, erzählte Kristin ihm.

Sofort spannte Jeffs Körper sich wieder an. »Lainey war hier? Warum?«

»Sie wollte, dass du mit ihm redest.«

»Na, siehst du«, sagte Jeff mit einem gezwungenen Lachen. »Auftrag schon erledigt.«

»Glaubst du wirklich, dass du zu ihm vorgedrungen bist?«

Jeff zuckte die Achseln, als wollte er sagen: »Wer weiß?«

»Du denkst doch nicht, dass er wirklich irgendwas machen würde, oder?«, fragte Kristin, die Laineys Tränen in ihren Armen noch spüren konnte.

»Was sollte er denn machen?«

»Lainey und den Kindern irgendwas antun.«

»Nein. Natürlich nicht. Tom tönt nur rum und redet Unsinn.«

»In Afghanistan hat er aber nicht nur rumgetönt.«

»Das war etwas anderes.«

»Tom ist immer noch derselbe.«

»Er kriegt sich schon wieder ein.«

»Er hat eine Pistole.«

»Nein«, sagte Jeff. »*Wir* haben seine Pistole. Schon vergessen?«

Kristin dachte an Toms Waffe in ihrer Nachttischschublade. Also lag sie doch noch da. »Er hat gesagt, er hätte noch mehr Waffen.«

»Tom sagt viel, wenn der Tag lang ist.«

»Und das meiste davon macht mir eine Höllenangst«, erwiderte Kristin.

»Und genau deshalb hab ich dir nicht erzählt, wo ich hingehe.«

Kristin legte die Arme um Jeffs Hals und hob ihren Kopf. »Du bist wirklich süß.«

Jeff gab ihr einen flüchtigen Kuss und löste sich aus ihrer Umarmung. »Ich muss los. Ich hab Larry gesagt, dass ich am Nachmittag kommen würde.«

O nein, musst du nicht, dachte Kristin, als ihr ein Hauch eines teuren Parfüms in die Nase stieg, das an seiner Haut haftete. Sie klimperte verführerisch mit den Wimpern und streckte erneut die Hand nach ihm aus. So leicht würde er ihr nicht davonkommen. »Bist du sicher, dass du nicht noch ein paar Minuten Zeit hast?«

»Ich würde ja gerne, aber...«

»Ich habe das Bett gerade bezogen. Es ist ganz frisch und sauber.«

»Klingt wirklich verlockend, aber ich kann nicht.«

»Wir könnten es im Stehen machen«, neckte sie ihn. »Das geht schneller. Vielleicht gleich hier an der Wand.«

Jeff lachte und wich in den Flur zurück. »Kann ich später darauf zurückkommen?«

»Ich weiß nicht«, säuselte sie und fing an, ihre Bluse aufzuknöpfen. »So schnell kommt die Chance vielleicht nicht wieder.«

»Oh, komm schon, Baby. Tu mir das nicht an. Ich muss wirklich los. Du willst doch nicht, dass ich meinen Job verliere, oder?«

Kristin ließ sich auf das frisch gemachte Bett fallen. »Okay, wenn du ein Spielverderber sein willst. Geh zur Arbeit. Aber du schuldest mir was.«

»Und ob.« Jeff kehrte zum Bett zurück und drückte Kristin einen zarten Kuss auf die Stirn.

»Bis bald«, rief Kristin, als Jeff aus dem Zimmer ging. Kurz darauf hörte sie die Wohnungstür zufallen.

Sie blieb eine Weile am Fuß des Bettes sitzen und versuchte zu begreifen, was genau das alles zu bedeuten hatte. Jeff hatte sie angelogen, was an sich schon ungewöhnlich war. Außerdem hatte er seinen Bruder und seinen Chef angelogen und das erst auf Nachfrage zugegeben. Das Geständnis hatte aus weiteren Lügen bestanden, obwohl man ihm lassen musste, dass er unter den gegebenen Umständen eine einigermaßen plausible Erklärung hinbekommen hatte. Nicht jeder Mann konnte so gedankenschnell improvisieren, wenn er sich in die Enge getrieben fühlte.

Ebenso wenig sah es Jeff ähnlich, eine schnelle Nummer auszuschlagen. Normalerweise ließ er keine Gelegenheit zum Sex aus, egal unter welchen Umständen und egal, ob er damit seinen Job aufs Spiel setzte. Hatte er seinen letzten nicht deshalb verloren, weil er ein bisschen zu vertraulich mit einer Kundin geworden war?

Damit blieb nur noch *eine* mögliche Erklärung für seine Täuschung: Er war mit jemand anderem zusammen gewesen.

Mit einer Frau.

Und nicht bloß mit irgendeiner Frau, die er im Fitnessstudio oder einer Bar aufgegabelt hatte; mit einer Frau, die man benutzen und wegwerfen konnte wie ein altes Taschentuch.

Nicht bloß eine weitere Kerbe im Colt, eine weitere Eroberung, mit der er vor den Jungs prahlen konnte. Diese war anders. Diese benutzte teures Parfüm und war es wert, ihretwegen zu lügen. Das bedeutete, die Geschichte ging über reinen Sex hinaus, Jeff empfand wirklich etwas für diese Frau, und *das* war der Grund, warum er ihr nicht die Wahrheit gesagt hatte.

Der Grund hieß Suzy Bigelow.

KAPITEL 22

Jeff beschloss, die gut ein Dutzend Blocks bis zur Arbeit zu laufen. Es war ein wunderschöner Tag, sonnig und heiß, aber nicht mehr so schwül wie in den letzten Wochen. Außerdem fühlte er sich großartig. Nicht dass er Kristin gerne angelogen hatte. Das nicht. Aber er war erleichtert, dass sie ihm die Geschichte mit Tom fraglos abgekauft hatte, und er redete sich ein, dass es keinen Grund gab, ihr die Wahrheit zu sagen, jedenfalls noch nicht, nicht bis er wusste, wo er mit Suzy stand.

»Suzy«, sagte er laut und genoss das Gefühl ihres Namens auf seinen Lippen. Wann hatte er je so für eine Frau empfunden?

Hatte er so etwas überhaupt schon einmal erlebt?

Zunächst hatte er angenommen, dass seine Leidenschaft vor allem durch ihre Zurückweisung geschürt worden war, durch ihre gespielte Gleichgültigkeit gegenüber seinem lockeren Charme und die Tatsache, dass sie seinen Bruder vorgezogen hatte. Dass sie zudem verheiratet war, hatte sie noch reizvoller gemacht. Aber zum einfach Abschleppen hatte sie sich als zu kompliziert erwiesen. Und nun hatte sie sich – gleichermaßen tough wie verletzlich – um seinen Verstand gewickelt wie eine elastische Binde. Noch heute Morgen hatte er geglaubt, nachdem er sie flachgelegt hatte könne er sie sich endlich aus dem Kopf schlagen, doch nun war das Gegenteil eingetreten. Sie beherrschte seine Gedanken noch mehr als zuvor, wie Hieroglyphen, die in die Innenwand seines Schädels geritzt worden waren. Er konnte keinen Atemzug tun, ohne das sanfte Beben ihrer Brust an seiner zu spüren.

Er wusste, dass er sich lächerlich machte. Er kannte sie noch nicht einmal eine Woche, Herrgott noch mal. Fünf Tage! Wie hatte es eine Frau, die er kaum kannte, geschafft, ihn dermaßen komplett zu besetzen? Ja, sie waren gut zusammen im Bett, besser als gut, verbesserte er sich schnell. Vielleicht sogar toll. Aber wie hieß es noch so schön? Selbst wenn der Sex schlecht war, war es gut?

Bloß dass es eben nicht nur Sex gewesen war, wie Jeff jetzt erkannte. Er hatte sie nicht genagelt, gebumst oder gefickt. Während es beim Geschlechtsakt normalerweise nur um ihn ging – *sein* Begehren, *seine* Lust, *seine* Befriedigung –, war alles, was er mit Suzy gemacht hatte, für *ihr* Begehren, *ihre* Lust, *ihre* Befriedigung gewesen. Von dem Moment an, in dem sie das Hotelzimmer betreten hatten, war alles, was er getan hatte, *für* sie und nicht *mit* ihr gewesen. Sie hatten sich wirklich geliebt, erkannte er und blieb wie angewurzelt stehen, weil er zum ersten Mal die Bedeutung dieses Ausdrucks zu begreifen begann.

Und was genau bedeutete es, fragte er sich, während er sich zwang, einen Fuß vor den anderen zu setzen und weiterzugehen. Bedeutete es, dass er dabei war, sich zu verlieben? »Sei nicht albern«, ermahnte er sich und blieb wieder stehen, als er sein Spiegelbild in dem großen Schaufenster eines Reisebüros erblickte. Er starrte den Fremden im Spiegel an, als wollte er ihn fragen: Wer bist du? Und was hast du mit Jeff gemacht?

Wie kann ein Mann, der selbst nie geliebt wurde, überhaupt begreifen, was es bedeutet, einen anderen Menschen zu lieben, fragte sein Spiegelbild zurück.

Ich weiß nicht, gab Jeff stumm zu. Aber wenn es Liebe war, wenn man vierundzwanzig Stunden am Tag an jemanden dachte, dann liebte er sie wie verrückt.

»Scheiße«, sagte er laut. Was war bloß mit ihm los?

»Kann ich Ihnen irgendwie helfen?«, fragte die Frau hinter der Schaufensterscheibe stumm. Sie trat in sein Spiegelbild und verdeckte mit ihrer breiten Statur seine ohnehin flüchtige Reflektion, während sie auf ein handgeschriebenes Schild mit Schnäppchenreisen zeigte. Er könnte für weniger als siebenhundert Dollar nach London fliegen, nach Rom für knapp neunhundert. Es gab einen siebentägigen All-Inclusive-Urlaub in Cancún für nur 499 Dollar. »Ein echtes Supersonderangebot«, hörte Jeff die Frau hinter der Scheibe sagen.

Er schüttelte den Kopf und winkte ab, obwohl der Gedanke, mit Suzy an einen exotischen Ort zu verschwinden, unerträglich verlockend war. Aber auch wenn er vielleicht Larry überzeugen könnte, ihm ein paar Tage freizugeben, und vielleicht sogar Kristin erklären könnte, dass er ein wenig Zeit für sich brauchte, glaubte er kaum, dass Suzy sich eine Geschichte ausdenken könnte, die ihren Mann überzeugen würde, sie eine Woche ohne ihn verreisen zu lassen.

Es sei denn, Dave Bigelow war gar nicht mehr auf der Bildfläche.

Ja, klar! Jeff wandte sich hastig von dem Schaufenster ab und beschleunigte seine Schritte. Was zum Teufel dachte er sich bloß zusammen?

Ich habe so schreckliche Gedanken, hörte er Suzy sagen. *Wenn er schläft, denke ich daran, eins der großen langen Messer aus der Küche zu holen und ihm direkt ins Herz zu stechen. Oder seine Matratze anzuzünden. Oder ihn mit dem Wagen zu überfahren. Manchmal stelle ich mir vor, wie wunderbar es wäre, wenn ein Einbrecher ihn erschießen würde.*

Wäre er dazu imstande? Konnte er in das Haus eines Mannes eindringen und ihn kaltblütig erschießen, fragte Jeff sich. Schweiß stand auf seiner Stirn, als er um die Straßenecke kam und die Bäckerei unter Elite Fitness sah. »Kommt nicht in Frage. Du bist total verrückt geworden«, sagte er laut, öffnete die Tür und starrte auf die Treppe zum Studio.

»Hey«, sagte Caroline Hogan, die in diesem Moment auf dem oberen Absatz auftauchte. Hinter den geschlossenen Türen des Studios dröhnte laute Rockmusik. »Wo waren Sie heute Morgen? Wir haben Sie vermisst.«

»Eine leichte Lebensmittelvergiftung.«

»Igitt. Nun, zum Glück hat Larry jemanden gefunden, der für Sie einspringen konnte«, sagte sie und berührte auf dem Weg die Treppe hinunter seinen Arm. »Er war sogar ziemlich gut. Wie dem auch sei, gute Besserung. Ich muss los.«

»Schönen Tag noch«, murmelte Jeff über die Schulter und stieg die Stufen hinauf.

Sobald er das Fitnessstudio betreten hatte, stand Melissa neben ihm. »Ich glaube, das gehört dir«, sagte sie vertraulich und gab Jeff sein Portemonnaie. »Irgendein Typ hat es heute Morgen vorbeigebracht. Er wirkte ziemlich durcheinander, als ich ihm erklärt habe, dass du dich krankgemeldet hättest. Kann sein, dass Larry irgendeinen Verdacht geschöpft hat.«

»Schon okay«, sagte Jeff. »Mach dir keine Sorgen.«

»Alles in Ordnung mit dir?«

»Mir geht es gut. Viel besser«, verbesserte er sich, als er Larry auf sich zukommen sah.

»Perfektes Timing«, sagte Larry. »Dein nächster Kunde müsste jeden Moment hier sein.«

»Tut mir leid wegen heute Morgen«, entschuldigte Jeff sich und wollte zu einer längeren Erklärung ansetzen, aber Larry hatte sich schon wieder abgewandt. »Wer ist der Kunde?«, fragte er Melissa.

»Ein Neuer.« Als Melissa in ihren Terminplan blickte, hörte man schwere Schritte die Treppe hinaufkommen. »Ich glaube, Larry hat gesagt, er wäre Arzt«, fügte sie hinzu, als die Tür aufging und Dave Bigelow das Studio betrat.

Will war den halben Vormittag wie umnebelt durch die Straßen von South Beach gelaufen. Nur um ein Haar konnte er einem jungen Mann ausweichen, der auf Rollerblades die Drexel Avenue hinunterschoss, nur um frontal mit einer Frau mit Gehstock zusammenzuprallen, die aus dem Espanola Way Art Center kam. Sie hatte ihn auf Spanisch beschimpft und ihren Stock geschwungen, als wollte sie ihn verprügeln. *Stocksauer* nennt man so was, dachte er lachend und stolperte weiter in den wunderschönen Flamingo Park. Dort hatte er zehn Minuten gedankenverloren die Jogger auf den malerischen Pfaden beobachtet und dann eine Weile ein paar Typen in engen Shorts und mit nacktem Oberkörper beim Basketballspielen zugesehen. Als einer der Spieler ihn gefragt hatte, ob er mitmachen wolle, hatte Will dankend abgelehnt, war weitergeschlendert und zehn Minuten später an dem großen Freiluft-Schwimmbecken stehen geblieben, wo er beobachtet hatte, wie eine Gruppe kichernder Teenager an einer Figur im Synchronschwimmen scheiterte.

Anschließend war er mehreren Radfahrern in den Art déco District gefolgt, eine Quadratmeile voll mit Art-déco-Häusern, Hotels und diversen Bauwerken aus den 1930er und 1940er Jahren, die meisten in den 1980ern in einer bunten Palette von *Miami Vice*-Pastelltönen neu gestrichen. Schließlich erreichte er den Ocean Drive, wo er einige Minuten vor der mediterranen Villa stand, in der Gianni Versace gewohnt hatte. Er bewunderte ihre architektonische Verspieltheit und verscheuchte die Libellen, die seinen Kopf umschwirrten wie eine Schwadron Mini-Hubschrauber. Eine kleine Schar winziger Geckos verfolgte seinen ziellosen Weg, flitzte über die Bürgersteige und huschte zwischen seinen Füßen hin und her, bis sie schließlich in einem üppigen Wildwuchs aus Palmen, Farnen und Blumen verschwanden, wie er hier auf jeder freien Fläche wucherte. Südflorida war schließlich bloß ein Dschungel, erinnerte er sich.

You are in the wild zone.
Enter at your own risk.

Zuletzt fand Will sich an der Kreuzung Espanola Way und Washington Avenue wieder. Er saß eine Weile in Kafka's Cyber Kafe und blätterte in einer Reihe obskurer ausländischer Zeitschriften, obwohl er weder Französisch noch Italienisch noch Deutsch sprach. Er überlegte, seiner Mutter von einem der zahlreichen Computer im hinteren Teil des Ladens eine E-Mail zu schicken, entschied sich dann aber dagegen. Was sollte er ihr auch schreiben?

Dass sie in Bezug auf Jeff recht gehabt hatte?

Hatte sie wirklich recht, fragte Will sich, hörte seinen Magen knurren und merkte, dass er noch gar nichts zu Mittag gegessen hatte. »Und iss auch was«, hatte seine Mutter ihn ermahnt, praktisch ihre letzten Worte vor seinem Aufbruch nach Miami. Nicht »Grüß Jeff.« Nicht einmal »Mach keine Dummheiten.« Nein, sie hatte gesagt: »Und iss auch was.« Einen Rat, wie man ihn einem Kind gab.

War es das, was alle in ihm sahen?

»Ich nehme einen doppelten Espresso«, erklärte er dem jungen Mann hinter der Theke des Cyber Kafe.

Es war ein Fehler gewesen, nach Miami zu kommen, entschied er. Ein Fehler, Jeff aufzusuchen und zu glauben, er könne einfach so zu seinem Bruder gehen, nachdem er jahrelang nicht mit ihm geredet hatte. Ein Fehler zu glauben, ihr Verhältnis würde tatsächlich besser werden und er wäre für Jeff mehr als eine nebensächliche Kuriosität, mehr als eine lästige Erinnerung an eine unglückliche Vergangenheit; ein Fehler zu glauben, dass er seinem Bruder tatsächlich etwas bedeuten und sein Freund werden könnte. Dass sie nicht bloß »Halbbrüder« waren mit all den unschönen Konnotationen, die die Vorsilbe »Halb« enthielt, als ob jeder der Brüder irgendwie weniger wäre, als hätte man beide in zwei Hälften geteilt, die nie ein Ganzes ergaben.

Es war ein Fehler, nach Florida zu kommen, dachte er und versuchte die Bilder von Suzy in den Armen seines Bruders zu verdrängen. War es möglich, dass Tom mit seiner Vermutung richtiglag?

Die Augen gegen die grelle Sonne abschirmend, verließ Will das Café und meinte auf seinem Weg die Washington Avenue hinunter im Schatten jedes Baumes Jeff und Suzy in inniger Umarmung zu sehen.

Er wusste nicht, wohin mit sich. In die Wohnung konnte er schlecht zurückkehren. Kristin würde mit einem Blick sehen, dass irgendetwas vorgefallen war. Konnte er sie ebenso leicht anlügen, wie Jeff es getan hatte? Konnte er ihr sagen, was Tom ihm erzählt hatte?

Bestand auch nur die geringste Chance, dass Tom recht hatte?

Will fragte sich, wie Kristin reagieren würde. Würde es sie überhaupt kümmern? Würde sie mit ihm über den gemeinsam erlittenen Betrug weinen und über die Ungerechtigkeit des Ganzen wüten? Oder es als der Aufregung nicht wert abtun und ihm raten, sich die Sache nicht zu sehr zu Herzen zu nehmen? »Das hat nichts zu bedeuten«, würde sie sich und ihn wahrscheinlich besänftigen.

Aber so war es nicht. Zumindest ihm bedeutete es etwas.
Und das wusste Jeff.
Und es war ihm egal.
»Eine Wette ist eine Wette, kleiner Bruder«, konnte er ihn sagen hören.
Ging es wirklich nur darum?
»Verdammt, Jeff«, flüsterte Will. »Fahr verdammt noch mal zur Hölle.«

»Sie haben ja Nerven, hier aufzutauchen«, sagte Jeff zu dem Mann, der vor ihm stand. Seine Stimme klang ruhig und erstaunlich fest in Anbetracht dessen, was in seinem Körper vor sich ging – seine Nervenenden loderten, seine Muskeln zuckten schmerzhaft, sein Herz pochte in seiner Brust, und er hatte einen Kloß im Hals.

»Ich würde sagen, damit wären wir quitt.« Dave Bigelow verschränkte lächelnd die Arme vor seiner breiten Brust. Er trug ein kurzärmeliges weißes T-Shirt, knielange blaue Nylonshorts, weiße Socken und teure Laufschuhe von Nike.

»Was wollen Sie?«

»Ich hab beschlossen, dass es Zeit wird, etwas für meine Fitness zu tun. Man muss schließlich in Form bleiben«, sagte Dave, »Sie haben neulich erwähnt, dass Sie Trainer sind. Ich hab mich ein bisschen umgetan und ein paar gute Dinge über Sie gehört. Also dachte ich mir, ich check es mal aus.«

Jeff fragte sich, wie viel er wusste. War er zu Hause gewesen, hatte Suzy gesehen und die Wahrheit aus ihr herausgeprügelt? War er ihr heute Morgen nachgefahren, hatte sie in dem Café gesehen und war ihnen zu dem Motel gefolgt? »Sie scheinen mir auch so schon ganz gut in Form«, erwiderte Jeff und blickte auf Daves riesige Pranken. Hände, mit denen er eine hilflose Frau schlug, dachte Jeff. Hände, mit denen er sie festhielt, während er gewaltsam in sie eindrang. Du mieses Stück Scheiße, dachte er. Ich sollte dir dein beschissenes Genick brechen. Stattdessen sagte er: »Ich glaube nicht, dass ich der richtige Trainer für Sie bin.«

Dave musterte ihn amüsiert. »Tatsächlich? Und wieso nicht?«

»Jeff...«, warnte Melissa ihn, als Larry nahte.

»Probleme?« Wie oft hatte er das in letzter Zeit gefragt?

»Dr. Bigelow? Ich bin Larry Archer«, sagte Larry und streckte die Hand aus. »Wir haben heute Morgen telefoniert.«

»Freut mich, Sie persönlich kennenzulernen.« Dave schüttelte kraftvoll Larrys Hand.

»Wie ich sehe, haben Sie Jeff bereits gefunden. Dr. Bigelow hat ausdrücklich nach dir verlangt«, erklärte Larry Jeff. »Er sagte, er hätte Gutes über dich gehört.«

»Leider hat Jeff offenbar den Eindruck, er sei nicht der richtige Mann für den Job«, sagte Dave.

Selbst im Profil konnte man Larrys flüchtiges Stirnrunzeln erkennen. »Ach was? Und wieso nicht?«

»Ich dachte bloß, dass Dr. Bigelow vielleicht lieber mit dem Chef persönlich arbeitet«, improvisierte Jeff.

Larry kniff argwöhnisch die Augen zusammen. »Ich bin sicher, du kriegst das prima hin«, sagte er. »Viel Spaß beim Training, Dr. Bigelow.«

»Nennen Sie mich Dave, bitte.«

»Viel Spaß beim Training, Dave.« Larry ging zurück zu seinem Kunden auf der anderen Seite des Raumes.

»Wollen Sie das wirklich durchziehen?«, fragte Jeff, als Larry außer Hörweite war.

»Gehen Sie voran«, sagte Dave.

Jeff musste die Fersen seiner Sportschuhe in den Holzboden stemmen, um sich nicht auf Dave zu stürzen. Ein satter Tritt in den Unterleib, dachte er, ein Handkantenschlag in den

Nacken, mehr bräuchte es nicht, um ihn so hilflos zu machen, wie Suzy es gewesen war. Jeff bekam eine Gänsehaut, wenn er daran dachte, dass dieses Schwein sie anfasste. Was zum Teufel wollte er wirklich hier? Was für ein Spiel spielte er? Was immer es war, entschied Jeff, er konnte auch mitspielen. Und gewinnen. Du willst ein bisschen trainieren, du Drecksack? Kannst du haben. Ich heize dir höllisch ein, dachte er und lächelte. »Vielleicht wärmen Sie sich erst mal ein bisschen auf dem Laufband auf.«

»Vielleicht mache ich das«, willigte Dave ein und stieg auf eins der Bänder.

Arschloch, dachte Jeff, schaltete die Maschine ein und beschleunigte rasch auf das vierte Level. »Ich habe gehört, Sie waren gestern Abend im Wild Zone«, sagte er und erhöhte das Tempo erst auf fünf, dann auf sechs.

»Ich dachte, ich schau mal vorbei und guck mir den Laden an«, bestätigte Dave in lockerem Trab.

»Schließt das auch meine Freundin mit ein?«

Dave wirkte ehrlich überrascht. »Ich bin mir nicht sicher, ob ich weiß, wovon Sie reden.«

»Aber ich.«

Dave runzelte die Brauen, als würde er ernsthaft versuchen, sich die Sache zusammenzureimen. »Die Frau hinter der Theke ist Ihre Freundin? Ich hatte keine Ahnung.«

Jeff schaltete das Laufband auf Level sieben hoch. »Ich dachte, Sie wären glücklich verheiratet.«

»Oh, das bin ich«, sagte Dave. »Sehr glücklich.«

»Glücklich verheiratete Männer baggern in der Regel keine anderen Frauen an.«

»Hast sie Ihnen das erzählt? Dass ich sie angebaggert habe? Tut mir leid, wenn ich diesen Eindruck erweckt habe. Das wollte ich ehrlich nicht«, sagte Dave, als Jeff auf Level acht hochschaltete. »Wenn ich mich recht an die Unterhaltung erinnere, hat sie mir erzählt, dass sie gelegentlich als Model arbeitet«, fuhr er fort und beschleunigte, immer noch relativ locker atmend, seine Schritte. »Ich bin zufällig mit einem berühmten Fotografen befreundet. Er fotografiert alle Topmodels. Seine Bilder werden ständig in irgendwelchen Zeitschriften abgedruckt. Ich habe ihr angeboten, den Kontakt herzustellen. Das war alles.«

»Hm-hm. Wie kommen Sie mit dem Tempo zurecht?«, fragte Jeff.

»Spaziergang«, meinte Dave.

»Meinen Sie, Sie könnten noch ein bisschen mehr vertragen?«

»Nur zu.«

Jeff schaltete die Geschwindigkeit vom achten aufs neunte und wenig später aufs zehnte Level hoch, sodass Dave jetzt flotte sechzehn Stundenkilometer lief. Nach zwei Minuten begann er ein wenig heftiger zu atmen. So, du elender Wichser, jetzt kannst du keuchen und hecheln, bis dein Herz schlappmacht. Jeff ließ ihn weitere zwei Minuten auf der Stelle laufen, in denen sich Daves Gesichtsfarbe von rosa zu dunkelrot verfärbte und erste Schweißperlen an seinem Haaransatz sichtbar wurden. Als Jeff bemerkte, dass Larry ihn beobachtete, schaltete er die Maschine aus. »Und jetzt zwanzig Liegestützen«, sagte er und wies auf den Boden.

Dave gehorchte lächelnd, streckte die Beine aus, winkelte die Arme an und drückte sich auf den Handflächen nach oben.

»Langsamer«, sagte Jeff und legte eine 20-Kilo-Hantelscheibe auf Daves Rücken. Er hatte sich gewünscht, dass er hart rangenommen wurde, und den Wunsch wollte Jeff ihm gerne erfüllen. Was machst du hier, Arschloch? Glaubst du, ich wäre so leicht einzuschüchtern wie eine Frau, die halb so groß und schwer ist wie ich? Glaubst du, ich bin beeindruckt, weil du ein paar Liegestützen schaffst? Damit kannst du mir in der Hölle imponieren, du eingebildetes Stück Scheiße, wütete er stumm. »Noch ein bisschen tiefer«, sagte er laut.

»Okay, jetzt nehmen Sie die«, wies er Dave an, nachdem der seinen letzten Liegestütz absolviert hatte. Schweiß tropfte von seinem Haaransatz auf seine Wangen, als Jeff ihm zwei 15-Kilo-Kurzhanteln in die Hand drückte und ihn anwies, zwei Minuten Walking Lunges zu machen, Ausfallschritte in Kombination mit Kniebeugen. »Das ist sehr gut für die Herzfrequenz, Doktor. Von den Oberschenkeln ganz zu schweigen«, erklärte er ihm und bemerkte Larrys besorgten Blick, als Dave an ihm vorbeikam.

»Okay, auf den Rücken«, ordnete Jeff nach den zwei Minuten an, nahm einen Gymnastikball und legte ihn zwischen Daves Füße. »Sie machen einhundert Crunches, indem Sie den Ball zwischen Händen und Füßen wechseln.«

»Einhundert?«

»Ist Ihnen das zu viel?«

»Nö«, sagte Dave, hob Beine und Oberkörper in die Luft und ließ den Ball von seinen Füßen in seine ausgestreckten Hände rollen. »Kleinigkeit.«

»Gut. Davon bekommen Sie einen schönen flachen Bauch. Ich meine, ich hätte da eine kleine Speckrolle gesehen. Ich bin sicher, Sie wollen das Altern so lange wie möglich hinausschieben.«

»Ich denke, das ist mir bis jetzt auch ganz gut gelungen.«

»Nicht schlecht jedenfalls«, sagte Jeff. »Wie kommt es übrigens, dass ein schwer beschäftigter Arzt wie Sie mitten am Tag Zeit hat zu trainieren?«

»Ich lasse das Mittagessen aus.«

»Wahrscheinlich keine schlechte Idee. Langsamer. Kommen

Sie noch einen Tick höher. Und das Kinn an die Brust.« Du Sackgesicht. »So ist's besser.«

»Was haben Sie noch für mich?«, fragte Dave, als er die Crunches hinter sich hatte.

»Kreuzheben mit Hantel, zehn Wiederholungen«, sagte Jeff und schob vier weitere Hantelscheiben auf eine schon schwere Hantel, die nun insgesamt 100 Kilo wog. »Das trainiert die Muskeln im ganzen Körper.« Wenn es dich nicht vorher umbringt, dachte er. »Wie ist das Gewicht? Okay für Sie?«

»Was Sie austeilen, kann ich schon ab«, erwiderte Dave vor Anstrengung grunzend, das knallrote Gesicht schweißüberströmt. Nach den zehn Wiederholungen stützte er sich auf die Knie und beugte sich schwer atmend vor.

»Trinken Sie einen Schluck Wasser, und folgen Sie mir«, sagte Jeff und hob einen 10-Kilo-Medizinball vom Boden.

Dave füllte einen Pappbecher mit eiskaltem Wasser aus dem Spender und stürzte ihn hinunter. »Wohin gehen wir?«

»Auf die Treppe.« Als sie das Studio verließen, warf Jeff ihm den Medizinball zu. »Hoch und runter. Fünf Minuten.«

»Fünf Minuten?«

»Es sei denn, das ist Ihnen zu viel.«

Dave lächelte, atmete tief ein und begann die Stufen hinunterzulaufen. »Irgendwas riecht gut«, sagte er und lachte. »Und ich glaube nicht, dass ich das bin.«

»Unten ist eine Bäckerei.«

»Ist mir schon aufgefallen. Wenn ich hier fertig bin, schaue ich vielleicht mal kurz rein, kaufe frisches Gebäck und überrasche meine Frau morgen früh mit einem Frühstück im Bett. Glauben Sie, das würde ihr gefallen?«

Ich glaube, es würde ihr gefallen, dich aus dem Maul eines Alligators baumeln zu sehen, dachte Jeff. »Ich war noch nie ein großer Fan von Gebäck und Kuchen.«

»Sie wissen nicht, was Sie verpassen«, erwiderte Dave augenzwinkernd.

»Noch drei Minuten«, erklärte Jeff ihm. »Schneller können Sie nicht?«

»Wenn Sie schneller wollen, kriegen Sie schneller«, sagte Dave, obwohl er nach den fünf Minuten die Stufen beinahe hinaufkroch. »Okay. Was jetzt?«

Jeff führte ihn wieder nach drinnen und wies auf eine hohe Stange. »Zwölf Klimmzüge.«

»Das ist aber ein ziemlich anstrengendes Training«, bemerkte Larry leise zu Jeff, als Dave nach dem sechsten Klimmzug unkontrolliert an der Stange zu baumeln begann. »Wie kommen Sie zurecht?«, fragte er Dave. »Jeff lässt Sie doch nicht zu hart arbeiten?«

»Mir geht es prima«, sagte Dave, bemüht, seine Beine wieder unter Kontrolle zu bekommen.

»Vielleicht solltest du es ein bisschen lockerer angehen lassen«, flüsterte Larry Jeff zu.

»Larry meint, ich sollte lieber einen Gang zurückschalten«, sagte Jeff laut und begann, sich richtig zu amüsieren. »Was meinen Sie?«

»Nee, ich bin okay.«

Du bist ein Stück Scheiße, dachte Jeff und lächelte Larry an, während Dave nach Abschluss der Übung schweißüberströmt mehr oder weniger zusammenbrach. »Okay, zwei Sätze Kniebeugen mit Hanteln. Sie schaffen doch 25 Kilo, oder?« Er drückte Dave eine 25-Kilo-Kurzhantel in die rechte und eine weitere in die linke Hand. »Wie fühlt sich das an?«

»Prima.«

»Sehr gut. Den Rücken gerade und noch ein Stück tiefer kommen.«

Sobald Dave die dreißig Kniebeugen absolviert hatte, führte

Jeff ihn zu einer Bank, wo er ihm zwei Mal fünfzig Dips mit zwei 40-Kilo-Hantelscheiben auf den Schenkeln auftrug, bevor er ihn auf einem Standfahrrad noch fünf Minuten auf Level fünfzehn strampeln ließ.

»Ich glaube, das reicht«, brachte Dave nach Abschluss der letzten Übung keuchend heraus. Seine Beine waren wie Pudding, als Jeff ihn zu einer Bank auf der anderen Seite des Raumes führte. »Ich sollte wahrscheinlich besser zurück zur Arbeit.«

Jeff sah auf seine Uhr. »Wir haben noch ein bisschen Zeit«, sagte er wegwerfend. »Wie wär's mit ein bisschen Negativ-Bankdrücken? Wir fangen mit zehn Wiederholungen bei einhundert Kilo an. Es sei denn, Sie glauben, dass Sie das nicht schaffen...«

Dave ließ sich auf die Bank fallen, senkte den Kopf zwischen die noch immer zitternden Knie und rang nach Luft.

»Alles in Ordnung?«

»Nur eine Minute.«

»Nehmen Sie sich so viel Zeit, wie Sie brauchen.«

»Alles in Ordnung hier?«, fragte Larry, der plötzlich neben Dave aufgetaucht war.

Dave hob den Kopf, Schweiß floss von seiner Stirn auf seine Schenkel wie aus einem Krug. Er sah aus, als würde er jeden Moment ohnmächtig werden.

»Hol ihm Wasser«, blaffte Larry Jeff an.

Im nächsten Moment stand Dave unsicher auf und taumelte zur Toilette. Wenig später erfüllte das brutale Geräusch wiederholten Würgens das Studio, beinahe so laut wie die dröhnende Rockmusik aus den Boxen.

»Was zum Teufel glaubst du, was du hier machst?«, wollte Larry von Jeff wissen.

»Er wollte ein Killer-Training. Ich hab es ihm einfach gegeben.«

»Und ob du es ihm gegeben hast. Was hatte das zu bedeuten?«

»Du hast ihn doch gehört – er hat beteuert, dass er es verträgt.«

»Du bist derjenige, der das beurteilen sollte. Scheiße. Hör ihn dir an. Wir haben Schwein, wenn er uns nicht verklagt.«

»Er wird nicht klagen.«

»Er kotzt sich da drinnen die Seele aus dem Leib.« Larry begann frustriert auf und ab zu laufen. »Was gibt's da zu grinsen?«

»Ich grinse nicht.«

»Pass mal auf, ich kann diesen ganzen Mist nicht gebrauchen.«

»Ich grinse nicht«, wiederholte Jeff und versuchte, sein breiter werdendes Lächeln zu unterdrücken. Das geschah dem Schwein recht, dachte er. Mit ein wenig Glück erlitt er einen Herzinfarkt und war noch vor Ende des Tages tot.

»Du bist sarkastisch gegenüber Kunden«, sagte Larry. »Du meldest dich krank, obwohl du offensichtlich kerngesund bist, du bringst einen Typen beinahe um, weil… Warum? Hast du was gegen Ärzte?«

»Ich kann das erklären.«

»Spar dir die Mühe. Du bist hier fertig.«

»Was?«

»Du hast mich verstanden. Du bist gefeuert. Und jetzt verschwinde hier. Ich schicke dir einen Scheck über den ausstehenden Lohn. Aber ich will dich nie wieder hier sehen.«

»Komm schon, Larry. Findest du das nicht ein bisschen übertrieben?«

»Hau einfach ab.«

Scheiße, dachte Jeff und stand eine Minute schweigend da, ehe er langsam zur Tür ging.

»Ciao, Jeff«, flüsterte Melissa. »Ruf mich mal an.«

Als Jeff sich noch einmal umdrehte, sah er Dave aus der Toilette kommen. Der Arzt hob langsam den Arm und winkte ihm zu. »Auf Wiedersehen«, sagte er tonlos und warf Jeff eine Kusshand zu.

KAPITEL 23

Tom zählte die Minuten bis zum Ladenschluss, als er Carter in der Nähe des Eingangs mit einem Mann reden sah. Der Mann war jung, was in einem Laden wie Gap nicht unüblich war, trug jedoch Anzug und Krawatte, was hingegen durchaus außergewöhnlich war. Tom schätzte, dass er ein Möchtegern war – möchtegern jung, hip, up-to-date, cool, ohne es in irgendeiner Kategorie zu schaffen. So kurz vor Feierabend wollte Tom sich auf keinen Fall noch um die komplette Neueinkleidung des Schnösels kümmern und suchte Deckung hinter einem Ständer mit wehenden Sommerkleidern, aber Carter war leider schneller.

»Das ist er«, hörte er ihn sagen und sah, wie er den Mann zu dem Ständer schickte, hinter dem Tom kauerte.

»Kann ich Ihnen irgendwie behilflich sein?«, fragte Tom, der widerwillig wieder aufgetaucht war und den jungen Mann mit dem am Hinterkopf erkennbar schütteren mausblonden Haar wütend anstarrte. Möchtegern bringt's im Leben nicht, dachte Tom.

»Tom Whitman?«, fragte der Mann.

Tom erstarrte. Seit wann redete ihn ein Kunde mit seinem Namen an? »Ja?«

Der Mann zog einen braunen Umschlag aus seiner Anzugjacke. »Für Sie«, sagte er, drehte sich um und ging.

»Was zum Henker ist das?«, rief Tom ihm nach.

Der Mann verschwand eilig durch die Ladentür.

»Wer war das?«, fragte Carter, der sich vorsichtig näherte.

Tom riss den Umschlag auf und überflog das Schreiben, ohne sich auf einen einzelnen Satz konzentrieren zu können.

»Ist das eine gerichtliche Anordnung?«, fragte Carter und reckte den Hals.

»Die blöde Schlampe.«

»Ihre Frau hat Ihnen gerichtlich verbieten lassen, sich ihr zu nähern?«

»Das wird ihr noch leidtun.«

»Hier steht«, sagte Carter, rückte seine Brille zurecht und drängte sich noch näher an Tom, »dass Sie sich Elaine Whitman, ihren Eltern und ihren Kindern nicht auf weniger als dreihundert Meter nähern dürfen.«

»*Meinen* Kindern«, verbesserte Tom ihn.

»Nun ja, wessen auch immer, Sie dürfen ihnen nicht näher als dreihundert Meter kommen.«

»Von wegen.«

»Bei Zuwiderhandlung droht Ihnen eine Verhaftung.«

»Die blöde Kuh.«

»Hey, hey. Nicht so laut«, ermahnte Carter ihn und sah sich nervös in dem noch immer vollen Laden um. Verschiedene Leute hatten aufgehört zu stöbern und lauerten unauffällig in Hörweite. »Sie wollen doch nicht, dass einer unserer Kunden sich angesprochen fühlt.«

Tom zerknüllte den Brief und warf ihn wütend auf den Boden. »Damit kommt sie nicht durch.«

Carter bückte sich, hob das Blatt auf und strich es mit den Fingern glatt. »Wenn man etwas wegwirft, verschwindet es nicht«, ermahnte er Tom und gab ihm den Brief. »Sie müssen es clever angehen. Sie müssen alles sorgfältig überlegen.«

Tom zog sein Handy aus der Gesäßtasche und rief Jeff auf der Arbeit an. »Was willst du noch hier, Wichser?«, fragte er Carter wütend.

Carter machte mehrere Schritte zurück. »Ich wollte bloß helfen«, erwiderte er, gleichzeitig beleidigt und überheblich.

»Sie wollen jemandem helfen? Helfen Sie ihr.« Tom zeigte auf ein Mädchen im Teenageralter, das mit einem Arm voller Blusen kämpfte. Carter eilte unverzüglich zu ihrer Rettung.

»Elite Fitness«, meldete sich eine junge Frau in Toms Ohr.

»Ich muss Jeff sprechen. Es ist ein Notfall.«

»Ich fürchte, Jeff arbeitet nicht mehr hier.«

»Was? Was reden Sie da?«, wollte Tom wissen. War die ganze Welt verrückt geworden? Was war los?

»Jeff arbeitet nicht mehr hier«, wiederholte die Stimme.

»Sie meinen, er arbeitet *heute* nicht?«

»Ich meine, er arbeitet nicht mehr bei Elite Fitness.«

»Seit wann?«

»Seit ein paar Stunden.«

»Er hat gekündigt?«

»Ich fürchte, das müssten Sie ihn selbst fragen.«

»Ich fürchte, Sie wissen einen Scheißdreck«, fauchte Tom und beendete die Verbindung. »Scheiße!« Man hätte es ahnen können. Ausgerechnet wenn er einmal wirklich mit Jeff reden musste, war der passenderweise unerreichbar. Er probierte es auf Jeffs Handynummer, wurde jedoch sofort auf die Mailbox umgeleitet. Tom hinterließ eine kurze Nachricht – »Wo zum Henker steckst du?« –, bevor er Jeffs Festnetzanschluss anrief.

»Hallo?«, fragte Kristin am anderen Ende der Leitung.

»Ich muss Jeff sprechen«, erklärte Tom ohne große Vorrede.

»Tom?«

»Ist Jeff da?«

»Er ist bei der Arbeit.«

»Und welche Arbeit soll das sein?«

»Wovon redest du?«, fragte Kristin zurück.

»Offenbar arbeitet Jeff nicht mehr bei Elite Fitness.«

»Sei nicht albern. Natürlich arbeitet er dort.«

»Dort hat man mir aber etwas anderes erzählt.«

»Das verstehe ich nicht«, sagte Kristin.

»Willkommen im Club.« Tom legte auf, bevor Kristin noch etwas sagen konnte.

»Stimmt irgendwas nicht?«, fragte Will, als Kristin aus dem Schlafzimmer kam. Ihr langes blondes Haar fiel locker auf ihre Schultern, sie hatte sich sorgfältig geschminkt und hielt ein Paar schwarze High Heels in der linken Hand, die Knöpfe ihrer Leopardenmusterbluse waren offen, und ihre Brüste quollen aus einem schwarzen Push-up-BH.

»Ich glaube, Jeff ist gefeuert worden«, sagte sie und beugte sich vor, um ihre Schuhe überzustreifen.

Will sagte nichts.

»Du wirkst nicht besonders überrascht.«

Will zögerte und überlegte, wie er Kristin beibringen konnte, dass Jeff am Morgen nicht zur Arbeit gegangen war.

»Ich weiß, dass Jeff heute Morgen nicht bei der Arbeit war«, sagte sie, als hätte sie seine Gedanken gelesen. »Er ist nach Hause gekommen, als er gemerkt hat, dass er sein Portemonnaie vergessen hatte.« Sie berichtete ihm die Details ihrer Unterhaltung.

»Er hat dir erzählt, er wäre bei Tom gewesen?«, wiederholte Will, als sie fertig war.

»Glaubst du ihm nicht?«, fragte sie nach einer kurzen Pause zurück.

»Du?«

Eine weitere Pause. »Ich weiß nicht.« Sie zuckte mit den

Schultern, sodass ihre Brüste sich hoben und wieder senkten.
»Sein Chef hat ihm offensichtlich nicht geglaubt. Du bist der Philosoph«, fuhr sie fort und bauschte abwesend ihr Haar auf. »Erkläre es mir, Will, warum lügen Männer? Und sag nicht: ›Weil sie es können.‹«

Will wünschte, sie würde ihre Bluse zuknöpfen, damit er sich konzentrieren konnte. Verhielt sie sich absichtlich so provozierend, fragte er sich unwillkürlich, präsentierte sie ihren Körper nur scheinbar beiläufig. Oder wusste sie ehrlich nicht, welche Wirkung das auf ihn hatte? War er für sie – für alle Frauen – so geschlechtslos wie ein Möbelstück? »Ich schätze, Männer lügen aus den gleichen Gründen wie Frauen«, sagte er schließlich.

»Reden wir über eine bestimmte Frau?«

»Ich weiß nicht. Tun wir das?«

Einen Moment lang schwiegen beide.

»Wo warst du, nachdem du herausgefunden hattest, dass Jeff nicht bei der Arbeit war?«, fragte Kristin.

»Nirgendwo speziell.«

»Du warst den ganzen Tag weg.«

»Ich bin einfach rumgelaufen«, sagte Will.

»Da bist du aber viel rumgelaufen.«

»Es gibt ja auch viel zu sehen.«

»Ich nehme an, Jeff hast du nicht gesehen.«

Will schüttelte den Kopf.

»Und was glaubst du, wo er ist? Wir wissen jetzt, dass er nicht bei Tom ist.«

»Keine Ahnung.«

»Glaubst du, er ist mit Suzy zusammen?«, fragte Kristin offen.

Wieder entstand ein Schweigen, länger als alle vorherigen.

»Glaubst *du* das?«, gab Will die Frage zurück. Sie hatten

offensichtlich beide lange über die Möglichkeit nachgedacht. Und waren noch offensichtlicher zum selben Ergebnis gekommen.

Kristin zog ihre Bluse zu und begann sie von unten nach oben zuzuknöpfen. »Ich weiß nicht mehr, was ich glauben soll«, sagte sie, steckte den Saum der Bluse in ihren engen Rock und hob ihre Handtasche vom Boden auf.

»Wie würdest du es finden, wenn es wahr wäre?«
»Ich weiß nicht. Und du?«
Will zuckte die Achseln und schüttelte den Kopf.
»Na, ich hab jetzt keine Zeit, mir darüber Gedanken zu machen. Ich muss zur Arbeit. Schaust du später noch im Wild Zone vorbei?«
»Wenn du willst.«
»Immer gerne.«
»Dann komme ich später noch nach.«
»Gut.« Kristin beugte sich vor, sodass ihre Brüste aus ihrem Ausschnitt quollen, als sie Will einen sanften Kuss auf die Wange drückte. »*See you later, alligator.*«
Er musste unwillkürlich lächeln. »*In a while, crocodile.*«

»Nun«, sagte Dave, als er gegen halb sieben an jenem Abend die Diele seines Hauses betrat, »sieht so aus, als wäre dein Freund gefeuert worden.«

Suzy mühte sich, ihre ausdruckslose Miene zu wahren. Es war wichtig, keine Gefühle zu verraten, keine potenziell gefährlichen Informationen preiszugeben. Es war wichtig, ruhig und konzentriert zu bleiben und keine übertriebene Reaktion zu zeigen. Was immer sie antwortete, ihre Stimme musste fest bleiben, ihre Hand ruhig. Selbst wenn ein gewisses Maß an Neugier geduldet, ja, sogar erwartet wurde, durfte sie auf keinen Fall zu eifrig wirken. Sie musste behutsam vorgehen. Eine falsche Betonung konnte eine Katastrophe nach sich ziehen. »Wovon redest du?«, fragte sie, auch um das laute Pochen ihres Herzens zu übertönen. Sie fragte sich, ob er es hören oder sehen konnte, wie es wild in ihrer Brust schlug.

»Jeff Rydell«, warf Dave den Namen in die Luft wie einen Football, den sie fangen und damit losrennen sollte.

Suzy verzog ihr Gesicht zu einem Ausdruck der Verwirrung und zuckte die Achseln, als ob ihr der Name so wenig bedeutete, dass er eine Wiederholung nicht lohnte.

»Der Typ in dem Auto am Samstag, der die Miracle Mile gesucht hat«, führte Dave weiter aus und musterte ihr Gesicht. »Der mit dem Stadtplan.«

»Ich erinnere mich nicht.«

»Aber sicher doch. Der gut aussehende Typ auf dem Beifahrersitz. Große Muskeln, kleines Gehirn. Wie kannst du dich nicht an ihn erinnern?«

»Ich hab eigentlich gar nicht so genau drauf geachtet…«

»Nein«, sagte Dave und drängte an ihr vorbei ins Wohnzimmer. »Du wolltest bloß hilfsbereit sein.«

Suzy folgte ihm, während ihre Gedanken in alle Richtungen gleichzeitig schossen, als ob sie geviertelt würde. Warum redete er von Jeff, und woher kannte er seinen Namen? War er ihr am Morgen gefolgt? Hatte er sie zusammen in dem Coffee-Shop gesehen? Hatte er beobachtet, wie sie gemeinsam das Motel betreten hatten? Was hatte er gemeint, als er sagte, ihr Freund wäre gefeuert worden? Wovon redete er? Wie viel wusste er? »Möchtest du vor dem Essen noch einen Drink?«, fragte sie.

»Das wäre nett.« Er setzte sich auf das beigefarbene Sofa, schlug die Beine übereinander, löste seine Krawatte und wartete darauf, bedient zu werden. »Wodka on the rocks.«

Suzy eilte in die in dem sonnigen Gelb und kräftigen Blau

der Provence gestrichene Küche. Sie warf eine Handvoll Eiswürfel in ein Glas, nahm die Wodkaflasche aus dem Gefrierfach und goss ihrem Mann einen steifen Drink ein, bemüht, das verräterische Zittern ihrer Hände zu unterdrücken. Ganz darauf konzentriert, Ruhe zu bewahren, nahm sie den Drink in die Hand und übte, ihn Dave zu überreichen, eine Geste, die sie so lange wiederholte, bis sie ihre zitternden Finger unter Kontrolle hatte. Sie durfte keine Angst zeigen. Sie atmete ein paar Mal tief durch und kehrte dann ins Wohnzimmer zurück.

»Willst du mich nicht fragen, woher ich weiß, dass er gefeuert wurde?«, fragte Dave und streckte die Hand aus.

Suzy überreichte ihm hastig den Drink, sagte jedoch nichts.

»Ich weiß es, weil ich dabei war.«

»Das verstehe ich nicht«, sagte Suzy wahrheitsgemäß. Wovon redete Dave?

»Erinnerst du dich, dass er uns erzählt hat, er wäre Personal Trainer bei Elite Fitness in der Northwest 40th Street in Wynwood?«

»Nein, ich erinnere mich nicht«, log Suzy. Glaubte er ihr? Er behauptete immer, genau zu wissen, wann sie nicht die Wahrheit sagte.

»Jedenfalls«, fuhr Dave fort und klopfte auf das Polster neben sich, eine wortlose Anweisung, Platz zu nehmen, »bin ich ins Grübeln geraten. Der Typ hatte ziemlich beeindruckende Muskeln. Und ich werde schließlich auch nicht jünger. Vielleicht sollte ich ein bisschen trainieren. Man darf nicht zu selbstzufrieden werden.«

Suzy versank tief in dem Daunenpolster und blickte zu der Lampe auf dem Beistelltisch, deren verbogener Schirm sie brutal daran erinnerte, wie Dave mit Lügnern zu verfahren pflegte.

»Was redest du? Du siehst super aus.«

Er legte einen Arm um sie, zog sie an sich und küsste sie

fest auf die Wange. »Na, vielen Dank, Liebling. Jeder Mann freut sich über ein Vertrauensvotum seiner schönen Frau.« Er nippte an seinem Drink. »Zumal einer Frau, die so gute Drinks mixt wie diesen. Hast du Unterricht bei deiner Freundin genommen?«

»Was?«

»Bei der Barfrau aus dem Wild Zone. Wie hieß sie noch gleich?«

»Kristin«, flüsterte Suzy und spürte, wie ihr Puls schneller schlug. Er spielte mit ihr, so wie eine Katze mit ihrer Beute spielte, bevor sie zum tödlichen Schlag ausholte.

»Kristin. Genau. Hast du sie diese Woche schon gesprochen?«

»Nein.«

»Nicht? Wie kommt's? Ich dachte, ihr zwei wärt so gute Freundinnen.«

»Eigentlich nicht.«

»Das ist gut.« Er trank noch einen Schluck, lehnte sich in die Polster zurück und schloss die Augen.

»Und willst du deine Geschichte nicht zu Ende erzählen?«, fragte Suzy unwillkürlich.

Dave öffnete die Augen. »Da gibt es nicht mehr viel zu erzählen. Ich habe bei Elite Fitness angerufen, einen Termin für ein begleitetes Training vereinbart und bin heute Nachmittag hingefahren.«

»Du bist dort hingefahren?«

»Ist das ein Problem?«

»Nein, natürlich nicht. Es überrascht mich nur, dass du den weiten Weg bis nach Wynwood gemacht hast, wo es hier in der Gegend ungefähr eine Million Fitnessstudios gibt.«

»So weit war es auch wieder nicht. Obwohl ich dort bestimmt nicht noch einmal hingehe.«

»Was ist passiert?«

Dave zuckte die Schultern. »Es hat sich gezeigt, dass unser Jeff doch kein so toller Trainer ist, und sein Chef war klug genug, das zu erkennen.«

»Du warst dort, als er gefeuert wurde?«

»Wie ich es dir immer sage, Liebling: Menschen, die mir übelwollen, passieren üble Dinge.«

Suzy lief ein kalter Schauer den Rücken hinunter.

»Was ist los, Schatz?«, fragte er. »Ist dir kalt?«

»Mir geht es gut.«

»Du bist doch nicht geschockt, weil er gefeuert wurde, oder?«

»Warum sollte ich geschockt sein?«

»Gut.« Er tätschelte ihre Knie. »Und was gibt's zum Abendessen? Nach dem ganzen Training hab ich einen Mordshunger.«

KAPITEL 24

Die Sonne schien immer noch, als Jeff genau um zehn vor neun am selben Abend aus einem Taxi stieg, obwohl das Licht schon eine ganz eigene Qualität hatte – intensiv und doch eigenartig flach. Es gehörte weder zum Tag noch zur Nacht. Ein geborgtes Licht, dachte Jeff, als er den Taxifahrer bezahlte, die leere Straße überquerte, auf die Lobby des Bayshore Motels zuging und sich über den Namen wunderte, da es weit und breit weder eine Bucht noch eine Küste gab. Typisch Buffalo, dachte er, als er dem wegfahrenden Taxi nachsah. Nichts an dieser Stadt hatte je einen Sinn ergeben. Zumindest für ihn nicht.

Und warum war er dann jetzt wieder hier?

Er konnte sich kaum erinnern, das Flugzeug bestiegen zu haben, vom Kauf eines Tickets ganz zu schweigen.

Wie ein Blitz, der sich in mehreren Teilblitzen entlädt, zuckte vor seinen Augen eine Reihe von Bildern auf: Daves vor Anstrengung verzerrtes Gesicht, Larrys wütende Miene, sein eigenes ungläubiges Staunen über die fristlose Entlassung. Und das verkniffene Lächeln des Doktors, als er ihm zum Abschied gewinkt hatte. Der Bessere hatte gewonnen, hatten die flatternden Finger Jeff unmissverständlich erklärt. Er war ausgetrickst worden und hart auf dem Boden gelandet, geschlagen in seinem eigenen Spiel, dachte Jeff zum zigsten Mal und ballte die Fäuste.

Er sah sich die Treppe vom Studio hinunterlaufen, um dem normalerweise angenehmen, heute jedoch erstickenden Duft frisch gebackenen Brots zu entfliehen, sah sich rennen, bis er sich schwitzend und atemlos vor dem Fenster des Reisebüros mit den verlockenden handgeschriebenen Schnäppchenreisen zu entlegenen exotischen Zielen wiederfand. Er sah sich sein Gesicht an die Schaufensterscheibe pressen wie ein Kind vor der Weihnachtsdekoration von Macy's. Und er sah die Frau vor sich, die ihn freundlich hereinbat und ihm ein Lächeln mit zu vielen Zähnen sowie eine Tasse Kaffee anbot. Er hörte sich ihr erklären, dass er unvermutet Urlaub und eine unwiderstehliche Reiselust habe. Wie von Zauberhand lagen im nächsten Moment bunte Prospekte vor ihm, während die Frau mit verführerischer Stimme von den Schönheiten Barcelonas und Wunderwerken des antiken Griechenlands schwärmte. Und dann hörte er eine zweite Stimme, dünn und zittrig, fast wie die eines Kindes – nicht seine, ganz bestimmt nicht seine –, die die Frau unterbrach, um ihr zu erzählen, dass seine Mutter im Sterben lag, und ob sie ihn auf den nächsten Flug nach Buffalo buchen könne? Wie ein Vorhang war die Oberlippe der Frau über ihre vielen Zähne gefallen und das Lächeln in ihrem Gesicht erloschen, während sie seine Hand ergriff und vielleicht einen Tick zu lange hielt. Natürlich, hatte sie geflüstert. Was auch immer sie tun könne, um ihm zu helfen…

»Buchen Sie mir einfach den Flug«, hatte er gesagt.

Was hatte er sich dabei gedacht?

Offensichtlich gar nichts, entschied Jeff, zog die schwere Glastür am Eingang der leeren Motelhalle auf und platzte mit solcher Wucht in den überheizten und muffig riechenden Raum, dass der verschlafen aussehende junge Mann am Empfang erschrocken einen Schritt zurückwich.

»Kann ich Ihnen helfen?«, fragte er und zupfte mit einer

Hand am Kragen seines weißen Hemdes, während seine andere Hand über dem unter der Theke verborgenen Notrufknopf schwebte. Er war sehr groß und fast beunruhigend dünn, hatte dabei jedoch eine überraschend tiefe Stimme. Seine Haut war fleckig von den Spuren einer Pubertätsakne. Und sein rotbraunes Haar weigerte sich, wie gekämmt zu liegen, sondern stand in verschiedene Richtungen ab, sodass er gleichzeitig gelangweilt und überrascht wirkte.

»Ich brauche ein Zimmer«, hörte Jeff sich sagen, während er beiläufig das langweilige Aquarell von mehreren Segelbooten betrachtete, das an der blassblauen Wand hinter dem Empfangstresen hing.

Der junge Mann zuckte die Achseln und entspannte die Hand über dem Notruf. »Wie lange bleiben Sie?«

»Nur für eine Nacht.«

»Die Klimaanlage funktioniert nicht.«

»Ich dachte schon, es ist ein bisschen warm hier drin.«

»Dafür kann ich Ihnen einen Preisnachlass anbieten«, fuhr der junge Mann unaufgefordert fort. »Sechzig Dollar statt fünfundachtzig. Wie ist das?«

»Sehr aufmerksam.«

Der junge Mann lächelte zögernd, als wäre er sich nicht sicher, ob man sich über ihn lustig machte. »Wenn Sie eine weitere Nacht bleiben, muss ich Ihnen den vollen Preis berechnen.«

»Bestimmt nicht.«

»Woher kommen Sie?«

»Aus Miami.«

»Nach Miami wollte ich schon immer mal. Ich hab gehört, die Frauen dort wären echt was Besonderes.«

Jeff nickte und dachte an Suzys meerblaue Augen. Es schien Wochen her, seit er sie zum letzten Mal gesehen, zum letzten

Mal berührt hatte. Konnte es sein, dass er sie erst an diesem Morgen in den Armen gehalten hatte?

»Und was führt Sie hierher?«, fragte der Junge.

»Meine Mutter liegt im Sterben«, antwortete Jeff schlicht.

Der junge Mann machte einen Schritt zurück, als könne der nahende Tod von Jeffs Mutter ansteckend sein. »Ach? Tut mir leid.«

Jeff zuckte die Achseln. »Was will man machen?«

»Nicht viel, nehme ich an. Also wie wollen Sie das regeln?«

Einen Moment lang dachte Jeff, sie würden immer noch über seine Mutter reden. »Ich verstehe nicht...«

»Master Card, Visa, American Express?«, half der Junge ihm auf die Sprünge.

Jeff zog sein Portemonnaie aus der Jeanstasche, nahm die Kreditkarte heraus und schob sie über den Tresen. Die Geste ließ ihn an Kristin denken, die Gläser über die Theke im Wild Zone schob. Er sah auf die Uhr. Es war neun. Ich sollte sie anrufen, dachte er. Sie fragte sich wahrscheinlich, wo er war.

Oder vielleicht auch nicht.

Kristin hatte sein Kommen und Gehen immer mit bemerkenswerter Gelassenheit genommen. Es war eines der Dinge, die er an ihr mochte. Trotzdem hätte er sie anrufen und ihr von seinen Plänen erzählen sollen. Aber was hätte er ihr sagen sollen, wenn er selbst nicht gewusst hatte – und nach wie vor nicht wusste –, wie diese Pläne aussahen? Pläne verlangten ihrem Wesen nach ein gewisses Maß an bewusster Überlegung, und er hatte in der vergangenen Woche nur auf Adrenalin funktioniert. Wie ließen sich die Ereignisse der letzten paar Tage anders erklären?

Wie ließe sich erklären, was zum Teufel er hier machte?

Er hatte diese verdammte Stadt immer gehasst, dachte er, wandte sich wieder der Straße zu und erkannte die scheinbar verlassene Gegend kaum wieder, obwohl das Haus, in dem er aufgewachsen war, kaum eine Meile entfernt lag. Warum hatte er das Taxi hierherdirigiert und nicht zu einem komfortableren Hotel in der Innenstadt? »Ecke Branch und Charles Street«, hatte er den dunkelhäutigen Taxifahrer angewiesen, nicht einmal sicher, ob das Hotel, an das er sich aus seiner Kindheit erinnerte, noch stand, obwohl er eigentlich nicht überrascht war, dass es tatsächlich noch existierte, wenn auch unter einem neuen Namen.

Der Rest der Stadt sah ziemlich genauso aus wie immer, hatte er auf der Fahrt vom Flughafen entschieden. Als das Taxi durchs Zentrum fuhr, hatte Jeff die Vorahnung eines drohenden Verhängnisses heruntergeschluckt und die scheinbar wahllose Folge von leer stehenden und verfallenden Lagerhäusern betrachtet, die zum Stadtrand hin irgendwann einer Reihe ordentlicher Arbeiterhäuschen wichen. Er sah nicht zu genau hin, weil er ahnte, dass überall Verfall lauerte – eine eingebrochene Regenrinne hier, bröckelnde Eingangsstufen dort, der Schaden, den die Schneeböen des letzten Winters angerichtet hatten, unter denen jede glatt gestrichene Oberfläche Blasen warf. Die Stadt roch sogar noch genau wie früher, hatte Jeff festgestellt, als eine leichte Brise den Schmutz und Schmier der Straßen durch das Rückfenster des Taxis geweht hatte. Jeff spürte, wie sie in seine Poren eindrangen wie winzige Kieselsteine. Er wusste, dass er überempfindlich reagierte, dass die Stadt seiner unglücklichen Jugend nicht anders roch als jede andere mittelgroße amerikanische Stadt: eine unangenehme Mischung aus Natur und Industrie, Erde und Beton, Verfall und Erneuerung, Erfolg und Scheitern. Vor allem Scheitern, dachte er jetzt, als er in der stickigen, mit nautischen Motiven dekorierten Lobby des Hotels stand und nur widerwillig einatmete.

»Wollen Sie eine Schlüsselkarte oder zwei?«, fragte der Junge am Empfang und gab Jeff seine Kreditkarte zurück.

»Eine reicht.«

»Eine Karte soll es sein«, erklärte der junge Mann und schwenkte die Plastikkarte wie eine Trophäe. »Hier entlang.«

Jeff folgte ihm aus der Lobby, betrachtete abwesend seine schlaffe Haltung und entwarf in Gedanken ein Trainingsprogramm mit einer Reihe von Übungen, die seine dünnen, schlaff herunterhängenden Arme kräftigen würden. Wie häufig bei Männern, die ob ihrer eigenen Größe verlegen waren, hatte der Junge eine katastrophale Haltung, den Kopf zwischen die Schulterblätter gezogen und schildkrötenartig vorgestreckt, als würde er sich ständig unter einem Türrahmen ducken, der zu niedrig für ihn war. »Ich bin sicher, ich finde mein Zimmer auch alleine«, sagte Jeff und fragte sich, ob es klug war, dass der Junge den Empfang unbesetzt ließ.

»Ich hab eh nichts Besseres zu tun.«

Er klingt genau wie Tom, dachte Jeff und schirmte seine Augen gegen die unnatürlich helle Abendsonne ab, während er dem jungen Mann durch das eingeschossige Gebäude folgte. Zum zweiten Mal an diesem Tag hatte er das unangenehme Gefühl, man würde ihm mit einer Taschenlampe in die Augen leuchten.

»Haben Sie kein Gepäck?«, fragte der Junge.

Nicht mal eine Zahnbürste, dachte Jeff. »Ich reise gern unbeschwert.«

»Das ist am besten«, stimmte der Junge ihm zu, als wüsste er, wovon er redete.

Wahrscheinlich war er sein ganzes Leben lang noch nicht aus Buffalo herausgekommen, sinnierte Jeff und musste wieder an Tom denken. Die erste Reise, die Tom je aus Buffalo geführt hatte, war nach Afghanistan gegangen.

Vor einer blau gestrichenen Tür mit einer Nummer 9 aus Messing in Form eines Fisches blieben sie stehen. »Da wären wir«, sagte der junge Mann und schob die Schlüsselkarte in den Schlitz, was er drei Mal wiederholen musste, bevor die Tür aufging. »Die haben manchmal ihre Zicken«, erklärte er, als er die Tür endlich aufstieß und das Licht im Zimmer anmachte, um ein großes Doppelbett unter einem Überwurf mit silber-blauem Wellenmuster zu präsentieren. »Ich dachte, Sie hätten vielleicht gern ein bisschen mehr Platz, um sich herumzuwälzen. Ich schlafe selbst auch ziemlich unruhig«, sagte er und gab Jeff die Schlüsselkarte. »Vor allem in der Hitze. Möchten Sie, dass ich das Fenster öffne? Es ist ein bisschen stickig hier drinnen.«

»Das ist schon okay«, sagte Jeff, obwohl es in dem Zimmer in Wahrheit drückend heiß war. Doch er wollte vor allem dringend allein sein. Er musste sich hinlegen, in Ruhe über alles nachdenken und sich über seine nächsten Schritte klar werden.

»Zwei Blocks die Straße runter ist ein Drugstore, falls Sie eine Zahnbürste oder Deo brauchen«, sagte der Junge, lehnte sich in den Türrahmen und trat von einem Fuß auf den anderen, »und um die Ecke gibt es ein McDonald's, falls Sie Hunger kriegen.«

»Vielleicht später«, sagte Jeff und spürte, wie sein Magen sich allein bei dem Gedanken an Essen zusammenkrampfte.

»Ich heiße Rick. Wenn Sie irgendwas brauchen...«

»Bestimmt nicht. Vielen Dank.«

Jeff betrat das Zimmer, kickte die Tür mit dem rechten Absatz zu und sah Ricks verwirrtes Gesicht aus seinem Blickfeld verschwinden. Jeff fragte sich, ob der Junge ein Trinkgeld erwartet hatte. Oder eine Einladung, ihm Gesellschaft zu leisten. Vielleicht war er deswegen so hilfsbereit gewesen, hatte Jeff persönlich zu seinem Zimmer begleitet und ihm einen Rabatt gegeben, um den er nicht gebeten hatte, und ein Doppelbett, das er nicht brauchte.

Vielleicht war der Junge auch einfach nur einsam.

Jeff setzte sich auf das Fußende des Bettes, seine Hände versanken in den silberblauen Wellen des Überwurfs, aus dem großen ovalen Spiegel in einem Muschelrahmen blickte ihm sein müdes Gesicht entgegen. Rechts auf einer flachen Kommode stand ein rechteckiger Fernseher, dessen leerer Bildschirm die aufgewühlten grünen Gewässer eines tosenden Meeres auf dem Bild über dem Bett spiegelte. Jeff ließ sich zurücksinken und fragte sich, wie und warum er hierhergeraten war.

Er sah auf die Uhr. Fast Viertel nach neun. Es hatte keinen Sinn, jetzt noch ins Krankenhaus zu fahren, entschied er. Die Besuchszeit war garantiert längst vorbei, und außerdem hatte er jetzt nicht die Kraft, vor seine Mutter zu treten. Er fühlte sich ihr nicht gewachsen, selbst in ihrem geschwächten Zustand nicht. Außerdem wusste er nicht einmal, in welchem Krankenhaus sie lag, wie ihm in diesem Moment auffiel. Er hatte einfach angenommen, es würde das circa zehn Blocks entfernte Mercy Hospital sein, doch womöglich lag sie woanders. Er musste Ellie anrufen.

Aber nicht jetzt. Er war einfach zu erschöpft. Er beschloss, seine Schwester gleich am nächsten Morgen anzurufen, und nahm sein Handy aus der Tasche, um nachzusehen, ob neue Nachrichten eingegangen waren. Lachend hörte er Toms empörte Stimme, die wissen wollte, wo zum Henker er steckte. Ich weiß es verdammt noch mal selber nicht, dachte Jeff und ließ das Telefon neben sich aufs Bett fallen.

Er schloss die Augen und spürte, wie die stickige Luft sich über ihn breitete wie eine schwere Decke. Er lauschte dem Ventilator der defekten Klimaanlage, der auf der anderen Seite des Zimmers ohnmächtig vor sich hin surrte.

Sekunden später war er eingeschlafen.

Er träumte, dass er allein über den Holzsteg eines Yachthafens ging, eine Reihe teurer Boote schaukelte auf den Wellen eines nahen Ozeans, Frauen in knappen Bikinis hoben schlanke Sektkelche, während ihre Männer schwere Anker an Bord zogen und die Segel setzten. Über ihm kreiste laut ein Armeehubschrauber, sodass er zunächst gar nicht hörte, dass sie seinen Namen rief. Aber dann stand sie mit einem Mal im Schatten eines hohen Masts: seine Mutter, jung und hinreißend, obwohl er selbst aus der Entfernung ihren leicht vorwurfsvollen Blick erkennen konnte, als habe er sie in irgendeiner Weise enttäuscht. »Jeff«, rief sie aufgeregt und winkte ihm. »Beeil dich. Hierher.«

Und dann lief er auf sie zu, aber egal, wie nahe er ihr kam, war da immer noch ein Boot, an dem er vorbeilaufen, ein Segel, dem er ausweichen musste, und dann noch eins und noch eins. Und dann landete der Hubschrauber, der in der Luft gekreist hatte, plötzlich auf dem Steg, und seine Mutter hüpfte, den Rock über die Knie gerafft, darauf zu und machte Anstalten einzusteigen. »Mom«, rief er laut, aber sie sah ihn nicht an. Im selben Moment tauchte eine Blaskapelle von pickeligen Jungen auf, die auf ihren Trompeten, Posaunen, Hörnern und Flöten eine wilde Version von »The Star-Spangled Banner« bliesen, während seine Mutter neben dem Piloten Platz nahm und schallend lachte, als der Hubschrauber abhob.

»Mom, warte!«

Sie starrte anklagend auf ihn herab. »Du bist deinem Vater wie aus dem Gesicht geschnitten«, sagte sie.

Und dann begann der Helikopter immer engere Kreise zu fliegen, und das Lachen seiner Mutter schlug in panisches Kreischen um. Die Nationalhymne wurde lauter und lauter und stieg zum Himmel auf, während der Hubschrauber heftig ins Trudeln geriet. Hilflos musste Jeff zusehen, wie er gegen eine schnell vorüberziehende Wolke krachte und ins Meer stürzte.

Keuchend schreckte er hoch, die Stirn schweißnass. Neben ihm bimmelte weiter beharrlich die Nationalhymne. »Mein Gott«, sagte er, Gebet und Ermahnung zugleich, während er in den Wellen des Überwurfs nach seinem Handy fischte. Was zum Teufel hatte das zu bedeuten, fragte er sich. Er klappte sein Handy auf. »Hallo«, sagte er benommen, während die letzten Fetzen seines Traumes wie bei schlechtem Empfang abrissen und mit seiner Stimme verhallten.

»Jeff?«

Oder träumte er immer noch?

»Jeff?«, fragte die Stimme noch einmal.

»Suzy?« Er schüttelte den Kopf, um die Benommenheit abzuschütteln.

»Geht es dir gut? Dave hat mir erzählt, was im Fitnessstudio passiert ist. Ich wollte dich schon den ganzen Abend anrufen. Ich fühl mich echt mies.«

»Das musst du nicht. Mir geht es gut.«

»So klingst du aber nicht.«

»Ich muss eingedöst sein. Wie spät ist es?«

»Ungefähr zehn. Ich kann nicht lange telefonieren. Dave ist gerade eingeschlafen. Bist du sicher, dass alles in Ordnung ist?«

»Ja. Ganz sicher.«

»Ich könnte vielleicht mit deinem Chef reden und erklären, was passiert ist…«

»Nein, das ist schon okay.«

»Nein, es ist nicht okay. Du hast deinen Job verloren.«

»Das ist nicht wichtig.«

»Natürlich ist es wichtig. Verdammt. Es ist alles meine Schuld.«

»Nichts von alldem ist deine Schuld«, sagte Jeff.

»O Gott. Es tut mir so leid. Jetzt hasst du mich bestimmt.«

»Dich hassen?«, fragte Jeff ungläubig und fügte, bevor er sich bremsen oder auch nur ahnen konnte, was er sagen würde, hinzu: »Ich liebe dich.«

Schweigen.

»Suzy?«

»Ich liebe dich auch«, sagte sie.

Erneutes Schweigen, einen Herzschlag länger als das vorherige.

»Was machen wir jetzt?«, fragte sie ihn.

»Du musst ihn verlassen.«

Suzy atmete tief ein und langsam, beinahe entschlossen wieder aus. »Ich weiß.«

»Sofort«, befahl Jeff. »Solange er schläft. Hörst du mich, Suzy? Steig einfach ins Auto und fahr direkt ins Wild Zone. Ich rufe Kristin an, erzähle ihr, was los ist, und sage ihr, dass sie sich um dich kümmern soll, bis ich zurück bin...«

»Was soll das heißen? Wo bist du?«

Er hätte beinahe gelacht. »In Buffalo«, sagte er und war jetzt vollends davon überzeugt, dass er träumte. »Ich weiß selbst nicht recht, wie es passiert ist. Ich stand vor dem Schaufenster eines Reisebüros und bin von dort schnurstracks im Taxi zum Flughafen gefahren.«

Falls Suzy überrascht war, ließ sie es sich nicht anmerken. »Ich bin froh.«

»Wirklich?«

»Es war richtig, deine Mutter zu sehen. Ich bin sicher, es hat ihr eine Menge bedeutet.«

»Ich war noch nicht bei ihr«, gestand Jeff. »Ich wollte gleich morgen früh ins Krankenhaus fahren.«

Er spürte, wie sie die Information nickend verdaute. »Wahrscheinlich ist es besser, wenn ich auch bis morgen früh warte«, sagte sie dann.

»Was? Nein. Hör mir zu, Suzy. Du musst sofort da weg. Ich bin morgen Nachmittag zurück.«

Man hörte ein scharfes Einatmen. »Tut mir leid«, erklärte Suzy knapp. »Hier wohnt niemand, der so heißt.«

»Was?«

»Nein. Ich fürchte, Sie haben sich verwählt.«

Und dann eine zweite Stimme, männlich und so bedrohlich, als würde der Mann direkt neben Jeff sitzen. »Mit wem sprichst du, Suzy?« Im nächsten Moment wurde die Verbindung beendet.

»Suzy?«, fragte Jeff und sprang auf. »Suzy? Bist du da? Hörst du mich? Scheiße«, rief er hilflos und lief vor dem Bett auf und ab. »Rühr sie nicht an, du elender Dreckskerl. Rühr sie nicht an. Ich schwöre dir, wenn du sie auch nur anfasst, bring ich dich um.« Er ließ sich zurück aufs Bett fallen und vergrub sein Gesicht in den Händen. »Ich bring dich um«, wiederholte er immer wieder. »Ich schwör's dir, ich bringe dich um.«

KAPITEL 25

Er beschloss, die Polizei anzurufen.

»AT&T, Telefonauskunft national«, meldete sich ein Band, als Jeff wenig später 411 wählte. »Für welche Stadt und welchen Bundesstaat?«

»Coral Gables, Florida.«

»Name des Teilnehmers?«

»Die Polizei.«

»Verzeihung«, sagte die Stimme vom Band und schaffte es dabei irgendwie, zerknirscht zu klingen. »Ich habe Sie leider nicht verstanden. Für welchen Teilnehmer?«

»Vergessen Sie's«, murmelte Jeff und klappte verzweifelt sein Handy zu. Einmal angenommen, es wäre ihm gelungen, die zuständigen Behörden zu erreichen, was genau hätte er ihnen sagen wollen? »Hallo, hören Sie. Ich glaube, Sie schicken besser sofort einen Wagen in den Tallahassee Drive 121. Ich mache mir Sorgen, dass der Ehemann meiner Freundin sie grün und blau prügeln könnte.« Das würde bestimmt super ankommen.

Obwohl er ja nicht unbedingt in die Einzelheiten gehen musste. Er musste der Polizei weder seinen Namen noch Gründe für seinen Verdacht nennen. Er könnte ein besorgter Mitbürger sein, der einen häuslichen Streit meldete. Aber was, wenn es gar keinen Streit gegeben hatte? Was, wenn Dave beschlossen hatte, die Geschichte seiner Frau mit dem falsch verbundenen Anrufer fraglos und ohne Theater zu glauben? Indem er die Polizei alarmierte und einen Streifenwagen zur Kontrolle vorbeifahren ließ, würde Jeff Daves Verdacht nur bestätigen und damit Suzys Schicksal besiegeln.

Außerdem bezweifelte er, dass die Polizei überhaupt auf die Meldung eines anonymen Anrufers reagieren würde. Man würde Details oder zumindest die Identität des Anrufers verlangen, und wenn Jeff sich weigerte, irgendeine Erklärung zu liefern, würde die Sache wohl kaum weiterverfolgt werden.

Die Polizei anzurufen, schied also aus.

Trotzdem konnte er nicht dasitzen und nichts tun.

»Kristin«, entschied er, wählte ihre Nummer über Kurzwahl. Es klingelte drei Mal, ehe die Mailbox ansprang.

»Hier ist Kristin«, schnurrte ihre Stimme verführerisch. »Sag mir, was du willst, und ich werde sehen, was sich machen lässt.«

»Verdammt«, fluchte Jeff, ohne eine Nachricht zu hinterlassen. Das hatte eh keinen Sinn. Er sah auf die Uhr. Natürlich ging sie nicht ans Telefon. Es war zehn Uhr. Sie war bestimmt bei der Arbeit. »Wie ging noch mal die Nummer?«, fragte er sich laut, kramte in seinem Gedächtnis nach den Zahlen, die er normalerweise auswendig kannte, und musste, als sie ihm nicht einfielen, noch einmal die Auskunft anrufen. »South Beach, Florida«, erklärte er der mittlerweile fast vertrauten Stimme. »Das Wild Zone.«

»Verzeihung. Ich habe Sie leider nicht verstanden«, sagte die Stimme, wie Jeff es erwartet hatte. »Für welchen Teilnehmer.«

»Scheiße.«

»Verzeihung. Könnten Sie das bitte wiederholen?«

»Nein, das kann ich verdammt noch mal nicht«, brüllte Jeff. Plötzlich war statt des Bandes eine reale Person am anderen Ende der Leitung. »Wie lautete der Name des Teilnehmers noch einmal, bitte?«, fragte eine Frau.

»Das Wild Zone«, wiederholte Jeff, ballte seine Finger zusammen und versuchte, das Bild von Daves Faust auf Suzys Kinn zu verdrängen. »Können Sie sich bitte beeilen? Es ist wirklich sehr wichtig.«

»Ist das ein Unternehmen?«

»Es ist eine Bar in South Beach.«

Ja, klar, sehr wichtig, konnte Jeff die Frau förmlich denken hören. »Hier ist es«, sagte sie nach einigen Sekunden.

Das Band meldete sich wieder mit der korrekten Nummer und dem Angebot, ihn gegen eine kleine Zusatzgebühr zu verbinden. Sekunden später klingelte ein Telefon ein, zwei, drei Mal, vier...

»Wild Zone«, brüllte ein Mann, um laute Stimmen und noch lautere Musik zu übertönen.

»Holen Sie Kristin ans Telefon«, sagte Jeff und hörte im Hintergrund Elvis »Suspicious Minds« schmettern.

»Sie ist beschäftigt. Kann ich ihr etwas ausrichten?«

»Ich muss mit ihr sprechen. Es ist ein Notfall.«

»Was für ein Notfall?«

»Holen Sie sie einfach an das verdammte Telefon.«

Und dann nichts. Hätte nicht im Hintergrund Elvis geklagt – *We can't go on together* –, hätte Jeff gedacht, die Verbindung wäre unterbrochen. Warum brauchte Kristin so lange?

»Hallo?«, fragte sie im nächsten Augenblick.

»Kristin...«

»Jeff?«

»Du musst etwas für mich tun.«

»Geht es dir gut? Ist was passiert?«

»Mir geht es gut.«

»Joe hat gesagt, es wäre ein Notfall.«

»Ist es auch.«

»Das verstehe ich nicht. Wo bist du?«

»Ich bin in Buffalo.«

»Was?«

»Das ist eine lange Geschichte.«

»Ist deine Mutter gestorben?«

»Nein. Hast du irgendwas von Suzy gehört?«

»Was?«

»Suzy Bigelow. Hast du irgendwas von ihr gehört?«

»Warum sollte ich von ihr hören?«

»Weil ich ihr gesagt habe, dass du sie in die Wohnung bringen und vor ihrem Mann verstecken würdest…«

»Das verstehe ich nicht.«

»Ist der Notfall jetzt bald vorbei?«, hörte Jeff einen Mann rufen. »Du hast eine Bar voller durstiger Kunden.«

»Wann hast du mit Suzy gesprochen?«, flüsterte Kristin in den Hörer. »Ich dachte, du wärst in Buffalo.«

»Das bin ich auch. Hör zu, es ist kompliziert. Ich erkläre dir alles, sobald ich zurückkomme. Aber wenn Suzy bis dahin auftaucht, sag einfach Will, dass er sie in die Wohnung bringen soll, und verrate niemandem, wo sie ist. Okay?«

»Willst du, dass ich nach Buffalo komme?«

»Nein. Alles in Ordnung. Ich bin morgen zurück.«

»Bist du sicher, dass es dir gutgeht?«

»Ja, alles bestens.«

»Okay, dann bis morgen«, sagte Kristin und legte auf.

»Scheiße«, fauchte Jeff und warf das Telefon aufs Bett. Er konnte die Verwunderung in Kristins Stimme noch hören, aber die würde nicht lange andauern. Kristin war ein kluges Mädchen. Sie würde sich die Sache mit ihm und Suzy binnen Kurzem zusammengereimt haben. Würde sie erschüttert sein oder es einfach locker sehen und als eine dieser unerwarteten

Wendungen hinnehmen, so wie sie es mit den meisten Dingen im Leben hielt, die sie nicht kontrollieren konnte? »Scheiße«, sagte er noch einmal und versuchte zu verstehen, was mit ihm geschah. Konnte es tatsächlich sein, dass er sich verliebt hatte? Und war das Liebe – dieses überwältigende Gefühl von Ohnmacht? Nachdem er mehrere Minuten lang auf und ab gelaufen war, steckte Jeff sein Handy wieder ein und ging zur Tür.

Zehn Minuten später wartete er in einer kurzen Schlange an der Kasse eines rund um die Uhr geöffneten Drugstores in der Nähe des Hotels, um einen Einwegrasierer, eine Zahnbürste, Zahnpasta und eine Dreier-Packung weiße Slips – eine andere Farbe war nicht im Angebot – zu bezahlen. Er verlagerte sein Gewicht von einem Fuß auf den anderen und versuchte das Gleichgewicht zu wahren. In seinem Kopf wirbelten die Ereignisse des Tages, die er wieder und wieder durchgegangen war, durcheinander wie die Scheiben eines DJs, der in einem der angesagten Nachtclubs von Miami auflegte: Suzy am Telefon gleich nach dem Aufwachen, Suzy ihm gegenüber in dem Café, Suzy in seinen Armen in dem Motel, Suzy am Telefon gerade eben, Suzy in seinem Kopf und seinem Herzen.

Hatte er ihr wirklich gesagt, dass er sie liebte?

Und hatte er es wirklich so gemeint?

Ich liebe dich, hörte er sich sagen.

»Was haben Sie gesagt, was das kostet?«, fragte eine ältere Dame an der Spitze der Schlange den jungen Schwarzen an der Kasse. »Ich glaube, Sie haben sich geirrt. Das kann nicht stimmen. Schauen Sie noch mal nach.«

»Fünf Dollar und dreizehn Cent«, wiederholte der Kassierer und verdrehte die Augen in Richtung der Wartenden.

Ich liebe dich auch, flüsterte Suzy in Jeffs Ohr.

»Ich dachte, das Deo wäre im Angebot.«

»Ist es auch. Zwei Dollar neunundachtzig. Das ist der Sonderpreis.«

»Tut mir leid. Das kann nicht stimmen.«

Tut mir leid. Hier wohnt niemand, der so heißt.

»Normalerweise kostet es drei neunundzwanzig. Zwei neunundachtzig ist der Sonderangebotspreis.«

»Und was ist so besonders daran?«

»Keine Ahnung. Ich benutze es nicht.«

»Schauen Sie noch mal nach. Ich bin sicher, Sie haben sich geirrt«, beharrte die Frau.

Ich fürchte, Sie haben sich verwählt.

Der junge Mann zog einen großen bunten Prospekt unter der Kasse hervor und blätterte die zweite Seite auf. »Ich habe mich nicht geirrt. Sehen Sie. Hier.« Er zeigte auf das entsprechende Bild. »Sonderpreis: zwei neunundachtzig. Wollen Sie es nun haben oder nicht?«

»Was bleibt mir anderes übrig?«, murmelte die Frau kopfschüttelnd, während sie dem Kassierer das Geld genau abgezählt überreichte und ihm die Plastiktüte mit ihren Einkäufen aus der Hand riss.

Was machen wir jetzt?

Du musst ihn verlassen.

»Kann ich Ihnen helfen?«

Mit wem sprichst du, Suzy?

»Kann ich Ihnen helfen? Verzeihung, Sir?«, fragte der Kassierer.

»Tut mir leid«, tauchte Jeff wieder in die Gegenwart ein und stellte fest, dass er an der Reihe war.

»Dreiundzwanzig Dollar und achtzehn Cent«, sagte der junge Mann, nachdem er die Artikel gescannt hatte, und straffte die Schultern, als fürchtete er eine weitere Diskussion.

Jeff gab ihm dreißig Dollar und wartete, bis der Junge die

Waren eingepackt und ihm das Wechselgeld herausgegeben hatte. »Vielen Dank.«

»Einen schönen Abend noch.«

Jeff trat aus dem Laden und blickte die Straße auf und ab. An der Ecke war ein Mann unter einer Laterne stehen geblieben, um sich eine Zigarette anzuzünden. Ein Stück weiter schlich die Frau, die über das Deo gestritten hatte, mit hängenden Schultern, die Tüte an ihrer Seite schlackernd, im Schneckentempo vorwärts, als würde sie gegen einen Sturm ankämpfen. Er überlegte, ihr nachzulaufen, um ihr seine Hilfe anzubieten, aber sie würde wahrscheinlich denken, dass er sie berauben wollte, und Zeter und Mordio schreien.

Plötzlich blitzte eine alte Erinnerung vor seinem inneren Auge auf: Nach einer Party, auf der sie beide viel zu viel getrunken hatten, war ihm und Tom auf dem Heimweg eine Frau mittleren Alters entgegengekommen, die Handtasche an die Brust gepresst. Als sie sie sah, hatte sie die Straßenseite gewechselt. »Sie denkt, wir haben es auf ihr Geld abgesehen«, hatte Jeff lachend gesagt.

»Oder auf ihren Körper«, hatte Tom erwidert und noch lauter gelacht.

Und plötzlich war er über die Straße gerannt, hatte die Frau zu Boden gestoßen und ihr die Tasche aus der Hand gerissen. Was blieb Jeff anderes übrig, als ihm nachzulaufen. Er konnte schließlich nicht stehen bleiben, um der blutenden Frau wieder auf die Beine zu helfen. Sie hätte bloß angefangen zu schreien und ihn der Mittäterschaft bezichtigt. Und so war er, ohne sich umzusehen, vom Tatort geflohen. »Ich hätte sie vergewaltigen sollen«, hatte Tom beinahe wehmütig gesagt. »Ich wette, das hätte ihr gefallen.« Er hatte angeboten, die zweiundvierzig Dollar zu teilen, die er in dem Portmonnaie der Frau gefunden hatte, aber Jeff hatte abgelehnt und zugesehen, wie Tom die Handtasche in den nächsten Mülleimer geworfen hatte. In den folgenden Tagen hatte er in der Zeitung eine Meldung über den Raub gesucht und sogar die Todesanzeigen gelesen, um zu sehen, ob eine Frau an den Folgen eines Überfalls gestorben war, aber es war nichts nachgekommen.

Es war ein Wunder, dass er und Tom damals wie bei einer Reihe von anderen Gelegenheiten nicht im Gefängnis gelandet waren, dachte Jeff und machte sich auf den Weg zurück zum Motel. Aber anstatt links abzubiegen, wandte er sich plötzlich nach rechts, überquerte die Straße und ging entschlossen weiter bis zur nächsten Kreuzung, wo er links abbog und wie angezogen von einem Magneten nach zwei weiteren Blocks noch einmal links ging. Er brauchte die Straßenschilder nicht zu lesen. Diesen Weg hätte er auch mit verbundenen Augen gefunden.

Eine Viertelstunde später stand er müde und schwitzend vor einem zweistöckigen Haus in der Huron Street mit weißen Läden und einer blutroten Haustür. Das Haus seines Vaters. In dem weißen Haus mit der schwarzen Tür zwei Nummern weiter hatte Kathy gewohnt, die beste Freundin seiner Stiefmutter, die ihn verführt hatte, als er kaum vierzehn gewesen war. »Du bist ein sehr unartiger Junge«, konnte er sie in sein Ohr gurren hören. »Deine Stiefmutter hat völlig recht mit dir.« Und dann lagen sie nackt in ihrem Doppelbett, und sie hatte ihm gesagt, wohin er seine Hände legen und wie er seine Zunge benutzen sollte, und er hatte den sonderbaren Geräuschen gelauscht, die sie gemacht hatte, ihrer heiseren Stimme, die flüsterte, »sag mir, dass du mich liebst«, während sie mit ihren langen Fingernägeln seinen Rücken gekratzt hatte. Und er hatte ihr den Gefallen getan, hatte ihr immer wieder gesagt, dass er sie liebte, und es vielleicht sogar so gemeint, dachte er jetzt, wer weiß? Und dann war er zwei Jahre nach Beginn ihrer Affäre eines Tages nach Hause gekommen und hatte ein großes Zu-verkaufen-Schild in ihrem Vorgarten vorgefunden, das ein paar Monate später durch ein anderes ersetzt worden war, auf dem stand Verkauft. Und einen weiteren Monat später war ein LKW gekommen, und sie war weg, war zusammen mit ihrem Mann und ihren beiden kleinen Töchtern nach Ann Arbor entschwunden, wo ihr Mann einen neuen Job angenommen hatte.

Jeff hatte sie nie wiedergesehen.

Und er hatte nie wieder zu einer Frau gesagt: »Ich liebe dich.«

Bis heute Abend.

Was war mit ihm los, fragte er sich und spürte Kathys verruchtes Lachen in seinem ganzen Körper widerhallen, als sein Blick vom Schlafzimmerfenster im ersten Stock ihres ehemaligen Hauses über den schmalen, von Blumen gesäumten Betonweg zum Haus seines Vaters huschte. Was machte er hier? Hatte er wirklich vor, diesen Pfad hinaufzugehen, die Stufen zu der kleinen Veranda zu erklimmen und an die rote Tür zu klopfen? Hatte er komplett den Verstand verloren? Was war mit ihm los?

Na, da schau an, der verlorene Sohn, konnte Jeff seinen Vater sagen hören, während er sich zwang, einen Fuß vor den anderen zu setzen. Zum Teufel, dachte er. Es hatte ihn eine Stange Geld gekostet, nach Buffalo zu kommen. Geld, das er sich als frisch Arbeitsloser eigentlich nicht leisten konnte. Er war auf Bitten seiner Schwester gekommen, um seine Mutter zu sehen, die ihn als kleinen Jungen verlassen hatte. Warum sollte er nicht auch gleich seinem Vater einen Besuch abstatten, der ihn etwa zur selben Zeit emotional im Stich gelassen hatte?

Zwei für den Preis von einem, zwei Fliegen mit einer Klappe

geschlagen, dachte Jeff und blickte zum Wohnzimmerfenster. Er stellte sich seinen Vater und seine Stiefmutter vor, er in ein Buch vertieft, sie mit Näharbeiten beschäftigt. Wie würden sie reagieren, wenn sie ihn sahen, fragte er sich, hob die Hand und klopfte an die Tür.

Das Geräusch hallte in der ruhigen, von Bäumen gesäumten Straße wider und weckte Erinnerungen an Jahre der Gleichgültigkeit und Vernachlässigung, Jahre, die jetzt wie welkes Laub in Jeffs Kopf durcheinanderwirbelten.

Niemand reagierte auf sein Klopfen, obwohl Jeff meinte, im Haus eine Bewegung gehört zu haben. Geh einfach zurück in dein Motel, sagte er sich, noch während er die Hand zu einem erneuten Klopfen erhob, das immer dringender wurde, bis er mehrfach mit der Faust gegen die schwere Holztür pochte.

Zögernde Schritte nahten. »Was ist los?«, knurrte eine Frauenstimme von drinnen. »Hast du deinen Schlüssel bei deiner Freundin vergessen?« Die Tür ging auf. Dahinter stand seine Stiefmutter, deren Gesichtsausdruck von Wut über Überraschung in schieres Entsetzen umschlug. »O mein Gott«, sagte sie und sackte hinter der Schwelle zusammen, als ob Jeff sie mit einem Schlag in die Magengrube überrascht hätte. »Mein Sohn …«, rief sie.

Jeff wollte sie gerade dankbar in seine Arme schließen, an seine Brust drücken und ihr sagen, dass alles vergeben war und dass noch genug Zeit blieb, die Dinge zwischen ihnen wiedergutzumachen.

»O Gott. Was ist passiert?«, wollte seine Stiefmutter wissen. »Hatte er einen Unfall? Geht es ihm gut?«

Erst nach einer Weile begriff Jeff, dass nicht er, sondern Will der Sohn war, den sie meinte. Natürlich, dachte er, zog seine Arme zurück und erstarrte, als sei sein ganzer Körper gelähmt. »Will ist nichts passiert«, erklärte er ihr mit ausdrucksloser Stimme. »Es geht ihm gut, er amüsiert sich wahrscheinlich besser als je zuvor in seinem Leben.«

Seine Stiefmutter richtete sich wieder zu voller Größe auf und kniff die kühlen blauen Augen zusammen. Sie war beinahe 1,75 groß, selbst in den schäbigen pinkfarbenen Pantoffeln, die sie trug. Eine imposante Erscheinung, ganz gleich wie sie gekleidet war, dachte Jeff und bemerkte die grauen Strähnen an ihren Schläfen, die sie irgendwie eingefallen wirken ließen – ein Eindruck, der durch ihr schmales Gesicht und die beinahe nicht existente Oberlippe noch unterstrichen wurde. Keine besonders schmeichelnde Beurteilung, zumal Jeff wusste, dass sie in ihrer Blüte durchaus als Schönheit gegolten hatte, aber was soll's? Die Zeit für Schmeicheleien war sowieso vorbei.

»Das verstehe ich nicht. Warum bist du hier?«, fragte sie und zog ihren grünen Frotteemorgenrock fester zu.

»Meine Mutter liegt im Sterben«, antwortete Jeff nur. »Ellie sagt, sie hat nur noch ein paar Tage zu leben.«

»Tut mir leid«, sagte seine Stiefmutter und schaffte es, so zu klingen, als würde sie es ernst meinen. »Wolltest du reinkommen? Ich fürchte, dein Vater ist nicht da...«

Jeff verzog die Lippen zu einem Lächeln, als er sich an ihre Begrüßung hinter der Haustür erinnerte. *Was ist los? Hast du deinen Schlüssel bei deiner Freundin vergessen?* »Manche Dinge ändern sich wohl nie.«

»Du bist ihm wie aus dem Gesicht geschnitten, weißt du. Ihr seht euch wirklich unheimlich ähnlich.«

»Das hat man mir schon öfter gesagt«, gab Jeff wütend zurück und wandte sich ab. »Hast du eigentlich mal was von Kathy gehört?«, hörte er sich fragen, und sein Blick wanderte zurück zu dem Haus zwei Türen weiter.

»Kathy? Du meinst Kathy Chapin? Wie um alles in der Welt kommst du jetzt auf sie?«

»Ich war bloß neugierig.«

»Wir haben uns schon vor Jahren aus den Augen verloren. Warum?«, fragte sie noch einmal.

»Nur so.«

Eine Zeitlang starrten sie einander schweigend an. »Warum kommst du nicht einfach rein?«, schlug sie noch einmal vor. »Ich könnte eine Kanne Kaffee aufsetzen. Wer weiß – vielleicht überrascht dein Vater uns ja und kommt früher nach Hause.«

»Sieht wohl eher nicht danach aus.« Jeff ging rückwärts die Eingangsstufen hinunter und fragte sich, ob das frisch erwachte Mitgefühl seiner Stiefmutter Ausdruck ernsthafter Sorge war oder ob sie es schlicht leid war, alleine zu sein.

»Sag Will, er soll mich ab und zu mal anrufen«, rief sie ihm nach.

»Mach ich«, sagte Jeff, ohne sich noch einmal umzudrehen.

KAPITEL 26

Wie überaus seltsam der Tag sich entwickelt hatte, dachte Kristin, während sie ihre Kleider abstreifte und ihr Laken aufschlug. Er hatte mit einem Anruf begonnen und einem anderen Anruf geendet, dazwischen nichts als beunruhigende Lügen. War Jeff wirklich in Buffalo, wie er behauptet hatte, oder war das eine weitere Unwahrheit? Bisher hatte er sich entschieden geweigert, nach Hause zu fliegen, um seine Mutter zu sehen. Was war geschehen, dass er es sich anders überlegt hatte?

Kristin schlüpfte unter die kühlen weißen Laken, drehte sich unruhig von rechts nach links und ging im Kopf noch einmal ihr Telefongespräch durch. »Ich erkläre dir alles, sobald ich zurückkomme«, hatte er gesagt.

Was genau wollte er erklären?

Und dann die kryptische Botschaft bezüglich Suzy. *Wenn Suzy auftaucht, sag einfach Will, dass er sie in die Wohnung bringen soll, und verrate niemandem, wo sie ist.* Was hatte das zu bedeuten? Hatte Suzy ihn noch einmal kontaktiert? War irgendetwas passiert, das Jeff um ihre unmittelbare Sicherheit fürchten ließ?

Kristin drehte sich auf den Rücken und starrte an die Decke. Suzy war nicht ins Wild Zone gekommen. Und sie hatte auch nicht angerufen. Was also war wirklich geschehen? Konnte sie

Suzy einfach anrufen und verlangen, dass sie ihr erklärte, was los war? Kristin mochte es nicht, wenn man sie im Dunkeln tappen ließ. Sie musste wissen, woran sie war.

Eins wusste sie jedenfalls ganz genau: Jeff hatte seine Wette gewonnen. Er und Suzy waren ein Paar, dessen war sie sich sicher. Es war ihr in dem Moment klar gewesen, als sie auf ihrem Telefon die Tasten *69 gedrückt und Suzys Nummer gesehen hatte. Suzy war es gewesen, die am Morgen um halb sieben bei ihnen zu Hause angerufen hatte.

Und Kristin wusste noch etwas: Jeff mochte seine Wette gewonnen haben, aber er hatte dabei sein Herz verloren.

Oder eher seinen Verstand, entschied Kristin lächelnd und dachte, dass ihr so ein melodramatisches Gehabe gar nicht ähnlich sah. Sie drehte sich wieder auf die rechte Seite und zog die Knie an die Brust, konnte jedoch keine bequeme Position finden.

Setzte ihr diese jüngste Entwicklung wirklich zu? War sie aufgewühlt oder verletzt? Hatte sie Angst, verlassen zu werden? Sie seufzte lange und tief. In Wahrheit hatte sie beinahe von dem Moment an, in dem sie und Jeff sich zum ersten Mal Hallo gesagt hatten, gewusst, dass es nur eine Frage der Zeit war, bis er sich wieder verabschieden würde. Selbst als sie bei ihm eingezogen war, hatte sie gespürt, wie er im Kopf begann, die Kisten für seinen Auszug zu packen, und das war okay gewesen. Sie verstand, dass sein Selbsterhaltungsinstinkt ihn dazu zwang, sie – und alle anderen Frauen – emotional auf Distanz zu halten, genauso wie sie begriffen hatte, dass er, egal wie gut sie zu ihm war und wie viel Freiheit sie ihm ließ, irgendwann rastlos werden, neue Herausforderungen suchen und früher oder später eine andere finden würde, um sie zu ersetzen. Vor allem wenn diese Unbekannte ihre Karten richtig ausspielte, sich ein wenig geheimnisvoll gab, es ihm nicht allzu leicht machte und gleichzeitig an sein männliches Ego appellierte, indem sie ihm das Gefühl gab, gebraucht zu werden.

Kristin war nie besonders geheimnisvoll oder eine Herausforderung gewesen. Und sie war ganz bestimmt noch nie gut darin gewesen, Männern das Gefühl zu vermitteln, sie würden gebraucht.

Erstaunlich, wie viel Macht eine hilflose hübsche Frau über einen Mann ausüben konnte, dachte sie und ahnte instinktiv, dass gerade Männer mit angeknackstem Selbstbild die besten Ritter in glänzender Rüstung abgaben. Aber bei all ihrer Cleverness hatte Kristin nie die Möglichkeit in Betracht gezogen, dass Jeff sich tatsächlich verlieben könnte.

Oder dass seine Gefühle erwidert werden könnten.

Das war etwas, was sie nicht bedacht hatte.

War das möglich, fragte Kristin sich, riss die Augen auf und starrte angestrengt in die Dunkelheit.

Und wo genau stünde sie dann?

Sie hörte Schritte im Flur und das Quietschen der Badezimmertür, wenig später die Toilettenspülung und dann laufendes Wasser im Bad. Sie stellte sich vor, wie Will sich müde und verwirrt die Hände wusch und die Zähne putzte. Als sie ihm von Jeffs Anruf erzählt hatte – seiner spontanen Reise nach Buffalo und seiner Anweisung bezüglich Suzy –, hatte Will bloß die Achseln gezuckt und noch ein Bier bestellt. Gesagt hatte er nichts, obwohl sie beobachtet hatte, dass sein Blick den ganzen Abend an der Eingangstür der Bar geklebt hatte, als warte er darauf, dass Suzy hereinkam. Kristin fragte sich, wie er in Wahrheit über Suzy und seinen Bruder empfand, und vermutete, dass ihn alles genauso verwirrte wie sie selbst.

Aber was immer in ihm vorgehen mochte, er teilte diese Gefühle nicht mit ihr. Auf der Rückfahrt aus dem Wild Zone hatte er so getan, als würde er schlafen, und sobald sie die

Wohnung betreten hatten, war er komplett bekleidet auf das Sofa gesunken. Als sie ihn gefragt hatte, ob er einen heißen Kakao oder ein Stück von dem Apple Pie wollte, den sie am Nachmittag gekauft hatte, hatte er zur Antwort nicht einmal gegrunzt, obwohl sie an seinen steifen Schultern erkannte, dass er noch nicht schlief.

Sie bezweifelte, dass einer von ihnen in dieser Nacht viel schlafen würde.

Kurz darauf wurde die Badezimmertür geöffnet, und Kristin wartete auf Wills Schritte im Flur. Aber sie hörte nichts. Sie richtete sich im Bett auf. »Will?«, rief sie durch die geschlossene Schlafzimmertür.

Keine Antwort.

»Will«, rief sie noch einmal und wickelte sich in ihr Laken, als die Tür langsam aufging.

»Habe ich dich geweckt?«, fragte er aus dem Flur.

»Nein.«

»Kannst du nicht schlafen?«

»Ich kann nicht *ein*schlafen«, verbesserte sie ihn.

»Ich auch nicht.«

»Willst du einen heißen Kakao?«, fragte sie noch einmal.

»Nein.«

»Alles okay?«

»Ja. Und bei dir?«

»Auch. Ich kann bloß nicht einschlafen. Mir geht zu viel im Kopf rum.«

»Was geht dir denn im Kopf rum?«

»Ich weiß nicht. Ich kapier das alles nicht«, log sie.

»Vielleicht bist du es einfach nicht gewöhnt, alleine zu schlafen«, sagte Will.

»Vielleicht.«

»Kann ich reinkommen?«, fragte er nach einer kurzen Pause.

»Klar. Ich zieh mir nur rasch etwas über.« Kristin griff nach dem pinkfarbenen Morgenmantel aus Seide, der am Fuß des Bettes lag, und wickelte ihn eilig um sich. »Okay. Jetzt kannst du reinkommen.«

Will stieß die Tür auf und machte ein paar zögernde Schritte ins Zimmer. »Hier ist es ja eiskalt«, bemerkte er und schlang die Arme um seinen Körper.

»Jeff hat es zum Schlafen gern kalt.« Kristin bemerkte, dass Will immer noch das blaue Hemd mit dem Button-down-Kragen und die Khakihose trug, die er den ganzen Tag angehabt hatte. Seine Füße waren allerdings nackt.

»Und was ist damit, wie *du* es gern hast?«

»Ich habe mich daran gewöhnt, schätze ich.«

Will tapste vorsichtig durchs Zimmer, seine Augen hatten sich noch nicht an die Dunkelheit gewöhnt. »Oh. Ich bin auf irgendwas getreten.« Er bückte sich und hob diverse hingeworfene Kleidungsstücke auf. Kristins Push-up-BH baumelte in seiner rechten Hand. »Tut mir leid. Ich fürchte, den habe ich möglicherweise demoliert.«

Kristin lachte. »Das macht nichts. Ich brauche ihn sowieso nicht. Einer der Vorteile von künstlichen Brüsten.« Sie klopfte neben sich auf die Matratze. »Komm. Setz dich.«

»Soll ich das Licht anmachen?«

»Wenn du willst.«

»Eigentlich nicht.«

»Gut. Ich bin nämlich schon abgeschminkt. Definitiv kein schöner Anblick.«

»Du bist verrückt. Ich hab dir doch schon gesagt, ich finde, du siehst ohne Make-up besser aus.« Er hockte sich auf die Bettkante.

Kristin spürte, wie er sie im Dunkeln forschend ansah. »Vielen Dank. Du bist wirklich süß.«

»Es ist die Wahrheit. Und ich bin nicht süß.«
»Ich finde schon.«
»Vielleicht im Vergleich zu Jeff...«
Beide schwiegen eine Weile.
»Möchtest du darüber reden?«, fragte Kristin.
»Worüber?«
»Darüber, was mit Jeff und Suzy los ist.«
»Was ist denn mit Jeff und Suzy los?«, gab Will ihr den Satz als Frage zurück.
»Ich bin mir nicht sicher.«
»Bist du doch.«
»Ja, stimmt«, gab sie zu.
»Du glaubst, sie schlafen miteinander«, stellte Will fest.
»Ja.«
»Heute Nachmittag warst du dir noch nicht sicher.«
»Jetzt bin ich mir sicher«, erklärte sie ihm.
»Warum? Was hat sich verändert?«
»Jeff.«
»Das verstehe ich nicht. Hat er dir erzählt, dass sie miteinander schlafen?«
»Nein.«
»Und wie...«
»Ich weiß es einfach.«
»Weiblicher Instinkt?«
»Es war seine Stimme«, sagte Kristin.
»Seine Stimme?«, wiederholte Will.
»Am Telefon. Die Art, wie er Suzys Namen gesagt hat. Es war... er war... einfach... anders.«
»Anders?«
»Sie schlafen miteinander, Will«, sagte Kristin.
Will beugte sich vor, stützte seine Ellbogen auf die Knie und sein Kinn in die Hände. »Ja«, stimmte er ihr zu.

»Du solltest versuchen, es nicht persönlich zu nehmen«, riet sie ihm nach einer weiteren Pause. »Ich nehme es auch nicht persönlich.«

Will wandte den Kopf in ihre Richtung. »Wie kannst du es nicht persönlich nehmen? Dein Freund schläft mit einer anderen Frau.«

»Es ist eigentlich wirklich halb so wild.«

»Das glaube ich dir *eigentlich wirklich* nicht.«

Diesmal war es an Kristin, die Achseln zu zucken. »Gut. Dann lass es halt bleiben.«

»Ich denke, er ist verrückt«, sagte Will. »Jemanden wie dich zu betrügen.«

»Er ist Jeff«, sagte Kristin. Er ist ein Mann, dachte sie.

»Ich würde so was nie machen.«

»Nein?«

»Nicht, wenn ich jemanden wie dich hätte.«

»Du kennst mich nicht besonders gut, Will.«

»Ich glaube doch.«

»Was weißt du denn über mich?«

»Ich weiß, was ich sehe.«

»Und was genau siehst du, wenn du mich anschaust?«, fragte Kristin, plötzlich bedürftig, es zu hören. »Mal abgesehen von dem falschen Busen, den gefärbten blonden Haaren und den künstlichen Wimpern? Sag mir, was siehst du?« Sie beobachtete Will, dessen Blick über die Flächen ihres Gesichts wanderte.

»Ich sehe eine Frau mit einer wunderschönen Seele«, sagte Will.

»Du siehst meine Seele?« Kristin versuchte zu lachen, aber das Lachen blieb ihr im Hals stecken, und Tränen schossen ihr in die Augen.

»Ich wollte dich nicht aufregen«, sagte Will und wollte ihr

am liebsten über die Wange streichen, traute sich dann aber doch nicht ganz. »Es tut mir leid.«

Kristin schlug sich die Hand vor den Mund. »Ich glaube, das war das Süßeste, was je irgendjemand zu mir gesagt hat«, sagte sie dann.

»Süß«, sagte Will und ließ seine Hand sinken. »Wieder dieses Wort.«

»Es ist nichts verkehrt daran, süß zu sein.«

»Aber ich bin nicht süß.«

»Und ich habe keine wunderschöne Seele.«

»Ich glaube doch.«

»Dann kennst du mich wie gesagt nicht besonders gut.«

»Ich weiß, was ich wissen muss«, beharrte Will.

»Nein«, sagte Kristin, nahm seine rechte Hand und hob sie an ihre Brust. »Ich bin eine menschliche Barbie-Puppe, Will, von Kopf bis Fuß aus Plastik.«

»Nein«, sagte er, und seine Finger zitterten.

»Sie sind künstlich, Will. Ich bin künstlich.«

»Ich kann spüren, wie dein Herz schlägt. Erzähl mir nicht, das wäre nicht echt.«

Sie schüttelte den Kopf. »Das ist nicht wichtig«, sagte sie.

»Das glaubst du doch selbst nicht.«

Kristin öffnete ihren Morgenmantel, nahm Wills Hand und strich damit über ihre nackten Brüste. »Willst du wissen, was ich spüre, wenn du mich da berührst?«, fragte sie und führte seine Finger von einer Brustwarze zur anderen. »Nichts«, antwortete sie, ehe er etwas sagen konnte. »Ich spüre nichts. Weißt du warum? Weil bei der Operation alle Nervenenden beschädigt wurden. Meine Brüste sehen also toll aus – verdammt, sie sehen fantastisch aus –, aber ich spüre nicht mehr viel. Versteh mich nicht falsch«, fügte sie rasch hinzu, »ich will mich nicht beklagen. Für mich ist es okay, ein fairer Deal. Ich habe schon vor langer Zeit gelernt, dass Gefühle arg überschätzt werden.«

»Du spürst nichts, wenn ich dich berühre?«, fragte Will und bewegte seine Hand jetzt allein, massierte sanft erst ihre eine, dann ihre andere Brust.

»Eigentlich nicht«, sagte Kristin und versuchte das leichte Kribbeln zwischen ihren Beinen zu ignorieren.

»Und wie ist es hier?« Will beugte sich vor und küsste ihren Hals.

Kristin entwich ein leises Stöhnen, als Wills Zunge ihr Ohr streifte.

»Oder hier?« Er drückte seine Lippen sanft auf ihre.

»Erinnere mich dran, dass ich mir die Lippen machen lassen muss«, sagte sie heiser.

»Wag es nicht, irgendwas mit diesen Lippen zu machen. Sie sind wunderschön. Du bist wunderschön.«

»Bin ich nicht«, beharrte sie.

»Sag mir, dass du immer noch nichts spürst«, sagte er, schob ihren Morgenmantel beiseite und begann, ihre Brüste zu küssen.

»Ich spüre nichts«, sagte sie, aber es klang selbst in ihren eigenen Ohren wenig glaubwürdig, weil sie sich gleichzeitig vorwölbte und seinen sanften Küssen entgegenstreckte.

»Und jetzt?« Er strich mit den Fingern über ihren Bauchnabel, über ihre Scham und ließ sie zwischen ihre Beine tauchen.

Kristin stöhnte in einer Mischung aus Lust und Wiedererkennen auf. Sosehr sie sich auch mühte, verglich sie Wills zögernde Annäherungen unwillkürlich mit den ungleich selbstsichereren Berührungen seines Bruders. Und wenig später drängte sich ein unwillkommenes Bild in ihre Gedanken. Während sie Wills Zunge in sich spürte, sah sie Jeff mit Suzy, seine geschickten Hände auf ihrem geschundenen Körper, seine Zunge, die geübt ihre zartesten Stellen erkundete. Nein, dachte sie, warf den Kopf hin und her, um das Bild abzuschütteln, und ihr Gedanke nahm Form und Klang an und wurde zu einem Wort. »Nein«, sagte sie, als sie spürte, wie Will an seinem Reißverschluss fummelte. »Nein«, sagte sie lauter, als sie ihn wegstieß. »Nein«, sagte sie unter Tränen, als sie ihren Morgenmantel um sich hüllte und schluchzend ihr Gesicht in den Händen vergrub. »Ich kann nicht«, sagte sie. »Tut mir leid. Ich kann einfach nicht.«

»Ist okay«, hörte sie Will leise sagen. Er klang genauso unsicher wie sie. »Ich bin derjenige, der sich bei dir entschuldigen sollte.«

»Nein, ich bin diejenige, die...«

»Du hast gar nichts gemacht.«

»Ich habe versucht, dich zu verführen«, gab sie zu.

»Was glaubst du, warum ich hier reingekommen bin?«, fragte er.

Sie lachten, nicht fröhlich, sondern eher wie zwei, die sich beide ertappt fühlten. »Ich musste mir immer wieder die beiden zusammen vorstellen«, sagte sie, strich sich das Haar aus dem Gesicht und grub ihre langen Fingernägel in die Kopfhaut, als wollte sie das Bild herausreißen.

»Mein Bruder ist ein Idiot«, sagte Will und stand auf.

»Stimmt.«

»Ich schätze, dann haben wir zumindest das gemeinsam.«

»Du bist kein Idiot, Will.«

»Und ich bin nicht mein Bruder«, stellte Will traurig fest.

Du bist besser als er, wollte Kristin sagen, aber bevor sie die Worte aussprechen konnte, war Will schon verschwunden.

Er ging in die Küche und machte sich eine Tasse löslichen Kaffee. Was soll's? Er würde heute Nacht sowieso nicht schlafen.

Will sog den duftenden Dampf durch die Nase ein und legte beide Hände um den billigen Keramikbecher mit dem aufgeprägten rosafarbenen Flamingo, dessen linkisch angewinkeltes Bein den Henkel des Bechers bildete. WELCOME TO MIAMI stand in großen schwarzen Lettern darunter.

WELCOME TO THE WILD ZONE, dachte Will.

ENTER AT YOUR OWN RISK.

Und er hatte sie auf eigene Gefahr betreten, dachte er. Und war in sein eigenes Verderben gerannt.

Will trank einen Schluck Kaffee und verbrannte sich dabei die Zungenspitze. Trotzdem wurde er Kristins Geschmack auf seinen Lippen nicht los. Er trank noch einen Schluck und verbrannte sich vorsätzlich den ganzen Mund. Das geschah ihm recht, weil er so ein Blödmann gewesen war, dachte er, weil er geglaubt hatte, als Ersatzmann für seinen Bruder einspringen zu können. Seinen älteren, *besseren* Bruder, dachte er bitter. »Was ist bloß mit mir los?«, fragte er laut.

Was ist bloß mit dir los, hatte sein Vater gefragt, als er nach der jämmerlichen Episode mit Amy in Princeton bis zum Ende des Semesters suspendiert wurde. *Was ist bloß mit dir los*, kam das Echo von seiner Mutter. *Was glaubst du, wer du bist, dich so aufzuführen? Dein Bruder?*

Keine Chance, dachte Will, kehrte ins Wohnzimmer zurück, schnappte sich die Fernbedienung von dem Couchtisch und ließ sich aufs Sofa fallen. Kristins Zurückweisung hatte ihm ein für alle Mal bewiesen, dass er kein Ersatz für das Original war.

Der Auserwählte, erinnerte er sich mit bitterer Ironie an Jeffs und Toms verächtlichen Spitznamen für ihn als Kind.

Aber wenn er wirklich der Auserwählte war, warum wählten die Frauen dann immer einen anderen?

Einen wie Jeff.

Er zappte durch die Kanäle, bis er einen Film mit Clint Eastwood fand, einen der großartigen alten Spaghetti-Western, in denen Clint, der Mann ohne Namen, in einem mexikanischen Umhang, das Gesicht verwittert, die Augen zusammengekniffen, ohne viele Worte durch eine karge Landschaft streift und einfach alles erschießt, was ihm in die Quere kommt. Will drehte den Fernseher leiser, damit der Lärm der Schießereien Kristin nicht noch mehr behelligte, als er es ohnehin schon getan hatte. Wenig später sah er, wie Clint die Waffe hob, mit einem befriedigten Grinsen direkt auf den Kopf seines Feindes zielte und abdrückte.

Er dachte an Toms Waffe und überlegte, wo Kristin sie versteckt haben könnte. Er fragte sich, wie es war, einen anderen Menschen zu erschießen. Zum Lärm von Kugeln, die ihm um die Ohren pfiffen, schlief er ein.

KAPITEL 27

Jeff wachte von dem Geschrei vor seinem Fenster auf.

»Leise!«, rief eine Frau sofort. »Joey, hör auf, deine Schwester zu hauen!«

»Sie hat mich zuerst gehauen!«

»Hab ich nicht. Er lügt.«

»Hört auf, alle beide. Seid still. Die Leute schlafen noch. Und jetzt steigt ein.«

Eine Wagentür wurde geöffnet und wieder zugeschlagen. Jeff stützte sich auf die Ellbogen und stellte mit einem Blick auf den Radiowecker neben seinem Bett fest, dass es gerade erst sieben war. Er richtete sich auf, strampelte das Laken auf den Boden, wo es neben der Überdecke landete, die er irgendwann im Laufe der Nacht abgestreift hatte, und sah sein Spiegelbild in dem Muschelrahmenspiegel über der Kommode. Ich sehe schrecklich aus, dachte er und wischte sich den Schweiß von der nackten Brust. Die Hitze des neuen Tages mischte sich bereits mit der Stickigkeit der zurückliegenden Nacht. Es würde einer dieser Hundstage werden, dachte er, stieg aus dem Bett und ging ins Bad.

Er ließ die Dusche laufen und stellte enttäuscht fest, dass der Wasserdruck bestenfalls schwankend war und das Wasser nur lustlos aus dem Duschkopf tröpfelte. Leider beschränkte sich die Liebe zum Nautischen nur auf die Innenausstattung, mit der Wasserversorgung selbst war es nicht weit her, dachte Jeff und versuchte, das runde, schmale Stück weiße Seife zum Schäumen zu bringen. Er stellte sich direkt unter den Duschkopf und ließ das lauwarme Wasser auf sein Gesicht und in seine Ohren tropfen. In der Ferne ertönte »The Star-Spangled Banner«.

Es dauerte einen Moment, bis Jeff begriff, dass sein Handy klingelte. Scheiße, dachte er, wickelte sich ein dünnes weißes Handtuch um die Hüfte, rannte ins Zimmer und zerrte hektisch sein Handy aus der Jeanstasche. »Suzy?«, rief er schon in den Hörer, bevor er das Telefon ganz aufgeklappt hatte.

Aber der Anruf war bereits an die Mailbox weitergeleitet worden. »Mist«, sagte er, schlug mit der flachen Hand auf seinen nassen Oberschenkel und verfluchte sich dafür, das Handy nicht mit ins Bad genommen zu haben.

»Sie haben eine neue Nachricht«, informierte ihn die Mailbox Sekunden später. »Um Ihre Nachricht anzuhören, wählen Sie eins-eins.«

Jeff gab die Zahlen ein und wartete auf den Klang von Suzys Stimme. »Jeff, hier ist Ellie«, sagte stattdessen seine Schwester. »Bitte ruf mich so bald wie möglich zurück.«

»Scheiße.« Jeff warf das Telefon aufs Bett und fuhr sich mit der Hand durch sein nasses Haar. Wahrscheinlich hatte seine Stiefmutter Ellie angerufen, um ihr von seinem Überraschungsbesuch am Abend zuvor zu berichten. *Du meinst, er hat dir nicht erzählt, dass er in der Stadt ist*, konnte er sie förmlich fragen hören und wollte schon nach dem Telefon greifen, bevor er seine Hand wieder zurückzog. Er würde seine Schwester nachher sowieso sehen. Dann würde er ihr alles erklären.

Eine halbe Stunde später saß er bei McDonald's, nippte an seinem zweiten Kaffee und kaute ohne Begeisterung auf einem Egg McMuffin herum. Er fragte sich ein weiteres Mal, was er hier eigentlich machte, und blickte immer wieder auf sein Handy, um zu sehen, ob irgendwelche Nachrichten eingegangen waren, was jedoch nicht der Fall war. Er schob das Tablett beiseite, zerknüllte seine Papierserviette, ließ sie auf den Boden fallen und sah, wie sie sich im Flug wie ein Fallschirm öffnete. Er hob sie auf, strich sie glatt und fragte sich, wie viel Zeit er noch verschwenden wollte, ehe er sich auf den Weg ins Krankenhaus machte, um seine Mutter zu sehen. Sie liegt im Sterben, Herrgott noch mal, sagte er sich. Wovor hatte er solche Angst? Was sollte sie ihm noch antun können?

Er sah aus dem Fenster, und sein Blick fiel auf einen Tisch mit einer Gruppe Mädchen im Teenageralter, die kichernd Pommes frites aßen. Eins der Mädchen – lockige braune Haare, pinkfarbene Lippen, ein grün-weiß karierter Rock, der bis zu den Hüften hochgerutscht war – schaute immer wieder in seine Richtung. Er beobachtete, wie sie ein Kartoffelstäbchen aus dem roten Karton zog, es provozierend zum Mund führte und langsam zwischen ihre Lippen schob. Wäre Tom hier, würde er wahrscheinlich wetten, wie lange Jeff brauchen würde, um seine Hand unter den Rock der dummen Göre zu bekommen. Jeff fragte sich, ob ihre Mutter wusste, was sie trieb, und starrte das Mädchen an, bis es dunkelrot anlief und sich abwandte. Er trank seinen Kaffee aus und stand auf. Letztendlich, dachte er und hätte beinahe gelacht, lief es immer auf die Mütter hinaus.

Als er das Mercy Hospital erreichte, war es kurz nach acht. Das Krankenhaus war 1911 erbaut worden, und man sah ihm jedes seiner fast einhundert Jahre an. Seit Jeff zum letzten Mal hier gewesen war, hatte man zwar einen Komplex aus Glas und Marmor an das Hauptgebäude angebaut, aber der beigefarbene Marmor war schon mit Graffiti verunziert, das Glas rußig und dreckig. Der Bau sah so müde aus, wie er sich fühlte, dachte Jeff und stieg die Stufen der Eingangstreppe hinauf, als steckten seine Beine in Zement.

»Können Sie mir sagen, in welchem Zimmer Diane Rydell liegt?«, fragte er die Frau an dem Informationstresen.

»Zimmer 314«, sagte sie, ohne aufzublicken. »Ostflügel, dritter Stock. Wenn Sie aus dem Fahrstuhl kommen, rechts.« Nach wie vor ohne den Kopf zu heben, zeigte sie auf eine Reihe von Aufzügen neben einer kleinen Geschenkboutique.

»Vielen Dank.« Jeff überlegte, ob er seiner Mutter Blumen oder vielleicht eine Zeitschrift kaufen sollte, und war froh, dass der Laden noch geschlossen hatte, was ihm die Entscheidung abnahm. Er hatte ihr seit seiner Kindheit nichts mehr geschenkt, dachte er und erinnerte sich an das Parfüm, das er ihr einmal zum Geburtstag besorgt hatte. Er hatte monatelang sein Taschengeld gespart, um die hübsche, sternförmige Flasche zu kaufen, doch seine Mutter hatte nur kurz daran geschnuppert und sie dann beiseitegeschoben. »Wahrscheinlich hat sein Vater ihm geholfen, das Zeug auszusuchen«, hatte sie sich später am Abend am Telefon bei einer Freundin beklagt. »Es riecht wie eine seiner Huren.«

»Lass es bleiben«, murmelte er in den Kragen seines schwarzen Hemdes. Nicht jetzt, fuhr er stumm fort. Er hatte nicht den weiten Weg gemacht, um alte Wunden aufzureißen. Weder er noch sie konnten etwas an der Vergangenheit ändern. Es war, wie es war, und das Gute daran war, dass es vorbei war. Ja, seine Mutter hatte Fehler gemacht. Eine Menge Fehler. Und vielleicht hatte sie ihr ganzes Leben lang gebraucht, um zu erkennen, wie falsch, grausam und egoistisch es gewesen war, ihn im Stich zu lassen. Aber jetzt hatte sie es eingesehen, und es tat ihr herzlich leid. Bitte verzeih mir, hörte er sie flehen, und in ihren todgeweihten Augen standen Tränen der Reue. *Ich liebe dich. Ich habe dich immer geliebt.*

Jeff fragte sich, wie er reagieren würde, während er langsam wie durch einen dichten Nebel den Flur hinunterging. Konnte er ihre gebrechliche Hand in seine nehmen, konnte er in ihre flehenden Augen blicken, sie anlügen und ihr sagen, dass er sie trotz allem auch liebte? Konnte er das?

Und wäre es wirklich eine Lüge?

Jeff hielt den Atem an, als könne er so die unangenehme Krankenhausluft ausblenden, den Geruch von Krankheit und Tod, den die Desinfektionsmittel nur mühsam überdeckten. Er betrat den Fahrstuhl und drückte auf den Knopf für den dritten Stock. Ehe die Türen sich wieder schlossen, drängten sich vier weitere Personen in die Kabine, darunter ein junger Mann, dessen Namensschild an seinem weißen Kittel ihn als Dr. Wang auswies. Er sah aus, als wäre er fast noch ein Teenager, dachte Jeff und erinnerte sich daran, dass er als kleiner Junge auch davon geträumt hatte, Arzt zu werden. Vielleicht wenn man ihn ein wenig ermutigt hätte... Oder vielleicht auch nicht, entschied er, als ihm einfiel, dass er auch Feuerwehrmann oder Akrobat hatte werden wollen. Als die Türen des Fahrstuhls sich im dritten Stock öffneten, atmete er aus und hielt sich wie angewiesen rechts, bis er zum Zimmer 314 kam.

Vor der geschlossenen Tür blieb er stehen, blickte den leeren Flur hinunter und versuchte, seine Gedanken zu ordnen. Er hätte Ellie anrufen und sich mit ihr verabreden sollen. Dann hätten sie gemeinsam hineingehen können, und er hätte seiner Mutter nicht allein gegenübertreten müssen.

»Sei nicht albern«, flüsterte er. »Sie stirbt, Herrgott noch mal. Sie kann niemandem mehr etwas tun.«

Er atmete tief ein und wieder aus, öffnete die Tür und versuchte eine möglichst ausdruckslose Miene aufzusetzen, als er das Zimmer betrat. »Sie sieht völlig anders aus, als du sie in Erinnerung hast«, hatte Ellie ihm in einem ihrer Anrufe berichtet. »Man erkennt sie kaum wieder. Sie hat so stark abgenommen, und ihre Haut ist beinahe durchsichtig.«

Jeff wappnete sich für den Anblick und konzentrierte sich, während er all seine Kräfte zusammennahm, auf ein Quadrat des Linoleumbodens. Erst nach mehreren weiteren tiefen Atemzügen schaffte er es, den Blick vom Boden zu heben.

Das Bett war leer.

Jeff stand eine Weile reglos da und wusste nicht, was er machen sollte.

Es handelte sich offensichtlich um einen Irrtum. Entweder die Frau an der Information hatte ihm eine falsche Zimmernummer genannt oder er hatte die falsche Tür geöffnet. Aber schon als er in den Flur zurückkehrte, um die Zimmernummer zu überprüfen, und zur Schwesternstation lief, wo er eine hübsche dunkelhäutige Krankenschwester fragte, wo er Diane Rydell finden könne, schon als er die äußerst unwahrscheinliche Möglichkeit erwog, dass Ellie ihre Mutter unter einem anderen Namen angemeldet oder sie in ein anderes Krankenhaus verlegt hatte, wusste er, dass die Information, die man ihm gegeben hatte, korrekt war und kein Fehler vorlag.

»Es tut mir so leid«, erklärte die Schwester ihm. »Mrs. Rydell wurde heute Morgen abberufen.«

Abberufen, dachte Jeff. Was soll das heißen, sie wurde *abberufen*? *Wohin* abberufen? »Was wollen Sie damit sagen?«, fragte Jeff ungeduldig und machte unwillkürlich einen Schritt zurück, als ihm die Bedeutung der beschönigenden Umschreibung dämmerte. »Soll das heißen, sie ist gestorben?«

»Gegen halb sechs heute Morgen«, führte die Schwester mit einem besorgten Blick aus dunkelbraunen Augen aus. »Es tut mir leid. Sie sind…?«

»Jeff Rydell.«

»Sind Sie verwandt?«

»Ich bin ihr Sohn«, sagte Jeff leise.

»Verzeihung. Ich wusste nicht, dass sie einen Sohn hatte«, sagte die Schwester.

»Ich lebe in Florida«, erklärte Jeff ihr. »Ich bin erst gestern Abend angekommen.«

»Ihre Schwester habe ich natürlich kennengelernt.«

»Ellie. Ist sie hier?« Jeffs Blick schoss den langen Flur hinunter.

»Sie war hier. Ich glaube, sie ist nach Hause gefahren, um ein paar Dinge zu regeln.«

Jeff spürte, wie seine Knie nachgaben, und stützte sich auf den Tresen der Schwesternstation ab, um nicht umzufallen.

»Oje«, sagte die Schwester und kam um den Tresen auf seine Seite. »Alles in Ordnung? Sandra, hol einen Becher Wasser. Sofort. Hier«, sagte sie kurz darauf, dirigierte Jeff auf den nächsten Stuhl und hielt einen Pappbecher mit Wasser an seine Lippen. »Trinken Sie. Langsam. Wie ist das? Geht es Ihnen besser?«

Jeff nickte.

»Es ist vermutlich immer ein Schlag«, sagte die Krankenschwester. »Egal wie alt oder krank unsere Eltern sind. Wir erwarten trotzdem nicht, dass sie sterben.«

Deswegen hatte Ellie ihn heute Morgen also angerufen. Nicht weil seine Stiefmutter sich bei ihr gemeldet hatte, sondern weil ihre Mutter gestorben war. Ellie wusste nicht einmal, dass er in Buffalo war. Er sprang auf. Er musste sie anrufen.

»Hoppla, schön langsam«, sagte die Krankenschwester, fasste seinen Ellenbogen und führte ihn zurück zu seinem Stuhl. »Ich denke, Sie sollten eine Weile einfach hier sitzen bleiben. Ich kann ja Ihre Schwester anrufen und ihr sagen, dass Sie hier sind.«

Es war mehr eine Feststellung als eine Frage, und Jeff nickte.

Von seinem Platz an der Wand des Krankenhausflures hörte er sie mit seiner Schwester sprechen. »Ja, natürlich bin ich sicher. Er sitzt direkt vor mir. Er wirkt ziemlich mitgenommen«, meinte er, sie sagen gehört zu haben. »Ja, ich behalte ihn hier, bis Sie da sind.«

Und dann schaltete sich sein Verstand ab. Bewusste Gedanken wichen einer Reihe von Bildern, als würde er ohne Ton fernsehen. Er sah sich als kleinen Jungen glücklich neben seiner Mutter, seine Hand geborgen in ihrer, als sie in einem großen Einkaufszentrum von Laden zu Laden schlenderten. Rasch schob sich ein zweites Bild über das erste – seine Mutter, die ihm die Haare kämmte. Und ein drittes – seine Mutter, die die Wunde an seinem Knie küsste, nachdem er mit seinem neuen Fahrrad gestürzt war. Bild auf Bild trudelte in sein Gesichtsfeld wie ein Haufen weggeworfener Fotos: seine Mutter, jung und gesund, lachend und lebenshungrig, liebevoll und aufmerksam.

Und dann purzelten weitere Bilder wie aus einem abgegriffenen Kartenspiel auf ihn nieder: seine Mutter, die neben dem Telefon auf und ab lief und in ihr Kissen schluchzte, die ihn wegscheuchte, wenn er versuchte, sie zu trösten; ihre verquollenen und verkniffenen Augen, ihr wütender Mund, als sie sich weigerte, das Frühstück zu essen, das er ihr ans Bett gebracht hatte; seine Mutter, traurig und niedergeschlagen, weinend und erniedrigt, ungeduldig und gleichgültig.

Seine Mutter, die seinen Koffer packte und ihn wegschickte.

»Er erinnert mich einfach so extrem an seinen Vater«, hörte Jeff sie sagen, als ob plötzlich jemand den Ton des imaginären Fernsehers angedreht hätte. »Ich schwöre, sie haben das gleiche verdammte Gesicht.«

Nein. Aufhören. Ich bin nicht mein Vater.

Der Ton wurde lauter. »Ich kann mir nicht helfen, aber jedes

Mal wenn ich ihn ansehe, will ich ihn am liebsten erwürgen. Ich weiß, dass das Unsinn ist. Es ist nicht seine Schuld. Aber ich kann seinen Anblick einfach nicht ertragen.«

Nein. Bitte aufhören.

»Ich brauche einfach ein wenig Zeit für mich, um herauszufinden, was das Beste für mich ist.«

Und was ist damit, was das Beste für mich ist?

»Was ist mit Ellie?«, hörte Jeff sein jüngeres Ich fragen. »Zieht sie auch zu Daddy?«

»Nein«, erwiderte seine Mutter mit ausdrucksloser Stimme. »Ellie bleibt bei mir.«

»Jeff«, sagte eine neue Stimme. »Jeff? Alles okay mit dir?«

Der Fernseher in Jeffs Kopf wurde plötzlich schwarz.

»Jeff?«, fragte die Stimme noch einmal. Finger strichen sanft über seine Wange.

»Ellie«, sagte Jeff, als das Gesicht seiner Schwester vor ihm auftauchte. Sie hockte vor ihm, älter und üppiger, als er sie in Erinnerung hatte, das Haar in einem etwas blasseren Blondton, rote Ränder unter den grau-grünen Augen. Sie trug eine ärmellose hellblaue Bluse, und Jeff bemerkte die fleckige Haut und das schwabbelige Fleisch ihrer Oberarme.

»Dagegen solltest du etwas tun«, sagte er gedankenverloren. Er wüsste alle möglichen Übungen, die er ihr empfehlen könnte.

»Wogegen sollte ich etwas tun?«

»Was?«, fragte er und hob den Blick wieder zu ihrem Gesicht.

»Alles okay?«

»Ja.«

»So wirkst du aber nicht.«

»Ich bin bloß müde.«

»Wann bist du angekommen?«

»Gestern Abend.«

»Gestern Abend? Warum hast du nicht eher angerufen?«

»Es war spät«, log Jeff. Eigentlich wusste er nicht, warum er sie nicht angerufen hatte. »Vielleicht wollte ich dich überraschen.«

»Vielleicht warst du dir auch nicht sicher, ob du es durchziehen würdest.«

Jeff musste nicht fragen, was Ellie meinte. »Vielleicht.«

»Möchtest du einen Kaffee?«

»Ich hatte schon reichlich Kaffee.«

»Ich auch. Vielleicht können wir uns irgendwo hinsetzen.« Ihre Knie knackten, als sie sich wieder aufrichtete.

Ein paar Minuten später fanden sie sich in dem leeren Zimmer ihrer Mutter wieder, Ellie hockte auf der Bettkante des frisch bezogenen Krankenhausbetts. Jeff stand am Fenster und blickte auf die Straße. »Und was genau ist passiert?«, fragte Jeff.

»Ihr Herz hat einfach aufgegeben, nehme ich an.«

»Was sagen die Ärzte?«

»Nicht viel. Ich meine, was können sie sagen? Es kam nicht direkt überraschend. Der Krebs hatte mehr oder weniger die Herrschaft über ihren Körper übernommen. Ihr Herz ist minütlich schwächer geworden. Als ich gestern hier war, hatte ihr Gesicht diese schreckliche graue Blässe angenommen. Ich wusste, dass sie es nicht mehr viel länger machen würde.«

Und auf einmal lachte Jeff lange und laut.

»Jeff? Was ist? Was ist los?«

»Sie konnte einfach nicht warten, was?«, sagte er.

»Was?«

»Sie konnte nicht einen verdammten Tag länger warten.«

»Wovon redest du?«

»Oder wenigstens ein paar verdammte Stunden«, sagte Jeff.

»Du glaubst, sie hätte das mit Absicht gemacht? Du glaubst, sie wäre vorsätzlich gestorben, bevor du kommen konntest?«

Jeff warf den Kopf in den Nacken und lachte noch lauter als zuvor. »Das würde ich ihr zutrauen.«

»Du redest dummes Zeug.«

»Sie konnte sich die Chance, es noch einmal mit mir zu vermasseln, einfach nicht entgehen lassen.«

»Das ist nicht wahr. Das weißt du genau. Sie hatte seit Wochen nach dir gefragt. Sie wollte dich unbedingt sehen. Sie hat bis zum Schluss gehofft, dass du kommst.«

»Und warum hat sie dann nicht gewartet? Sag es mir.«

»Sie hatte keine Wahl, Jeff.«

»Natürlich hatte sie das. Sie hatte immer eine Wahl. Genauso wie damals, als sie entschieden hat, mich aufzugeben und dich zu behalten; als sie nichts mehr mit mir zu tun haben wollte…«

»Sie hat dich nie vergessen, Jeff.«

»Sie wusste, dass ich früher oder später kommen würde. Sie hat sich einfach nicht die Mühe gemacht zu warten. Ich war die Anstrengung nicht wert.«

»Das ist nicht wahr.«

»Also hat sie mich noch einmal verlassen. Die finale Ohrfeige. Diesmal aus dem Grab. Wirklich starker Abgang, Mutter, das muss ich dir lassen. Das kriegt niemand besser hin. Da bist du immer noch Meister.« Jeff spürte, wie seine Schwester von hinten auf ihn zutrat und ihre Hände auf seine Arme legte. Er zuckte zusammen und schüttelte ihre Berührung ab. »Wo ist sie überhaupt?«

»Man hat sie zum Bestatter gebracht. Wir können zusammen hinfahren, wenn du willst. Du kannst sie noch einmal sehen und dich von ihr verabschieden.«

»Nein danke.« Er lachte erneut. »Abberufen.«

»Was?«

»Die Krankenschwester hat gesagt, sie wäre *abberufen* worden. Wie von einem wichtigen Posten.«

»Das ist nur so eine Redensart, Jeff. Wahrscheinlich dachte sie, es wäre rücksichtsvoller, als zu sagen, sie ist gestorben.«

»Hey, tot ist tot, egal wie man es ausdrückt. Und was passiert jetzt?«

»Wir fahren nach Hause, treffen alle Vorkehrungen für die Beerdigung. Ich dachte an Freitag. Ich weiß nicht, welchen Sinn es haben sollte, es noch länger hinauszuzögern, oder? Sie hatte nicht viele Freunde…«

»Wie traurig«, sagte Jeff höhnisch. »Und nein, unbedingt, je früher wir sie unter die Erde bringen, desto besser.«

»Du übernachtest bei mir«, sagte Ellie. »Und Kirsten auch, wenn sie kommt.«

Diesmal machte Jeff sich nicht die Mühe, sie zu verbessern. Kirsten, Kristin – welchen Unterschied machte das? »Tut sie nicht.«

»Auch gut. Dann haben die Kinder dich ein paar Tage ganz für sich.«

»Die wissen doch nicht mal, wer ich bin«, sagte Jeff.

»Dann wird es höchste Zeit, dass du etwas dagegen tust.«

Jeff drehte sich zu seiner Schwester um. Er sah die Trauer in ihren Augen und begriff zum ersten Mal, dass die Mutter, die sie verloren hatte, eine vollkommen andere Frau gewesen war als die Mutter, die er nie richtig gekannt hatte. »Okay«, sagte er.

Ellie errötete vor Erleichterung. Tränen der Dankbarkeit schossen ihr in die Augen. »Gut, ich rufe Bob an und sage ihm, dass wir auf dem Weg nach Hause sind.«

»Warum treffen wir uns nicht dort? Ich muss noch zurück ins Motel, meinen Koffer packen…«

»Du hast einen Koffer dabei?«

»Du kennst mich doch.«

»Ich würde dich gern kennen«, sagte sie.

»Triff du die notwendigen Vorkehrungen«, erklärte er ihr. »Ich fahre zurück ins Motel, dusche, packe meine Sachen und bin in einer Stunde bei dir.«

»Versprochen?«

»Versprochen.«

»Ich liebe dich«, sagte Ellie mit brechender Stimme.

Jeff umarmte seine Schwester und hielt sie fest, während sie in seinen Armen weinte.

Eine Stunde später saß er zusammengesunken in der Flughafen-Lounge, den Kopf voller Bilder von Suzy, als »The Star-Spangled Banner« ertönte. Er zog sein Handy aus der Tasche und sah auf das Display. Er hoffte, es würde Suzy sein, wusste jedoch, dass es Ellie war, die fragte, warum er so lange brauchte.

Er überlegte dranzugehen, aber was hätte er sagen sollen? Dass er es sich anders überlegt hatte? Dass er die ganze Zeit gelogen hatte? Das musste Ellie doch vermutet haben. Sie hätte auch darauf bestehen können, ihn zum Motel zu begleiten. Sie hätte sich weigern können, ihn aus den Augen zu lassen, weil sie wusste, dass es nicht unwahrscheinlich war, dass er kehrtmachen und weglaufen würde. Stattdessen hatte sie den bequemen Weg gewählt. Letztendlich war sie die Tochter ihrer Mutter.

Zu sagen »ich liebe dich« war nur ihre Art gewesen, sich zu verabschieden.

Jeff starrte auf das Telefon, bis die Hymne verstummte, und steckte es dann wieder ein. Er machte es sich auf seinem Platz bequem, schloss die Augen, ließ den Kopf auf die Brust sinken und überließ sich wieder seinen Träumen von Suzy.

KAPITEL 28

Tom öffnete die Augen in der Dunkelheit des späten Nachmittags. Nicht dass es draußen schon dunkel gewesen wäre, das nicht. Aber bei den zugezogenen Vorhängen hätte es auch mitten in der Nacht sein können. Er lehnte den Kopf auf das Blumenpolster des Sofas, streifte seine Sneakers ab, streckte die Beine aus und legte die Füße auf den Couchtisch aus Holz und Glas. Mit dem rechten Fuß – an dem er denselben dunkelblauen Socken trug wie seit zwei Tagen – trat er gegen eine Flasche, die klirrend zu Boden fiel. Sofort stieg ihm der Gestank von verschüttetem Bier in die Nase und verband sich mit dem eklig süßen Geruch von Marihuana und den weggeworfenen Zigarettenkippen auf dem Fußboden, die sein Revier markierten wie verstreute Kiesel. »Was zum Teufel machst du?«, tadelte er sich mit Laineys Stimme. »Hier sieht es aus wie in einem Schweinestall, Himmel noch mal. Räum gefälligst auf.«

Tom lachte. »Ich fange gerade erst an, du Schlampe«, brüllte er in das dunkle Zimmer. »Warte, bis du das Schlafzimmer siehst.« Er lachte noch einmal und wandte die Augen zur Decke, als er sich einen weiteren Joint anzündete und an den letzten Abend dachte. Was für eine Nacht!

Er griff nach der halbleeren Bierflasche in seinem Schoß und leerte sie in einem langen Schluck. Wie viele waren es jetzt, fragte er sich und versuchte die Biere zu zählen, die er seit dem Morgen getrunken hatte. Oder genauer gesagt seit gestern Abend, korrigierte er sich, denn er hatte seit mindestens vierundzwanzig Stunden nicht mehr geschlafen und gestern Abend um sieben angefangen zu trinken – wenn man die beiden Bierchen nicht mitzählte, die er auf dem Nachhauseweg gekippt hatte. Er ließ die leere Flasche auf den Boden fallen, zog intensiv an dem Joint, griff nach dem Telefon auf dem Beistelltisch neben dem Sofa und stieß dabei gegen die Lampe. Tom wandte träge den Kopf und beobachtete, wie die Lampe gefährlich schwankte und dann doch stehen blieb. Er stellte das Telefon auf seine Brust und tippte die Nummer ein, die er vom Vorabend noch auswendig kannte. Ja, dachte er. Die letzte Nacht war etwas ganz Besonderes gewesen.

»Venus Milos Escort Service«, schnurrte eine Stimme leise in sein Ohr. »Hier ist Chloe. Wie kann ich Ihnen helfen?«

Tom schmiegte den Arm um den Hörer und spürte seine Erektion, als er an das Mädchen dachte, das ihm der Escort-Service letzte Nacht vorbeigeschickt hatte. »Hallo«, hatte das süße Lockenköpfchen gesagt, als sie in den kleinen Flur getreten war und schnell den knappen Pulli abgelegt hatte, der ihre riesigen falschen Brüste verhüllte. »Ich bin Ginny. Ich habe gehört, du möchtest feiern.«

»Ich würde gern ein Mädchen bestellen«, erklärte Tom jetzt Chloe.

»Sie möchten eine Begleitdame engagieren?«, verbesserte Chloe ihn sanft.

»Ja. Vielleicht zur Abwechslung mal eine Asiatin.« Tom erinnerte sich, gehört zu haben, dass asiatische Mädchen meistens unterwürfiger waren als Amerikanerinnen. »Ist das ein Problem?«

»Überhaupt nicht. An wann hatten Sie gedacht?«

»Ich hatte an sofort gedacht.«

»Sofort«, wiederholte Chloe. »In welchem Stadtviertel wohnen Sie?«

»In Morningside.«

»Okay, das sollte keine Probleme bereiten. Lassen Sie mich sehen, ob ich etwas für Sie habe. Bleiben Sie bitte einen Moment dran.«

»Aber nicht zu lange«, mahnte Tom und stellte sich vor, wie Ginny sich nackt unter ihm wand.

»Okay, ich glaube, ich habe vielleicht jemanden für Sie«, meldete Chloe sich etwa eine Minute später zurück. »Sie heißt Ling, stammt aus Taiwan und kann in etwa vierzig Minuten bei Ihnen sein. Wie hört sich das an?«

»Klingt gut.«

»Das macht dreihundert Dollar pro Stunde, und Ihnen ist klar, dass wir nur einen Begleitservice vermitteln. Alles, was Sie mit Ling darüber hinaus verabreden, ist eine Vereinbarung ausschließlich zwischen Ihnen beiden.«

»Oh, das ist mir schon klar.«

»Gut. Dann brauche ich nur noch Ihren Namen und Ihre Kreditkartennummer.«

»Tom Whitman«, sagte er, kramte in seiner Jeans nach seiner Kreditkarte und wollte die Zahlen gerade herunterrattern, als Chloe ihn unterbrach.

»Tut mir leid«, sagte sie, und ihre weiche Stimme war mit einem Mal stahlhart. »Tom Whitman haben Sie gesagt?«

»Genau. Gibt es ein Problem?«

»Ich fürchte, wir können Ihren Wunsch zurzeit nicht erfüllen, Mr. Whitman. Ich schlage vor, dass Sie sich anderweitig bemühen. Oder am besten gleich um professionelle Hilfe.«

»Was glauben Sie, was ich hier verdammt noch mal tue?«

»Auf Wiederhören, Mr. Whitman«, sagte Chloe, bevor sie auflegte.

»Warten Sie! Was sind Sie ... Was zum Henker ...? Scheiße!« Tom sprang auf, trat mit den Zehen auf die Zigarettenkippen und wäre beinahe über die eben weggeworfene Bierflasche gestolpert. »Hast du mich gerade rausgeschmissen, du Schlampe?« Was zum Henker war los? Erst der kleine Wichser Carter bei der Arbeit, der ihm verkündet hatte, dass seine Dienste nicht mehr benötigt würden; sein selbstgefälliger Gesichtsausdruck, als er Tom erklärte, dass sich eine Reihe von Kunden und sogar eine Kollegin über seinen Umgangston beschwert hätten. Er hatte ihm einen Abfindungsscheck überreicht, ohne ihm auch nur die Gelegenheit zu geben, sich zu verteidigen. Nicht dass Tom das getan hätte. »Ich habe Ihnen eine Chance gegeben, Ihren guten Willen zu zeigen«, hatte Carter gesagt.

War es da ein Wunder, dass Tom ihm eine verpasst hatte? Carters Nase hatte er zwar verfehlt, jedoch seine Brille erwischt, die zu Boden gefallen war, wo Tom noch einmal daraufgetreten war, bevor er ziemlich unsanft – er sollte eine Beschwerde bei der Menschenrechtskommission einreichen – von einem Sicherheitsmann zum Ausgang eskortiert worden war. Und jetzt erklärte ihm diese bessere Schwanzlutscherin von dem Escort-Service, dass sie seine Bitte nicht erfüllen könne, dass er sich anderweitig bemühen oder gleich professionelle Hilfe in Anspruch nehmen sollte!

Das war alles die Schuld dieser Schlampe Ginny. Ginny mit den großen Titten und dem Mund voller teurer Kronen. Er hätte sie ihr aus ihrer blöden Fresse schlagen sollen, dachte er, ballte die rechte Hand zur Faust und drückte den Joint aus, der zwischen seinen Fingern zu grün-brauner Asche heruntergebrannt war, sodass Marihuana-Flocken auf den Teppich rieselten wie Staub. Sie war offensichtlich heulend zu ihrer Chefin gerannt. Verdammte Amateurin. Er hatte sie schließlich bezahlt, oder nicht? Und trotzdem hatte sie sich über alles beschwert. Sie mochte es nicht, gefesselt zu werden, sie mochte es nicht in den Arsch; sie stand nicht auf »Schmerzen«. Blöde Fotze – er hätte ihr den verdammten Kopf wegpusten sollen.

Was jetzt, fragte Tom sich, ging in die Küche und zog auf der Suche nach dem Platz, wo Lainey das Telefonbuch aufbewahrte, eine Schublade nach der anderen auf. Typisch Lainey, es vor ihm zu verstecken. Er leerte eine Schublade mit Servietten, eine weitere mit Platzsets und eine dritte voller ordentlich gefalteter Tischdecken. Besteck regnete zu Boden, Teller zerschellten. Erst als Tom jeden Schrank geleert hatte und mit verschwitztem T-Shirt und vor Anstrengung keuchend knöcheltief in den Trümmern stand, hielt er inne. Schweiß tropfte von seinen Haaren in seinen Mund. In diesem Moment fiel ihm ein, dass er das Telefonbuch am Abend zuvor mit ins Wohnzimmer genommen hatte, um Milos Escort-Service nachzuschlagen. Er lachte. Von allen verdammten Begleitagenturen in dem Buch hatte er ausgerechnet diese gewählt. Und warum? Weil er dachte, dass der Name nach Stil und Klasse klang. War Venus Milo nicht irgendein berühmtes Kunstwerk, die Statue einer Frau, die vor allem bekannt dafür war, dass sie keine Arme hatte? Scheiße, dachte er und kehrte ins Wohnzimmer zurück. Eine nackte Frau war eine nackte Frau. Und wie viel Klasse konnte sie schon ohne Arme haben?

Er kroch auf allen Vieren durch den Dreck auf dem Wohnzimmerfußboden. An seinen Händen klebte ein Film aus verschüttetem Bier und Chipskrümeln mit Dip, sein Frühstück. Als er die Suche gerade aufgeben wollte, sah er eine von Feuchtigkeit wellige und eselsohrige Ecke des Telefonbuchs hinter dem Vorhang hervorlugen, als hätte es versucht, den Ausschweifungen zu entkommen. »Komm her, du mieses Dreckstück«, befahl er, zerrte das Telefonbuch in seinen

Schoß, nahm die Lampe vom Tisch und stellte sie neben sich auf den Fußboden.

Der Anblick, der ihm entgegenschlug, als er sie anmachte, ließ selbst ihn zurückweichen. »Scheiße«, rief er und lachte dann triumphierend. »Was für eine Sauerei!« Lainey würde einen Tobsuchtsanfall bekommen, wenn sie das Chaos sah, das er angerichtet hatte.

»Was hast du getan?«, konnte er sie kreischen hören. »Mein Gott, was hast du angerichtet?«

»Ich hab bloß ein bisschen umdekoriert«, brüllte Tom in die Stille. »Das hätte ich schon vor Jahren machen sollen.« Er schlug die Gelben Seiten auf und fand rasch die Rubrik Escort.

Auf mindestens einem Dutzend Seiten waren die verschiedensten Begleitagenturen aufgelistet, manche mit ganzseitigen Anzeigen. Es sollte kein Problem sein, eine Agentur zu finden, die seinen Bedürfnissen entsprach, dachte Tom. Und so schnell konnte sein Name nicht die Runde gemacht haben. Ausgeschlossen, dass er schon bei allen auf der schwarzen Liste stand.

Executive Choice
Miami Escort Service
Rund um die Uhr – nur Haus- und Hotelbesuche

Darunter stand kleiner, aber fett gedruckt: **Begleitung zu Abendessen & Geschäftsempfängen, hundert Prozent vertraulich, absolute Diskretion, schöne Ladys mit Stil und Eleganz.**

Und zuletzt: *Wir akzeptieren alle gängigen Kreditkarten*, gefolgt von einer Telefonnummer, einer Website und einer E-Mail-Adresse.

Die nächsten Seiten waren mehr oder weniger Variationen des gleichen Themas: *Damen für gehobene Ansprüche* versprach ein Anbieter, *Party-Girls* ein anderer. Es gab einen Eintrag für *Knuspermiezen*, ein anderer lautete schlicht *Oh-la-la*. Eine Agentur war spezialisiert auf Studentinnen und präsentierte auf seiner farbigen halbseitigen Anzeige Porträtfotos lächelnder Teenager. »Das sieht gut aus«, sagte Tom, griff zum Telefon und stellte es dann wieder ab, als er auf der nächsten Seite eine Reihe von Anzeigen entdeckte, die gefügige japanische, chinesische, koreanische, philippinische, indische, singapurische und thailändische Begleiterinnen anpriesen. Nicht dass er eine Koreanerin von einer Japanerin unterscheiden könnte, dachte er, und es war ihm auch egal, solange sie so gefügig war, wie die Anzeigen versprachen.

Auf einem Foto spähte eine asiatische Schönheit schüchtern über einen elfenbeinfarbenen Fächer hinweg, auf einem anderen blickte eine Frau verführerisch über den Rand ihrer strassbesetzten Designer-Sonnenbrille, auf einem Dritten hielt ein lächelndes dunkelhaariges Mädchen einen grünen Apfel in der Hand.

Tom fragte sich, was das sollte, und hakte die Agentur ab. Wer wollte ein Mädchen vögeln, das einen Apfel in der Hand hielt? Ein Apfel am Tag, dachte er, als sein Blick auf die ganzseitige Anzeige einer Agentur namens Déjà-vu-Escort fiel. Was zum Henker bedeutete das? Dass man sie alle schon einmal gesehen hatte?

Er blätterte weiter. Es gab eine *Schönheit mit 60* – »Schlechter Scherz, wie?«, höhnte er –, eine *Fantastische Lady 50* (erneutes spöttisches Schnauben), gefolgt von *Fesselnden reifen Begleiterinnen* (wer wollte Reife, Scheiße noch mal?), *Kammerzofen in Schwarz & Weiß* sowie *Gefesselt & Geknebelt* (beides bei anderer Gelegenheit durchaus einen Versuch wert, dachte er). Ein *Küchen-Team* (machten die hinterher sauber, oder was?) und eine Agentur, die mit dem Slogan *Älter, Langsamer, Besser* warb. »Wer braucht alt und langsam?«, fragte Tom laut. Es gab Anzeigen für kubanische Mädchen, russische Mädchen und sogar *Einheimische Schönheiten*. Es gab eine Miss Vicki, eine Mistress Letitia und eine Miss Carla de Sade. Es gab eine Holly Golightly, Thelma & Louise und jemanden, der sich schlicht Mark nannte. »Sorry, Kumpel. In diesem Leben nicht.« Am Ende entschied Tom sich für Last Minute Escorts.

»Hier ist Tanya«, meldete sich Sekunden später eine verführerische Stimme. »Wie kann ich Ihnen dienen?«

Tom suchte nach einer witzigen Antwort, aber alles, was ihm einfiel, war: Du kannst deinen Arsch herbewegen und mir einen blasen. Deshalb sagte er nur: »Ich hätte gern ein Mädchen. So schnell wie möglich.«

»Selbstverständlich«, sagte Tanya. »Haben Sie irgendeine besondere Vorliebe?«

»Haben Sie Mädchen aus Afghanistan?«, fragte Tom, auch zu seiner eigenen Überraschung.

»Afghanistan?«, fragte Tanya mindestens eine halbe Oktave höher als vorher. »Araberinnen, meinen Sie?«

»Ich denke ja.«

»Ich fürchte nein«, sagte Tanya. »Wir haben eine große Bandbreite von asiatischen Frauen«, fuhr sie fort, als ob Asiaten und Araber austauschbar wären.

»Haben Sie jemanden aus Singapur?« Tom hatte gehört, wie streng es in Singapur zuging. Man konnte ins Gefängnis kommen, wenn man bei Rot über die Straße ging, oder hundert Peitschenhiebe kassieren, wenn man auf die Straße spuckte. Hatte man nicht einen amerikanischen Jungen für ein harmloses Graffiti an einer Mauer beinahe hingerichtet, verdammt noch mal? Da konnte man wohl davon ausgehen, dass ihre Frauen ziemlich unterwürfig waren.

»Ich glaube ja.« Man hörte das Klappern einer Computer-Tastatur. »Ich kann Ihnen eine hinreißende junge Dame namens Cinnamon anbieten. Sie ist fünfundzwanzig Jahre alt, 1,55 Meter groß und hat einen Hüftumfang von 56 Zentimeter.«

»Busengröße?«

»Doppel D.«

»Echt?«

»Sie scherzen?«, fragte Tanya.

»Okay. Gut. Klingt super.«

»Dann brauche ich Ihren Namen und Ihre Kreditkarte.«

Tom wollte gerade seine Karte aus der Hemdtasche fischen, als ihm der Gedanke kam, dass er nicht noch einmal ein Fiasko wie mit Chloe erleben wollte. »Können Sie einen Moment dranbleiben?«

»Selbstverständlich.«

Mit der anderen Karte würde es auf jeden Fall hinhauen, dachte er, griff in seine andere Tasche, die jedoch leer war. »Verdammt.« Wohin hatte er sie gesteckt? »Haben Sie noch einen Moment?«

»Lassen Sie sich Zeit.«

Tom rannte nach oben, vorbei an den leeren Kinderzimmern, auf das Schlachtfeld des Schlafzimmers und machte die Deckenlampe an. Er zerrte an den weißen Laken auf dem Bett und versuchte, den großen roten Blutfleck in der Mitte zu ignorieren. Die blöde Kuh hatte seine schönen weißen Laken ruiniert und dann noch den Nerv, sich zu beschweren. Er sollte diese Venus Milo verklagen, dachte er, entdeckte sein rot-schwarz kariertes Hemd neben dem Bett auf dem Boden und fand in der Brusttasche, was er suchte.

Glucksend kehrte er zum Telefon im Wohnzimmer zurück. »Okay, Tanya-Baby. Ich bin zurück. Bist du bereit?«

»Name?«, fragte Tanya zurück.

»Carter«, sagte Tom und unterdrückte ein Lachen. »Carter Sorenson.« Er las die Nummer von der Kreditkarte vor, die er vor ein paar Tagen aus Carters Portemonnaie gestohlen hatte. Der Schwachkopf hatte nicht mal gemerkt, dass es weg war, oder es zumindest nicht bei der Kreditkartenfirma gemeldet. Das wusste Tom, weil er, nachdem Carter ihn gefeuert hatte, zu Macy's gegangen war und mehrere Hemden sowie ein neues Paar Schuhe auf Carters Rechnung erworben hatte, bevor er in einen Supermarkt gegangen war und noch sechs Schachteln Zigaretten und ebenso viele Kästen Bier gekauft hatte.

Kleidung, die er nicht hätte tragen, Zigaretten, die er nicht hätte rauchen, Bier, das er nicht hätte trinken, und zwielichtige Damen, deren Dienste er nicht hätte bemühen dürfen. Dieser Carter war ein ganz Ungezogener, dachte Tom und lachte laut. »Du solltest dich schämen, Carter-Baby.«

»Verzeihung. Haben Sie etwas gesagt?«, fragte Tanya.

»Gibt es ein Problem?«, fragte Tom mit angehaltenem Atem. War es doch schon durchgesickert? Hatte die Nachricht über Ginnys Schicksal die Runde bei den Begleitagenturen von Miami und Umgebung gemacht? Hatte sie ihn angezeigt? Oder Carter?

»Nicht das geringste«, sagte Tanya, erklärte rasch die Geschäftsbedingungen und ließ sich Toms Adresse geben. »Cinnamon kann in einer halben Stunde bei Ihnen sein.«

»Super.«

»Vielen Dank für Ihren Auftrag. Bitte rufen Sie uns gerne wieder an, wenn Sie mögen.«

»Will ich.« Tom legte auf und lachte wieder. »Aber Will

nicht.« Tom sah das Gesicht von Jeffs jüngerem Bruder vor sich, als er dem Kleinen die offensichtliche Wahrheit über Jeffs vermutlichen Aufenthaltsort verklickert hatte. Konfrontiert mit der kalten, harten Tatsache, dass Jeff es mit seinem Mädchen trieb, hatte der kleine Bruder den Schwanz eingezogen und das Weite gesucht. »Ha!«, rief Tom triumphierend und fragte sich, wo zum Henker Jeff steckte und warum er immer noch nichts von ihm gehört hatte.

Er hatte versucht, ihn zu erreichen, nachdem er gefeuert worden war, aber Jeff war nicht an sein Handy gegangen. Auf die Nachricht, die Tom ihm hinterlassen hatte, hatte er auch nicht reagiert. Er hatte sich garantiert irgendwo mit Suzy Granate verkrochen und fickte beide um den Verstand, dachte Tom und ging wieder nach oben. Er steuerte die Dusche an und entdeckte im Bad weiteres Blut an den weißen Handtüchern neben dem Waschbecken. »Na super«, murmelte er und zog einen sauberen Satz aus dem Wäscheschrank. Die Schlampe hatte wirklich eine Riesensauerei veranstaltet.

Er starrte in den Spiegel über dem Waschbecken und sah im verschwommenen Hintergrund Ginny in die Diele treten. Rundes Gesicht, blonde Locken, knallrote Lippen. Er sah, wie sie ihren Pulli abstreifte und ihre riesigen Ballonbrüste entblößte. Er erinnerte sich, gedacht zu haben, dass sie Kristin herausfordern könnte, während er sie nach oben in sein Zimmer dirigierte und auf dem Weg schon unter ihren kurzen Rock gegrapscht hatte. »Einhundert Dollar für eine Handmassage, französisch einhundertfünfzig«, hatte sie die Preisliste heruntergeleiert, als würde sie eine Speisekarte vorlesen, »zweihundert, wenn du in meinem Mund kommen willst. Dreihundert für normalen Verkehr, fünfhundert, wenn du irgendwas Spezielles willst. Natursekt und Griechisch mache ich nicht.«

»Hast du was gegen Griechen?«, scherzte Tom.

»Ich mag Griechen. Ich steh bloß nicht auf Schmerzen«, sagte Ginny.

»Und wie wär's, wenn ich dich fessele?«

»Keine Handschellen«, sagte sie. »Nichts, woraus ich mich nicht problemlos befreien kann.«

»Wie viel?«

»Fünfhundert.«

»Okay.«

»In bar. Im Voraus.«

Tom zuckte die Achseln und fischte fünf glatte Einhundert-Dollar-Scheine aus seiner Jeanstasche. Er hatte seinen Kollegen monatelang kleine Geldbeträge gestohlen, zwanzig Dollar hier, zwanzig Dollar dort. Und neulich fünfzig von dieser blöden Tusse Angela. Jede Wette, dass sie sich über ihn beschwert hatte. Sie war schuld an seiner Entlassung. Er hatte das Geld bei der Bank in frische Hunderter umgetauscht.

Er sah zu, wie Ginny ihre restlichen Kleider auszog. Sie hatte einen tollen Körper, dachte er. Nicht so toll wie Kristin, aber allemal besser als Lainey. Die blöde Kuh, dachte er, als er Ginnys Handgelenke mit Kopfkissenbezügen an die Bettpfosten band und dann auf sie stieg.

»Hey, immer sachte«, ermahnte Ginny ihn, als Tom in sie eindrang und ihre Brüste knetete, als wären sie aus Ton. »Vorsicht, Kumpel«, sagte sie. »Wenn du weiter so drückst, könnten sie platzen.«

»Ich denke, du solltest jetzt still sein«, erklärte Tom ihr. Er hatte die Nase voll von ihren Anweisungen und ihrer Liste von Verboten. Er drang weiter in sie und stellte sich vor, sie wäre Kristin, dann Suzy, dann Angela, dann Lainey, dann die Kleine aus Afghanistan, jede Schlampe, die je Nein gesagt, jede Schlampe, die sich je beklagt hatte.

»Und ich denke, du solltest ein bisschen behutsamer sein.«

»Ich bezahle dich nicht fürs Denken.« Tom begann, härter zu stoßen, ihr ins Ohr zu beißen und mit den Nägeln über ihre Haut zu kratzen.

»Okay, aufhören«, sagte Ginny mit Tränen der Wut in den Augen.

»Ich fange gerade erst an, Schätzchen.«

»Nein. Ich hab gesagt, ich mache nichts mit Schmerzen. Wir sind fertig.« Sie versuchte, die Fesseln an ihren Handgelenken zu lösen, und wand sich wimmernd, um ihm zu entkommen.

»Ich sage, wann wir fertig sind«, blaffte Tom sie an, der gerade anfing, sich richtig zu amüsieren. Was war eigentlich mit den Weibern los? Ständig machten sie einen an, zogen einem das Geld aus der Tasche und ließen einen dann hängen. Er war aus der Armee entlassen, bei der Arbeit gefeuert worden und würde demnächst aus seinem Haus geworfen werden, alles wegen irgendeiner Schlampe. »Sag mir, dass du mich liebst«, befahl er Ginny.

»Was?«

»Wenn du willst, dass ich behutsamer bin, sag mir, dass du mich liebst.«

»Ich liebe dich«, antwortete Ginny sofort, obwohl ihre Augen das Gegenteil sagten.

»Das kannst du besser. Noch mal.«

»Ich liebe dich«, schrie sie.

»Ich spüre es einfach nicht, Schätzchen. Noch mal.«

»Nein.«

»Ich sagte, noch mal.«

»Und ich sagte Nein.«

Und dann war er ausgerastet. Der Rest war eine verschwommene Bildfolge aus fliegenden Fäusten und rasendem Zorn. Tom konnte sich nicht erinnern, wie oft er sie geschlagen hatte, obwohl er das Blut, das aus ihrer Nase strömte, und die

Beißspuren an Hals und Brust noch deutlich vor Augen hatte. Irgendwann gelang es Ginny, ihre Hände zu befreien, und sie stolperte, heftig aus der Nase blutend, als sie sich nach ihren Kleidern bückte, ins Bad. »Kann nicht behaupten, dass du das Geld nicht wert warst«, rief er ihr nach, als sie die Treppe hinunter und auf die Straße rannte.

Tom betrachtete lächelnd sein Spiegelbild über dem Waschbecken und erinnerte sich an Jack Nicholsons berühmte Bemerkung über Nutten. Er glaubte zumindest, dass es Jack Nicholson gewesen war. Vielleicht auch Charlie Sheen. »Ich bezahle sie nicht, damit sie vorbeikommen«, hatte er einem Journalisten erklärt, der nach der persönlichen Vorliebe des Schauspielers für Callgirls gefragt hatte. »Ich bezahle sie, damit sie wieder gehen.«

»Der ist gut«, sagte Tom glucksend. Im selben Moment klingelte es. Er sah auf seine Uhr. »Na, das ist ja nett. Meine kleine Cinnamon kommt früher. Kannst es wohl gar nicht erwarten, was, Schätzchen?«, fragte er und eilte zur Haustür.

Als er öffnete, sah er sich einem jungen Mann in einem beigefarbenen Anzug gegenüber. »Tom Whitman?«

»Ja.«

Der Mann drückte ihm einen Briefumschlag in die Hand. »Gilt hiermit als persönlich zugestellt«, sagte er und trat hastig den Rückzug an.

»Schon wieder? Wollen Sie mich verarschen?«, rief Tom ihm nach. »Was zum Henker ist es denn diesmal?« Er riss den Umschlag auf und überflog die Papiere, bevor er sie auf den Boden warf. Die blöde Kuh reichte also tatsächlich die Scheidung ein, dachte er, knallte die Haustür zu und trat noch einmal mit dem Absatz dagegen. Ein paar Minuten später saß er wieder im Wohnzimmer. Auf dem Couchtisch vor ihm lagen seine beiden 44er Magnums und seine alte 23er Glock. »Glaub nicht, dass ich das zulassen werde, Schätzchen«, sagte er, nahm die eine 44er in die Hand und balancierte sie dann mit der anderen aus. »Jedenfalls nicht in diesem Leben.« Er stellte sich vor, dass Lainey vor ihm kauerte und mit zitternden Händen versuchte, ihr Gesicht zu bedecken. Er richtete die Waffe direkt auf ihren Kopf und drückte ab.

KAPITEL 29

Sie wartete am Flughafen auf ihn.

Jeff sah sie zunächst gar nicht, weil er so beschäftigt war, Tom zu erreichen. Doch auch beim dritten Versuch war noch immer besetzt. Mit wem redete er, zum Teufel noch mal, fragte Jeff sich ungeduldig, während er zügig über das Laufband im geschäftigen Terminal des Flughafens Miami schritt. Außer Jeff hatte Tom eigentlich keine Freunde, und nachdem Lainey ihn verlassen hatte… Jeff hoffte, dass Tom sie nicht belästigte, sondern wusste, wann genug war. »Verzeihung. Verkehr von hinten«, bellte er eine plumpe Frau mittleren Alters an, die stur auf der linken Seite des Bandes stand, obwohl Schilder auf Englisch und Spanisch die Passagiere darauf hinwiesen, dass diejenigen, die lieber stehen wollten, sich rechts halten sollten. Die Frau tat einen vernehmlichen Seufzer, als sie einen Schritt nach rechts machte, als würde Jeff ihr Unannehmlichkeiten bereiten und nicht umgekehrt, obwohl ihr grimmiger Blick rasch einem koketten Lächeln wich, als sie ihn sah. Jeff eilte mit ausdrucksloser Miene an ihr vorbei zum Ausgang.

»Jeff«, rief eine Stimme hinter ihm, und er blieb wie angewurzelt stehen.

Er fuhr herum und ließ seinen suchenden Blick über die bunte Menge gleiten. Er sah ein paar halbwüchsige Jungen, die sich zur Begrüßung gegenseitig auf den Arm boxten, eine junge Frau, die auf Spanisch mit einem älteren grauhaarigen Mann diskutierte, von dem Jeff annahm, dass er ihr Großvater war, und eine weitere junge, viel zu stark geschminkte Frau, die ihm lächelnd zuwinkte. Er machte ein paar Schritte auf sie zu und überlegte, wer sie sein und was sie von ihm wollen könnte, als ihre Stimme erneut an sein Ohr drang.

»Jeff«, rief sie ihn von irgendwo rechts neben ihm.

Er sah sie noch immer nicht. Hörte er schon Stimmen oder genauer gesagt ihre Stimme?

»Jeff«, sagte sie ein drittes Mal, diesmal so nah, dass er ihren Atem auf seiner Wange und ihre Hand auf seinem Arm spürte.

»Suzy«, sagte er und wollte seinen Augen kaum trauen, als er sie in seine Arme zog. Er hielt sie fest und spürte, wie ihr zarter Körper sich an seinen schmiegte. »Ich glaube es nicht, dass du hier bist«, sagte er, wie um sich selbst zu überzeugen, dass das, was er sah, auch real war.

»Du hast gesagt, du kommst heute Nachmittag zurück. Es gab nur einen Flug aus Buffalo. Es war nicht schwer rauszufinden…«

Er küsste sie, sanft und zärtlich. Sie schmeckte nach Zahnpasta und Juicy-Fruit-Kaugummi. Ihr Haar duftete wie ein Strauß frischer Gardenien. »Ich freue mich so, dich zu sehen.« Er löste die Umarmung nur so weit, dass er sie im Ganzen betrachten konnte. Sie trug eine gelbe Bluse und eine hellgrüne Hose. Ihr Haar fiel in lockeren Wellen auf ihre Schultern. »Alles in Ordnung?«

»Mir geht es gut«, sagte sie, obwohl sie nicht so aussah, dachte Jeff. Irgendwas stimmte nicht. Zwar verunzierten keine neuen Blutergüsse ihre blasse Haut, doch sie wirkte irgendwie noch zerbrechlicher und ängstlicher als vorher. »Ich hab es getan«, sagte sie mit einem mädchenhaften Flüstern. Sie sah sich kurz um und drückte seine Hand. »Ich habe ihn verlassen.«

Jeff küsste sie noch einmal, fester und länger. Sein Herz schlug schneller, als es seiner Erinnerung nach je geschlagen hatte.

»Ich habe es wirklich getan«, sagte sie jetzt lachend.

»Du hast es wirklich getan«, wiederholte er, und seine Gedanken rasten wie sein Herz, während er sich fragte, was zum Teufel er nun machen sollte.

»Wenn Sie entschuldigen«, sagte eine Frau, die sich um sie herumdrückte. »Sie stehen im Weg.«

»Nehmen Sie sich ein Zimmer«, schlug ein Mann vor, der an ihnen vorbeidrängte.

»Gute Idee.« Jeff nahm Suzys Arm. »Wo ist dein Wagen?«

»Den habe ich nicht mit. Dave hat mir die Schlüssel abgenommen, als er zur Arbeit gefahren ist. Er meinte, ich würde sie nicht brauchen.« Sie lachte. »Da hatte er wohl recht.«

Jeff drückte sie an sich und führte sie zum Ausgang mit dem Hinweis Taxis & Limousinen.

»Wohin?«, fragte der Taxifahrer, als sie auf die Rückbank seines Wagens krabbelten.

»Kennen Sie ein gutes Hotel in der Gegend?«, fragte Jeff. »Nett und ruhig.«

»In der Nähe des Flughafens wird gar nichts besonders ruhig sein«, sagte der Taxifahrer.

»Nicht zu voll«, präzisierte Jeff, während er das Gewicht von Suzys Hand in seiner spürte.

Der Taxifahrer kniff die Augen zusammen und sah ihn im Rückspiegel an. »Keine Ahnung, wie voll die einzelnen Hotels sind.«

»Gut. Ist auch egal. Fahren Sie irgendwohin.«

»Es gibt mehrere Hotels ein paar Blocks von hier entfernt. Ich kann aber nicht dafür garantieren, dass sie nett sind.«

»Das sind sie bestimmt«, sagte Jeff. Es war ohnehin nur vorübergehend, dachte er, bis er den Plan konkretisiert und umgesetzt hatte, der auf dem Flug von Buffalo in seinem Kopf langsam Gestalt angenommen hatte. Mit ein wenig Glück konnte bis zum Abend alles geregelt sein.

Das hing natürlich davon ab, dass er Tom erreichte.

»Hast du deine Mutter gesehen?«, fragte Suzy.

»Nein. Sie ist vorher gestorben.«

Suzy sah ihn bestürzt an. »O Jeff, das tut mir so leid.«

»Das braucht es nicht.«

»Doch. Du musst dich gefühlt haben, als hätte sie dich noch einmal verlassen.«

Jeff spürte Tränen in den Augen und vergrub sein Gesicht in Suzys weichem, nach Blumen duftendem Haar. »Ich fühle mich, als wärst du in meinem Kopf«, flüsterte er.

»Das will ich hoffen«, sagte sie. »Du bist nämlich auch in meinem.«

Der Taxifahrer räusperte sich, als er vor dem Eingang des Southern Comfort Motels hielt. »Tut mir leid, Sie zu unterbrechen, aber... wie finden Sie das hier? Sieht aus wie das netteste in der Gegend.«

»Allemal besser als das Bayshore«, erklärte Jeff ihm und fischte ein paar Geldscheine aus der Tasche.

»Das kenne ich nicht«, sagte der Taxifahrer, steckte das Geld ein, ohne das Wechselgeld auch nur anzubieten.

Als sie ausstiegen, hielt Jeff Suzys Hand fest. Bildete er sich das nur ein oder war sie leicht zusammengezuckt, als er seinen Arm um ihre Hüfte legte? Etwa zehn Minuten später gingen sie mit dem Schlüssel in der Hand einen mit rotem und beigefarbenem Teppich ausgelegten Flur hinunter zu ihrem Zimmer am Ende des Ganges.

»Schlaf mit mir«, flüsterte sie, sobald sie die Tür hinter sich geschlossen hatten.

Jeff ließ sich nicht zwei Mal bitten. Im nächsten Moment drückte er seine Lippen auf ihre, und sie rissen sich, während sie auf das Doppelbett fielen, gegenseitig die Kleider vom Leib.

»Ich liebe dich«, hörte er eine Stimme sagen, rasch gefolgt vom Echo einer zweiten, bis sie verschmolzen wie ihre Körper.

Erst als sie sich hinterher aneinandergekuschelt in den Armen lagen, sah er die tiefen Striemen an ihrer Hüfte. »Was ist das?«, fragte er und strich sanft über die grellroten Streifen.

»Ach nichts.« Obwohl er ganz zärtlich war, zuckte sie vor seiner Berührung zurück. »Das spielt jetzt keine Rolle mehr.«

»Tut es doch. Was in Gottes Namen hat dieses Ungeheuer dir angetan? Sag es mir«, beharrte Jeff. »Bitte, Suzy, sag mir, was er getan hat.«

Sie nickte, schloss die Augen und atmete tief ein. »Er hat gehört, wie ich gestern Abend mit dir telefoniert habe. Er war schrecklich wütend.« Sie rieb sich die Stirn, bis sie rot wurde. »Er hat mich mit seinem Gürtel geschlagen. Wieder und wieder.«

»Das miese Stück Scheiße.«

»Er meinte, das sei nur ein Vorgeschmack auf das, was passieren würde, wenn ich noch einmal mit dir rede.«

»Ich schwöre, ich breche ihm seinen beschissenen Hals.«

»Ich habe die ganze Nacht wach gelegen und meine Flucht geplant, aber dann ist er heute Morgen zu Hause geblieben, sodass ich nicht gleich abhauen konnte. Zum Glück hatte er am Nachmittag einen Termin, den er nicht absagen konnte. Er hat mir befohlen, mich keinen Zentimeter vom Fleck zu rühren. Nicht mal auf die Toilette dürfte ich gehen, bevor er zurückkomme, sagte er. Er hat mir mein ganzes Bargeld und meine Autoschlüssel abgenommen, das habe ich dir ja erzählt, und außerdem meinen Ausweis. Aber ich hatte ein paar Dollar versteckt, und als er weg war, habe ich sie mir genommen und bin sofort los. Ich bin direkt zum Flughafen gefahren. Direkt zu dir.«

»Du hast genau das Richtige getan.«

»Wir müssen Miami verlassen«, sagte sie.

»Was?«

»Wir gehen irgendwohin, wo er uns nicht findet. Vielleicht nach New York. Ich wollte schon immer mal nach New York.«

»Suzy...«, begann Jeff.

»Oder L.A. oder vielleicht Chicago.«

»Suzy...«

»Es muss auch keine Großstadt sein. Vielleicht irgendwas Kleineres, weniger Naheliegendes, solange wir aus Miami verschwinden, ehe er uns findet.«

»Das können wir nicht«, sagte Jeff nur.

»Warum nicht? Warum können wir das nicht?«

»Zunächst mal hab ich kein Geld.«

»Wir brauchen keins. Du findest einen Job. Sobald wir uns irgendwo eingerichtet haben. Und ich besorge mir auch einen. Du wirst schon sehen. Wir kriegen das hin.«

»Er würde einen Detektiv engagieren«, sagte Jeff. »Und wir können uns nicht für den Rest unseres Lebens ständig umsehen und vor unserem eigenen Schatten fürchten. Wir können nicht ewig weglaufen. Du weißt, dass er uns früher oder später finden würde.«

»Willst du sagen, wir sitzen in der Falle?« Suzy begann zu weinen. »Willst du sagen, es ist hoffnungslos?«

»Es ist nicht hoffnungslos. Nicht solange wir zusammen sind. Nicht solange du mich liebst.«

»Ich liebe dich«, sagte Suzy.

»Dann wird alles gut. Das verspreche ich dir.«

»Aber wie kannst du das sagen? Er wird uns finden. Er wird uns beide umbringen.«

»Das werde ich nicht zulassen.«

»Wie willst du ihn aufhalten?«

»Vertraust du mir nicht?«, fragte Jeff.

»Doch. Natürlich.«

»Dann vertrau mir auch, wenn ich dir sage, dass alles gut wird. Ich werde nicht zulassen, dass er dir noch einmal wehtut.«

»Versprichst du das?«, flehte Suzy.

»Das verspreche ich«, sagte Jeff, küsste ihre geschlossenen Augen und wiegte sie sanft in den Armen, bis er spürte, wie sich ihr Körper entspannte. Nach einer Weile wurde ihr Atem ruhiger und gleichmäßiger. Jeff wartete noch ein paar Minuten, bis er sich sicher war, dass sie eingeschlafen war, bevor er aufstand, Suzys Kopf behutsam auf ein Kissen bettete, das Handy aus der Tasche zog und damit ins Bad ging. Er wählte Toms Nummer, aber es war noch immer besetzt. »Scheiße«, murmelte er. »Ruf mich an. Es ist wichtig«, erklärte er Toms Mailbox. Dann rief er Kristin an und seufzte erleichtert, als sie das Telefon abnahm. »Gut. Ich hatte Angst, dass du schon bei der Arbeit bist«, sagte er, als sie sich meldete.

»Ich war gerade auf dem Weg zur Tür. Bist du noch in Buffalo?«

»Nein, ich bin hier. In Miami.«

»Das verstehe ich nicht. Warum bist du nicht zu Hause? Wo bist du?«

»Zimmer 119 im Southern Comfort Motel in der Nähe des Flughafens.«

»Was? Warum, um Himmels willen?«

»Ich bin mit Suzy hier.«

Kristin schwieg. »Was ist los, Jeff?«, fragte sie dann.

Jeff berichtete knapp, dass Suzy ihn am Flughafen erwartet hatte, als er in Miami gelandet war, dass Dave sie erneut, diesmal mit einem Gürtel geschlagen hatte und dass er, Jeff, sie in ein Motel gebracht hatte, damit Dave sie nicht fand, wo sie erschöpft eingeschlafen sei. Dass er vorher mit Suzy geschlafen hatte, ließ er aus, obwohl er den Verdacht hatte, dass Kristin längst ihre eigenen Schlüsse gezogen und ihre Frage auch so gemeint hatte.

»Was willst du jetzt machen?«

»Ich weiß nicht genau«, log Jeff, weil es keinen Grund gab, Kristin mehr zu erzählen, als sie wissen musste. Wenn seine Rechnung nicht aufging, war es das Beste, möglichst wenig Leute mit hineinzuziehen. »Hast du Tom gesehen?«

»Schon seit ein paar Tagen nicht. Warum?«

»Ich muss mit ihm reden. Bei ihm ist ständig besetzt, und er reagiert auch nicht auf Nachrichten.«

»Der taucht schon wieder auf. Was sagt man noch über falsche Fünfziger?«

Jeff strich sich zunehmend frustriert durchs Haar. Falsche Fünfziger waren genau das, was er jetzt gebrauchen konnte. »Ist mein Bruder da?«

»Ich habe ihn den ganzen Tag noch nicht gesehen.«

»Mist. Er muss etwas für mich erledigen.«

»Wahrscheinlich erreichst du ihn auf dem Handy.«

»Hast du die Nummer?«

»Irgendwo schon.« Kristin fand einen Zettel mit Wills Nummer und las sie Jeff vor.

»Okay, hör zu«, sagte er, nachdem er sich die Nummer gemerkt hatte. »Vielleicht muss ich dich später noch mal erreichen. Kannst du Joe sagen, dass ich eventuell anrufe und dass er keine Schikanen machen soll?«

»Sollte ich mir Sorgen machen?«, fragte Kristin.

»Nein«, antwortete Jeff. »Kein Grund zur Sorge. Alles wird gut.«

Kristin legte auf und blieb ein paar Minuten ins Leere starrend in der Küche stehen. Sie wusste, dass irgendetwas passieren würde, obwohl sie sich nicht sicher war, was. Aber sie kannte Jeff gut genug, um zu wissen, dass er irgendetwas plante, und was immer es war, es würde eher früher als später geschehen, vielleicht sogar schon heute Abend.

Sie betrachtete den Zettel in der Hand und rezitierte stumm Wills Handynummer. Was wolle Jeff von seinem Bruder, und wo war Will den ganzen Tag gewesen? Als sie am Morgen aufgewacht war, hatte er die Wohnung schon verlassen.

Zunächst hatte sie gedacht, er wäre womöglich endgültig abgereist und säße schon in einem Flieger nach Buffalo. Sie hatte sich sogar gefragt, ob er in der Luft den Kurs von Jeffs Flugzeug kreuzen würde. Aber dann hatte sie nachgesehen und festgestellt, dass sein Koffer und seine Kleidung noch da waren, sodass er vermutlich nur irgendwo herumlief, versuchte, einen klaren Kopf zu bekommen und seine Gedanken zu ordnen. Sie hatte ein schlechtes Gewissen wegen dem, was in der vergangenen Nacht passiert war oder *beinahe* passiert *wäre*, wie sie sich rasch verbesserte, bevor sie den Gedanken ebenso rasch beiseiteschob. Schuld war ein sinnloses Gefühl, erinnerte sie sich. Damit erreichte man nichts und tat nie jemandem etwas Gutes. Außerdem war es für Schuldgefühle längst zu spät.

Es war Zeit, nach vorne zu schauen.

Will saß auf einer Bank am Strand und sah zu, wie die Wellen an Land rollten, in einem endlosen Rhythmus wieder hinausgezogen wurden und aufs Neue ans Ufer drängten. Es stimmte, was man über das Meer sagte, dachte er: Bei seinem Anblick erkannte man, wie klein und unbedeutend man tatsächlich war. Er lachte und bemerkte den nervösen Blick des älteren weißhaarigen Herrn, mit dem er sich die Bank teilte.

Will brauchte kein Meer, um sich klein zu fühlen. Und er hatte längst begriffen, wie unbedeutend er war.

Wenn Amy und Suzy ihn nicht schon vorher davon überzeugt hatten, dann hatte es ihm Kristin in der vergangenen Nacht ein für alle Mal bewiesen.

Er war ein nutzloser Loser, dachte er und spürte die Vibration seines Handys in seiner Hemdtasche. Wahrscheinlich seine Mutter, dachte er. Noch eine Frau, die ihm das Gefühl gab, kein ganzer Mann zu sein. Er zog das Handy aus der Tasche und betrachtete die Nummer des eingehenden Anrufs.

»Hallo?«, meldete er sich, als er sie nicht erkannte.

»Hi, Will. Hier ist Jeff.«

Will sagte nichts. Hatte Kristin seinem Bruder schon von der vergangenen Nacht erzählt?

»Will? Bist du noch da?«

»Ja, klar. Und wo steckst du?«

»Ich bin im Southern Comfort Motel.«

»In Buffalo?«

»Nein. Hier in Miami. In der Nähe des Flughafens. Zimmer 119.«

»Was zum Teufel machst du da? Ich dachte, du wolltest deine Mom besuchen.«

»Ich bin zurück«, sagte Jeff, ohne das weiter auszuführen. »Hör zu, ich versuche schon die ganze Zeit, Tom zu erreichen, aber ohne Erfolg, und ich kann nicht länger warten. Deshalb musst du etwas für mich tun.«

»Was denn?« Will war nicht in der Stimmung, seinem Bruder einen Gefallen zu tun. Jeff hatte ihn angelogen und ihm sein Mädchen ausgespannt – verdammt, wahrscheinlich war er gerade mit ihr zusammen. Er hatte wirklich Nerven, ihn um irgendwas zu bitten.

»Du musst in die Wohnung gehen«, hörte er Jeff sagen.

»Ich bin eigentlich ziemlich beschäftigt.«

»Du musst Toms Pistole suchen«, fuhr Jeff fort, als hätte Will nichts gesagt.

»Was?«

»Und du musst sie mir hierherbringen.«

»Was?«, fragte Will noch einmal.

»Und du darfst keine Fragen stellen.«

Tom hatte gerade vier Mal auf die Polster des Wohnzimmersofas geschossen, als er ein schüchternes Klopfen an der Haustür hörte. »Wer ist da?«, rief er, hob die Waffe und richtete sie auf die Tür. Wenn es wieder irgendein Typ war, der ihm ein juristisches Dokument zustellen wollte, würde er ihm eine Kugel direkt zwischen die Augen verpassen.

»Cinnamon?«, rief eine Stimme, als wäre sie sich nicht sicher. »Die Agentur schickt mich?«

»Oh, mein kleines Cinnamon-Schätzchen«, sagte Tom lächelnd, steckte die Pistole unter die Gürtelschnalle, stolperte über das Telefon und blieb stehen, um den Hörer aufzulegen, der die ganze Zeit neben der Gabel gelegen hatte. »Du kommst zu spät«, sagte er, hielt die Tür auf, führte die hübsche junge Asiatin herein und begutachtete ihre langen schwarzen Haare und ihre dunkelgrünen Augen. Sie war recht klein, gerade mal 1,50 Meter, selbst auf ihren hohen Absätzen, und ihre Brustimplantate waren so riesig, dass es aussah, als könnte sie jeden Moment nach vorne kippen.

»Tut mir leid. Ich habe ein bisschen länger gebraucht, um die Adresse zu finden.« Cinnamon ließ ihren Blick über das Chaos im Wohnzimmer gleiten, das jetzt zusätzlich von Federn aus dem Sofapolster bedeckt war. »Wow«, sagte sie und riss die Augen auf. »Was ist denn hier passiert?« Sie schnupperte argwöhnisch und roch einen Hauch von Pulverdampf.

Tom schloss die Haustür, sodass der Raum wieder in Dunkelheit versank. Das Telefon klingelte. »Würdest du mich einen Moment entschuldigen?«, fragte er übertrieben höflich, trampelte über den Schutt auf dem Boden und fiel bei dem Versuch, den Telefonhörer abzunehmen, beinahe vornüber.

»Mit wem zum Teufel hast du die ganze letzte Stunde geredet?«, wollte Jeff wissen, bevor Tom auch nur Hallo sagen konnte. »Ich hätte fast aufgegeben...«

»Jeff, alter Kumpel, wie geht's?«, unterbrach Tom ihn. Er war nicht in der Stimmung, sich Vorträge anzuhören.

»Bist du betrunken?«

»Nicht mehr als sonst auch.« Na ja, vielleicht ein bisschen mehr, dachte Tom und fragte sich, warum Jeff so wütend war.

»Gut. Es steht heute noch was an. Du musst...«

»Hm, das passt jetzt gerade gar nicht gut.« Typisch Jeff, dachte Tom, anzunehmen, dass er sofort strammstehen würde. Jeff war immer beschäftigt, wenn man *ihn* mal brauchte, aber wenn *er* einen brauchte, war das eine ganz andere Geschichte. Dann sollte man alles stehen und liegen lassen und ihm folgen, wohin zum Henker er wollte.

Einmal in die Hölle und zurück, dachte Tom in bitterer Erinnerung an Afghanistan.

»Ist das eine Pistole?«, fragte Cinnamon mit brechender Stimme.

»Was?« Selbst im Dunkeln erkannte Tom das Entsetzen in ihrem Gesicht, als sie rückwärts zur Tür ging. »Das?« Er schwenkte die Waffe hin und her. »Das ist nur ein Spielzeug. Ich schwöre es. Hey, warte. Geh nicht.«

»Mit wem redest du?«, wollte Jeff wissen.

»Warte eine Sekunde. Scheiße!«, rief er, als Cinnamon aus dem Haus geflohen war. »Verdammt, Mann. Sie war heiß«, jammerte er ins Telefon. »Du hast sie verscheucht.«

»Tom, hör mir zu«, erklärte Jeff ihm. »Es ist wichtig. Du musst dich konzentrieren.«

Tom ließ sich aufs Sofa fallen und kratzte sich mit dem Lauf der Pistole am Kopf. »Klar. Schieß los. Sieht so aus, als stünde ich ganz zu deiner Verfügung.«

KAPITEL 30

Will erinnerte sich daran, wie er Kristin zum ersten Mal gesehen hatte.

Es war fast drei Wochen her, seit er auf der Schwelle seines Bruders aufgetaucht war, mit einem Koffer in der Hand, unsicher, wie Jeff reagieren würde. Würde er froh sein, ihn zu sehen, oder wütend, dass er gekommen war? Würde er einen Blick auf ihn werfen und ihn wieder fortschicken? Würde er ihn nach all den Jahren überhaupt erkennen?

Und dann wurde die Tür geöffnet, und vor ihm stand eine blonde Amazone in einem kurzen schwarzen Rock und einer Leopardenmuster-Bluse, die ein strahlendes Lächeln aufgelegt, ihr langes Haar von einer auf die andere Schulter geworfen, ihn mit leuchtend grünen Augen eindringlich gemustert und hineingebeten hatte. »Du bist Will, stimmt's?«, hatte sie gefragt, und seine Furcht war sofort wie weggeblasen.

Und jetzt stand er wieder ängstlich und mit pochendem Herzen vor derselben Tür und lauschte auf Schritte in der Wohnung. Wenn er einen Wunsch freihätte, dachte er, als er die Tür öffnete, würde er sich wünschen, dass Kristin schon zur Arbeit aufgebrochen war. Er konnte ihr nicht in die Augen sehen. Noch nicht. Nicht nach dem Debakel der vergangenen Nacht.

»Kristin«, rief er erst zögernd, dann lauter und mutiger.

»Kristin. Bist du hier?« Er sah auf die Uhr. Kurz nach halb sieben. Sie war längst weg, stellte er mit einem vernehmlichen Seufzer fest und ging durchs Wohnzimmer ins Schlafzimmer. »Kristin?«, rief er zur Sicherheit noch einmal. »Bist du da?«

Das Schlafzimmer war leer, das Bett ordentlich gemacht, jede Spur von ihm getilgt. Als ob die letzte Nacht nie passiert wäre, dachte Will. Als ob es ihn gar nicht geben würde.

Er roch einen Hauch von Kristins Shampoo und fuhr herum, als erwartete er, sie in der Tür stehen zu sehen, die Haare in ein flauschiges weißes Handtuch gewickelt, in ihrem offenen pinkfarbenen Morgenmantel, der eine quälende Ahnung davon preisgab, was er verhüllte. Er erinnert sich an ihren Körper in seinen Armen, ihre einladend weiche Haut. *Nein. Nein. Ich kann nicht*, hörte er sie sagen. *Tut mir leid. Ich kann einfach nicht.*

»Okay, das reicht«, sagte Will laut, um solche Gedanken aus seinem Kopf zu verbannen, als er zum Nachttisch neben dem Bett ging.

Die Pistole lag hinten in der obersten Schublade, genau wie Jeff gesagt hatte. Wills Hand zitterte, als seine Finger sich um ihren Lauf schlossen, und sie bebte sogar noch mehr, als er die kleine Waffe herausnahm und in der Hand drehte. Außer in Filmen oder im Fernsehen hatte er noch nie eine echte Pistole gesehen und sie schon gar nicht berührt oder in der Hand gehalten. Seine Mutter hatte strikt verboten, dass auch nur Spielzeugpistolen ins Haus kamen.

»Aber Jungs bleiben Jungs«, murmelte Will, legte die Waffe von der rechten in die linke Hand und wieder zurück. Ihr Gewicht überraschte ihn. Genauso wie das unerwartete Gefühl von Macht, das seinen Körper durchströmte. Er sah sein Bild in dem Spiegel über der Kommode und wurde rot, als er seinen aufgeregten Gesichtsausdruck bemerkte. Was zum Teufel wollte Jeff mit einer Pistole, fragte er sich, obwohl er die Antwort schon wusste.

Jeff wollte mit der Waffe Dave Bigelow töten.

Und er erwartete, dass Will sein Komplize sein würde.

Nein, nicht sein Komplize, korrigierte Will seine Wortwahl. Für Jeff war sein kleiner Bruder nicht mehr als ein Botenjunge. Okay, dachte er, das ist alles, wozu ich tauge. Ein Laufbursche. Einer, der Unterstützung und Vorschub leistet, ohne die dreckige Arbeit je selbst zu erledigen.

Ein Denker, kein Macher.

Wills Finger legten sich um den Knauf der Waffe, und er streckte den Zeigefinger zum Abzug. Kein Wunder, dass Kristin ihn abgewiesen hatte. Kein Wunder, dass Suzy seinen Bruder bevorzugt hatte. Kein Wunder, dass Amy sich anderweitig umgesehen hatte. »Du bist sensibel«, hatte seine Mutter ihm einmal erklärt. »Das ist gut. Frauen mögen das.«

Will lachte. Vielleicht mögen die Frauen einen sensiblen Mann, dachte er, aber sie schliefen mit seinem Bruder.

Und nun plante sein Bruder, Suzys Mann umzubringen.

Konnte er das geschehen lassen? Durfte er sich in irgendeiner Weise darin verwickeln lassen?

Will wusste, dass Jeff ein dekorierter und erstklassig ausgebildeter Soldat war, der nicht zu zimperlich sein würde, wenn es darum ging, eine Waffe abzufeuern. Wer wusste, wie viele Menschen er in Afghanistan getötet hatte? Und Dave Bigelow war ein Schwein, das es vermutlich verdient hatte zu sterben. Ohne ihn wären alle wahrscheinlich besser dran.

Und trotzdem war er ein Mensch. Ein geachteter Arzt, dessen Fähigkeiten zweifelsohne viele Leben gerettet hatten. Wer war Jeff, dass er es sich anmaßte zu entscheiden, ob Dave Bigelow sein Lebensrecht verwirkt hatte? Stand ihm diese Entscheidung wirklich zu? Jeff mochte wütend sein, fehlgeleitet oder vielleicht sogar verliebt. Aber war er ein Mörder? War er wirklich in der Lage, einen anderen Menschen kaltblütig umzubringen?

Noch dazu für eine Frau, die er kaum eine Woche kannte.

Vielleicht wollte Jeff die Waffe nur zu seinem Schutz, versuchte Will sich einzureden. Dave war schließlich ein verdammt einschüchternder Typ. Er hatte ihnen gedroht. Er hatte sich sogar an Kristin herangemacht. Wer konnte schon sagen, wozu er fähig war, vor allem wenn Suzy ihn verlassen sollte. Vielleicht setzte er Jeff oder ihnen allen mit einer eigenen Waffe nach. Vielleicht war Jeff einfach nur vorsichtig.

Aber wem wollte er etwas vormachen? Jeff war in seinem Leben keinen einzigen Tag lang vorsichtig gewesen.

Und jetzt plante er, Dave umzubringen, damit er mit Suzy zusammen sein konnte.

Wie war es dazu gekommen?

Was wussten sie überhaupt über Suzy? Dass sie aus Fort Myers stammte? Dass sie in Coral Gables wohnte? Dass sie gern Granatapfel-Martinis trank?

War es möglich, dass sie das Ganze geplant, einen Bruder und einen Freund gegen den anderen ausgespielt und sie alle miteinander benutzt hatte, um zu bekommen, was sie wollte – nämlich ihren gewalttätigen Mann ein für alle Mal loszuwerden? Und würde sie sich, wenn die Mission erfüllt und Dave Bigelow tot war, wie von Zauberhand in Luft auflösen und sie alle zurücklassen, um die allzu realen Folgen zu tragen? Würde es sie bekümmern, wenn man Jeff fassen und für den Rest seines Lebens ins Gefängnis sperren würde? Empfand sie überhaupt etwas für ihn?

Will entschied, dass er nicht zulassen durfte, dass sein Bruder dieses Risiko einging. Ja, er würde zu dem Motel fahren, aber nur um Jeff zur Vernunft zu bringen. Er würde die Waffe hierlassen. Sicher würde Jeff zunächst wütend sein, doch früher oder später würde er sich beruhigen und ihm irgendwann sogar dankbar sein.

Will spürte die Schweißtropfen auf seiner Stirn, als er ins Bad ging, die Pistole auf den Waschbeckenrand legte und sich kaltes Wasser ins Gesicht spritzte. Im selben Moment wurde ihm bewusst, dass er nicht mehr allein in der Wohnung war. Irgendjemand war gekommen. »Hallo?«, rief er und versteckte die Pistole hinter einem Stapel pfirsichfarbener Handtücher unter dem Waschbecken, bevor er ins Wohnzimmer ging.

Tom stand vor dem Sofa, das fleckige Hemd über der zerrissenen dünnen Jeans, das Haar ungekämmt und fettig, die Arme verschränkt und mit einem dämlichen Grinsen im Gesicht. Er stank nach Bier und Zigaretten.

Will spürte, wie sein Herz schneller schlug. »Hat deine Mutter dir nicht beigebracht zu klopfen?«

»Hat deine Mutter dir nicht beigebracht, die Tür zuzumachen?«, gab Tom zurück.

»Jeff ist nicht da.«

»Das weiß ich, du Schwachkopf. Was glaubst du, wer mich gebeten hat, hier vorbeizukommen?«

»Jeff hat dich gebeten, vorbeizukommen?« Warum um alles in der Welt sollte er das tun? Hatte Jeff ihm nicht zugetraut, die Waffe zu liefern? Kannte der Bruder, den er selbst kaum kannte, ihn am Ende besser als er sich selbst?

»Er hat dich wohl angerufen, als er mich nicht erreichen konnte«, sagte Tom, ohne die betrunkene Selbstgefälligkeit in seiner Stimme auch nur verbergen zu wollen. »Sieht so aus, als würdest du nicht mehr gebraucht, kleiner Bruder.«

»Wovon redest du?«

»Von hier an kann ich die Sache regeln.«

»Das glaube ich nicht.«

»Hör zu, ich will nicht mit dir streiten. Die Anweisung kommt direkt von deinem großen Bruder. Er will nicht, dass du in die Sache verwickelt wirst. Er hat gesagt, du wärst ein Philosoph und kein Krieger.«

Ein Denker, kein Macher, dachte Will. Hamlet, nicht Herkules.

Nicht mal der Laufbursche.

»Wenn du also nichts dagegen hast, schnapp ich mir einfach meine Pistole und mache mich auf den Weg.«

»Sie ist nicht hier«, sagte Will und hoffte, dass seine Miene ihn nicht verriet.

»Wovon redest du? Natürlich ist sie hier.«

»Ist sie nicht. Ich hab schon nachgesehen.«

»Dann hast du eben nicht gründlich genug nachgesehen.« Tom rannte an Will vorbei ins Schlafzimmer. »So viele Verstecke gibt es hier nicht.«

»Ich sage dir, sie ist nicht da«, wiederholte Will, als Tom wie von einem Radar gesteuert zu dem Nachttisch neben dem Bett marschierte. Er zog die oberste Schublade heraus, kippte ihren Inhalt auf dem Bett aus und durchwühlte ihn hastig. »Vielleicht hat Kristin sie weggeworfen«, schlug Will vor, als Tom die Schublade frustriert auf den Kopf stellte.

»Das würde sie nicht machen.«

»Sie fand es irgendwie unheimlich, die Waffe in der Wohnung zu haben.«

»Kristin ist nichts unheimlich«, sagte Tom und wandte seine Aufmerksamkeit der Kommode zu.

»Dann hat sie sie vielleicht Lainey gegeben«, improvisierte Will und bedauerte sofort, ihren Namen erwähnt zu haben.

»Wovon redest du?«

Will machte einen Schritt zurück, als ob Tom ihn gestoßen hätte. »Ach nichts. Ich hab bloß...«

»Wann sollte sie sie denn Lainey gegeben haben?«

»Als sie neulich hier war.« Will versuchte zu lächeln, brachte jedoch nur ein blasses Halbgrinsen zustande. »Hat dir das niemand erzählt?«

»Nein. Das hat mir niemand erzählt. Was wollte sie hier?«

»Sie wollte Jeff sprechen.«

»Wieso wollte sie Jeff sprechen?«

»Woher soll ich das wissen?«

»Du redest nur Scheiße«, sagte Tom mit einem wütenden Kopfschütteln. »Einen Moment lang hast du mich drangekriegt, Arschloch.« Er begann die Kommodenschubladen auf den Fußboden zu leeren. »Verdammt, das Ding muss doch hier irgendwo sein«, fluchte er, ging auf die Knie und sah unter dem Bett nach.

»Ist es aber nicht«, sagte Will, erleichtert, dass Tom die Sache mit Lainey offenbar abgehakt hatte. »Ich hab dir doch gesagt, ich hab schon überall nachgesehen.«

»Scheiße.« Tom stand unsicher wieder auf und kehrte ins Wohnzimmer zurück.

»Und was jetzt?«, fragte Will. »Rufen wir Jeff an und erklären ihm, dass der Plan geändert wurde?«

»Wer sagt, dass der Plan geändert wurde?«, höhnte Tom. »Tom verlässt das Haus nie mit leeren Händen.«

»Und das heißt?«

Tom lüftete sein Hemd und präsentierte stolz die 23er Glock in seinem Hosenbund. »Die anderen warten im Wagen, alle geladen und einsatzbereit.«

»Du bist ein krankes Arschloch.«

»Aus deinem Mund nehme ich es als Kompliment.«

»Scheiße. Kein Wunder, dass Lainey dich verlassen hat.«

Will hatte die Worte ausgesprochen, bevor er sie zurückhalten konnte.

Toms Augen wurden schmal. »Was hast du gesagt?« Er machte ein paar Schritte auf Will zu. »Was hast du verdammt noch mal gesagt?«

»Vergiss es.«

»Einen Teufel werde ich tun. Erst denkst du dir diesen Scheiß aus, dass Lainey Jeff besucht hätte. Und jetzt erzählst du mir, dass sie recht hatte, mich zu verlassen?«

»Ich wollte bloß sagen, dass du ihr wahrscheinlich eine Höllenangst gemacht hast.«

»Und ob ich ihr eine Höllenangst gemacht habe. Die blöde Fotze hat es verdient, dass jemand ihr eine Höllenangst macht. Und sie geht nirgendwohin, das kann ich dir versichern.«

»Weil sie deine Frau ist, richtig?«, fragte Will in dem Versuch, Tom in ein Gespräch zu verwickeln, damit der nicht aufbrechen und Jeff die Waffen bringen konnte.

»Bis dass der Tod uns scheidet«, sagte Tom.

»Und deswegen hast du das Recht, ihr eine Höllenangst zu machen.«

»Ich habe das Recht, mit ihr zu machen, was immer zum Henker ich will.«

»Wie zum Beispiel, sie zu schlagen, wenn sie nicht hört?«

»Wenn mir danach ist«, stimmte Tom ihm zu.

»Dann erklär mir mal«, bohrte Will weiter, »was dich groß von Dave unterscheidet?«

»Was?«

»Warum hat Dave den Tod verdient und du nicht?«

»Wovon redest du, Scheiße noch mal?«

»Mir kommt es vor, als wärt ihr aus demselben Holz geschnitzt.«

»Drück dich verständlich aus, verdammt noch mal.«

»Hörst du dir eigentlich jemals selber zu?«, wollte Will wissen. »Hast du je irgendwas tatsächlich bis zu einem logischen Schluss durchdacht?«

»Ich denke, ein logischer Schluss wäre, dir in den Arsch zu ballern.«

»Ich versuche, dir zu erklären, dass du einen Mann dafür umbringen willst, dass er genau das Gleiche tut wie du«, sagte Will, ohne zu wissen, worauf er hinauswollte, was jedoch egal war, solange er weiterredete. »Damit seine Frau zu spuren lernt. Ich hätte gedacht, dass du so jemanden bewundern würdest.«

Tom wirkte verwirrt. »Das ist etwas anderes.«

»Inwiefern?« Will spürte, wie sein Mund trocken wurde. Ihm war schwindelig, und er brauchte ein Glas Wasser. Er konnte nicht endlos so weitermachen. Es war nur eine Frage der Zeit, bis Tom, bekifft, betrunken und dumm, wie er war, dieser Erstsemestler-Sophisterei überdrüssig werden und abziehen würde. Aber es war entscheidend, ihn hier fest- und von Jeff fernzuhalten. Zumindest für diesen Abend. Nur so konnte Will die Katastrophe vielleicht verhindern, die sich seinem Gefühl nach zusammenbraute.

»Es ist anders, weil es anders ist.«

»Weil Jeff es sagt?«

»Weil es so *ist*.«

»Du willst meinem Bruder helfen, einen Mann umzubringen, weil Jeff scharf auf seine Frau ist«, stellte Will eher fest, als dass er es fragte.

»Klar«, sagte Tom. »Wieso nicht?«

»Oh, ich weiß nicht. Weil es unmoralisch ist? Weil es dumm ist und weil man euch erwischen wird?«

»Uns erwischt schon keiner.«

»Gesprochen wie ein wahrer zukünftiger Häftling. Sag mir, Tom, was hast du eigentlich davon?«

»Wie meinst du das?«

»Na ja, Jeff kriegt offensichtlich das Mädchen. Aber was kriegst du? Bezahlt er dich?«

Tom wirkte aufrichtig gekränkt. »Natürlich nicht.«

»Also kriegt er das Mädchen, und du genießt die Befriedigung, den Job sauber erledigt zu haben?«

»Glaub schon.«

»Vorausgesetzt natürlich, dass du nicht in der Todeszelle landest.«

»Das wird nicht passieren.«

»Warum? Weil du noch nie was vermasselt hast?«

»Jeff vermasselt nichts.«

»Nein, aber du. Oder hast du schon vergessen, was in Afghanistan passiert ist?«

»Was weißt du darüber?«

»Ich weiß, dass du es vermasselt hast«, sagte Will, der spürte, dass er wieder auf vermintes Gelände geraten war. »Ich weiß, dass Jeff mit einem Orden nach Hause gekommen ist, und du mit einem Tritt in den Hintern.«

»Ich nehme an, so läuft das«, sagte Tom, und seine Augen wurden wieder schmal und gefährlich. »Am Ende ist Jeff immer der Prinz. Er gewinnt jedes Mal. Du solltest das besser wissen als irgendjemand sonst, kleiner Bruder. Er hat dir Suzy Granate direkt unter dem Arsch weggeklaut. Aber du hast sie ja nie rangenommen, was? Jeff hat mir erzählt, dass du in der Abteilung Probleme hast.«

»Fahr zur Hölle!« Was genau hatte Jeff dem Schwachkopf erzählt? *Jeff ist nicht Mr. Diskret*, hörte er Kristin sagen.

»Wie hieß sie noch? Das Mädchen, wegen der du von Princeton geflogen bist?«

»Okay, das reicht.« Sein Bruder hatte Tom bestimmt nicht von Amy erzählt.

»Abigail? Annie? Oh, ich weiß: Amy!«

Er hätte es besser wissen müssen, als sich seinem Bruder anzuvertrauen.

»Jede Wette, dass Jeff nicht zugesehen hätte, wie ein anderer mit seinem Mädchen abzieht«, höhnte Tom. »Er hätte sie von vorne, von hinten und von der Seite gefickt, und glaub mir, wenn Jeff ein Mädchen gefickt hat, ist sie fürs Leben gefickt.«

»Wie Lainey?«, schlug Will gedankenlos zurück.

»Was?«

»Hat Jeff deine Frau auch von vorne, von hinten und von der Seite gefickt? Und ist sie auch fürs Leben gefickt?«

»Wovon redest du?«

»Ich rede von Jeff und Lainey«, brüllte Will, und die Worte sprudelten aus seinem Mund wie Wasser aus einer geplatzten Leitung. Er wollte sie zurückhalten, doch er konnte es nicht. Sie strömten einfach weiter. »Was ist los, Tom? Hattest du keine Ahnung, dass dein bester Freund deine Frau bumst?«

»Du verlogenes Stück Scheiße.«

»Du hast gefragt, was sie neulich hier wollte? Was glaubst du, was sie hier wollte?«

Die Worte trafen Tom zwischen den Augen, und er fuhr wie angeschossen herum und brach unter Tränen auf dem Boden zusammen.

Will starrte auf das Häufchen Elend vor sich und wusste, dass er zu weit gegangen war. »Geh nach Hause, Tom«, sagte er mit pochendem Kopf. »Du siehst erschöpft aus. Schlaf eine Runde. Du hast recht. Ich rede nur Scheiße. Zwischen Lainey und Jeff läuft gar nichts. Ich habe es mir ausgedacht. Ich schwöre...«

Aber Tom rappelte sich schon auf die Füße und hastete mit gezückter Waffe zur Tür. »Miese Ratte«, schrie er. »Ich bringe dich um, du elendes Schwein.«

»Tom, steck die Waffe weg«, rief Will ihm nach.

Tom blieb abrupt stehen, drehte sich um und richtete die 23er Glock direkt auf Wills Kopf. »Bleib, wo du bist, kleiner Bruder«, sagte er. »Du bist zu der Party nicht eingeladen.«

Dann war er weg.

KAPITEL 31

»Will. Beruhige dich«, sagte Kristin. »Ich kann dich nicht verstehen.« Sie blickte nervös zu ihrem Boss, der ihr Gespräch ein Stück den Flur hinunter mithörte und über all die »Notfall«-Anrufe, die sie an diesem Abend erhielt, sichtlich ungehalten war. Zuerst hatte Jeff den neuesten Stand gemeldet: Suzy schlief noch; alles war unter Kontrolle; er hatte Tom endlich erreicht. Jetzt war Will an der Strippe und brabbelte irgendwelches zusammenhangloses Zeug über Tom und Lainey und weiß der Himmel was noch. »Will«, sagte sie noch einmal. »Du musst langsamer reden und mir genau erzählen, was passiert ist.« Sie hörte ungläubig zu, während Will die Einzelheiten seines Streits mit Tom wiederholte. Scheiße, dachte sie, lehnte die Stirn an die Wand und spürte die angenehme Kühle. Nur Männer konnten es schaffen, alles derart zu verkomplizieren. »Nein. Ruf nicht die Polizei an«, flüsterte sie, die Hand vor dem Mund, damit ihr Chef es nicht mitbekam. »Jeff wird bloß Scherereien bekommen. Er weiß, wie man mit Tom umgehen muss. Nein. Bleib, wo du bist. Tu gar nichts. Bitte, lass mich die Sache regeln. Okay? Versprich mir, dass du dich nicht von der Stelle rührst.«

Kristin legte auf und wandte sich mit einem süßen Lächeln an ihren Chef. »Nur noch ein Anruf, Joe. Dann bin ich fertig.« Sie verkniff sich, es ihm zu versprechen, weil sie die gebrochenen Versprechen den Männern dieser Welt überlassen wollte. Männern wie Jeff, die beteuerten, dass er alles unter Kontrolle hatte, wenn das Gegenteil der Fall war. Männern wie Norman, der ihr versprochen hatte, dass sie den Geschmack seiner riesigen, plumpen Zunge in ihrem kleinen, verletzlichen Mund mögen würde. Männern wie Ron, der ihr erklärt hatte, dass es ihr gefallen würde, als er ihr die Unschuld raubte. So viel zum Thema Versprechen, dachte Kristin und zog eine zerknitterte Visitenkarte aus ihrem BH. Gut, dass sie sie nicht weggeworfen hatte, dachte sie, als sie die Nummer mit ihren langen, tiefrot lackierten Nägeln eintippte.

Das Telefon wurde noch beim ersten Klingeln abgenommen. »Hier ist Dr. Bigelow«, bellte eine Stimme schon jetzt ungeduldig.

»Dave?«, fragte Kristin, selbst überrascht über das Zittern ihrer Stimme. Konnte sie das wirklich tun?

»Wer ist da?«

»Hier ist Kristin, die Frau hinter der Bar im Wild Zone.«

»Ist meine Frau dort?«, fragte Dave ohne Umschweife und offensichtlich nicht zu Spielchen aufgelegt.

»Nein.« Kristin atmete tief ein und stützte sich an der Wand ab. »Aber ich weiß, wo sie ist.«

Schweigen am anderen Ende.

»Sie ist im Southern Comfort Motel in der Nähe des Flughafens«, fuhr Kristin unaufgefordert fort, und ihre Stimme wurde mit jedem Wort kräftiger. »Zimmer 119.«

Will stand reglos im Wohnzimmer, das Echo von Kristins eindringlichem Flehen im Ohr. *Bleib, wo du bist. Tu gar nichts. Versprich mir, dass du dich nicht von der Stelle rührst.*

Aber wie konnte er einfach in der Wohnung bleiben und nichts tun? Seine achtlosen Lügen hatten Toms notorisch instabile Sicherungen durchbrennen lassen, und jetzt war er unterwegs zum Motel, nicht um Jeff bei der Ausführung seines Plans zu helfen, sondern mit einem eigenen Mordplan im Kopf. Wie also konnte er hierbleiben und einfach nichts tun?

Will erwog erneut, die Polizei zu verständigen, aber Kristin hatte ihn gewarnt, dass Jeff bloß Ärger bekommen würde, womit sie wahrscheinlich recht hatte wie in den meisten Dingen. Sein Bruder hatte seinetwegen auch schon so genug Ärger. Er überlegte, Jeff anzurufen, um ihn vor Tom zu warnen, doch wie sollte er seine eigene fatale Lüge erklären? Nein, es war besser, Kristin die Sache regeln zu lassen.

Trotzdem konnte er nicht einfach rumstehen und seinen Bruder – noch einmal – für seine Achtlosigkeit bezahlen lassen. Er musste einmal in seinem Leben aufhören zu denken und *etwas tun*.

»Tut mir leid, Kristin«, sagte er und rannte ins Bad, um Toms Pistole zu holen. Er steckte sie in die Tasche seiner Khakihose, floh aus der Wohnung und nahm auf dem Weg nach unten zwei Stufen auf einmal.

Fünf Minuten später saß er in einem Taxi auf dem Weg zum Southern Comfort Motel.

»Suzy, Liebling«, flüsterte Jeff, beugte sich übers Bett und küsste ihre Wange. Er hasste es, sie zu stören. Sie hatte so friedlich geschlafen.

Suzy öffnete ihre Augen, blau wie der Intercoastal Waterway. »Hallo du«, sagte sie.

»Tut mir leid, dich zu wecken.«

»Das macht nichts. Wie spät ist es?«

»Schon nach sieben.«

»O mein Gott.« Sie richtete sich auf. »Ich kann nicht glauben, dass ich so tief geschlafen habe.«

»Du hast eine Menge durchgemacht. Du warst erschöpft.«
»Wahrscheinlich. Ist irgendwas passiert?«
»Nein. Nichts. Alles ist bestens. Hast du Hunger?«
Suzy lachte. »Ich bin am Verhungern.«
»Gut«, sagte Jeff. »Du musst etwas für mich tun.«

Tom steckte nur wenige Minuten vom Flughafen entfernt im Stau fest. »Nun macht schon, Leute«, brüllte er durch das offene Fenster. Zur Antwort schlug ihm die feuchtheiße Luft ins Gesicht. »Was zum Henker…?« Er öffnete die Wagentür und trat auf den Bürgersteig, um an dem Sattelschlepper vor ihm vorbeizuspähen. Wie war er überhaupt hinter diesem verdammten LKW gelandet? Und noch wichtiger, wie lange wollte der dort stehen bleiben? Noch mehr Zeitverschwendung, dachte er. Er war sowieso schon spät dran, weil er sich viel zu lange mit Will herumgestritten hatte. Jeff würde nicht glücklich sein.

Scheiße, dachte Tom lachend. Jeff würde so oder so nicht glücklich sein.

Vielleicht würde er gar nicht hinfahren. Sollte Jeff seinen Kram doch alleine regeln. Vielleicht begriff er dann, wie es sich anfühlte, verraten zu werden. Vielleicht erkannte er dann, wie sehr er Tom brauchte und immer gebraucht hatte. »Ich hab nicht vor, in der Geschichte den Part des Idioten zu spielen«, knurrte Tom, als er ein Stück die Straße hinunter das flackernde Blaulicht eines Krankenwagens sah. Sah aus wie ein ziemlich übler Unfall, dachte er und hoffte, dass der Verursacher dabei ums Leben gekommen war. Er kehrte zu seinem Wagen zurück, zündete sich noch eine Zigarette an und drehte das Radio voll auf. Irgendeine Country-Sängerin mit schrecklich schriller Stimme klagte über ihren untreuen Freund, während Tom sich vorstellte, wie Lainey Sex mit seinem besten

Freund hatte. »Die verlogene Schlampe«, fluchte er. Ihm zu erklären, dass sie nie verstanden hätte, was Frauen an Jeff so attraktiv fanden, und dass sie ihn selbst nie besonders anziehend gefunden hätte. Während sie die ganze Zeit hinter seinem Rücken mit ihm gebumst hatte. Tom schlug aufs Lenkrad und fragte sich, wie lange die Affäre schon lief, wie lange sein bester Freund hinter seinem Rücken über ihn gelacht hatte. »Macht voran, ihr Wichser.«

Wie aufgeschreckt setzte sich die lange Schlange von Fahrzeugen langsam in Bewegung und rollte an zwei stark demolierten Fahrzeugen am Straßenrand vorbei, neben denen ein uniformierter Polizist die Aussagen diverser Beteiligter aufnahm. »Lernt fahren, ihr Arschlöcher«, rief Tom, als er außer Hörweite war.

Er wechselte auf die rechte Spur, nahm die nächste Abfahrt und fuhr auf der Suche nach dem Southern Comfort Motel zehn Minuten im Kreis. »Er konnte nicht ins Holiday Inn gehen«, murmelte er. »Nein, es musste eine blöde kleine Absteige sein, von der noch nie ein Mensch gehört hat.«

Du solltest dir eines von diesen Navigationsgeräten besorgen, hatte Lainey ihm einmal vorgeschlagen. *Ich benutze es dauernd.*

»Klar«, sagte Tom. »Du würdest ja nicht mal mit beiden Händen deinen eigenen Arsch finden.«

Obwohl sie problemlos gewusst hatte, wie man Jeff findet.

»Wo zum Henker bist du?«, brüllte Tom, während ein Flugzeug im Landeanflug über ihn hinwegdonnerte. Und dann sah er einen halben Block die Straße hinunter das leuchtende Neonschild auf der linken Seite. Southern Comfort Motel, verkündete es, und ein kleineres blinkendes Schild direkt darunter: Vacancy.

»Nein, vielen Dank«, sagte Tom, wechselte auf die linke Spur und blickte zu den Waffen auf dem Beifahrersitz. »Ich hab schon ein Zimmer.«

Jeff saß auf dem braunen Polstersessel gegenüber dem Bett, als er hörte, wie vor dem Gebäude ein Wagen hielt. »Endlich«, sagte er, atmete aus und fragte sich, wie lange er die Luft angehalten hatte. Warum zum Teufel hatte Tom so lange gebraucht? Auf dem Weg zur Tür fiel sein Blick auf sein Spiegelbild. Er sah aus, als hätte er Angst, und fragte sich – nicht zum ersten Mal –, ob er seinen Plan wirklich durchziehen konnte. Konnte er kaltblütig einen Menschen erschießen?

Und was noch wichtiger war, würde er damit durchkommen?

Zwei Mal Ja, versicherte er sich. Nachdem Tom nun endlich da war, würde alles nach Plan verlaufen.

Jeff riss die Tür auf. »Wurde auch Zeit, dass du kommst«, sagte er.

Er spürte den Schlag erst, als er auf dem Boden lag, und wusste nicht, was ihn getroffen hatte, bis er Daves Faust erneut auf sich zukommen sah. »Wo ist sie, du Arschloch?«, brüllte Dave und hockte sich rittlings auf Jeffs Brust. »Suzy, komm raus, wenn du nicht willst, dass ich deinem Freund die Fresse blutig schlage.«

»Sie ist nicht hier«, stammelte Jeff, panisch bemüht, sich zu orientieren. Was zum Teufel war passiert? Wo war Tom?

»Von wegen. Suzy, ich warne dich. Zwing mich nicht, dich zu suchen.«

»Ich sag Ihnen doch«, rief Jeff. »Sie ist nicht hier.«

»Du lügst.«

Jeff wusste nicht, wann er zum letzten Mal eine Faust im Magen gespürt hatte. Er versuchte, den Kopf klar zu bekommen, obwohl sich vor seinen Augen weiter alles drehte. So sollte es nicht laufen, dachte er. Was war geschehen?

Dave packte ihn am Kragen, hob die Laken an und spähte unters Bett. »Wo zum Teufel ist sie?«

»Ich habe keine Ahnung.«

»Vielleicht solltest du noch mal nachdenken.« Dave schlug ihn erneut, ein satter Haken direkt in die Magengrube, der Jeff nach Luft ringen ließ. »Also, noch einmal: Wo ist sie? Und bitte erzähl mir nicht, dass du es nicht weißt. Ich bin Arzt, schon vergessen? Ich weiß, wo es wehtut.« Zur Anschauung stieß er zwei Finger zwischen Jeffs Rippen.

»Sie ist weggegangen. Vor etwa einer halben Stunde.«

»Wohin ist sie gegangen?«

»Ich weiß es nicht«, schrie Jeff unter Schmerzen, als Dave Bigelow seine Finger tiefer in seinen Körper trieb. »Sie hat gesagt, sie könne es nicht durchziehen. Sie hat gesagt, sie wolle zurück nach Hause.«

»Was für eine bequeme Ausrede«, sagte Dave. »Warum glaube ich dir bloß nicht?« Wieder ballte er eine Faust und verpasste Jeff einen Kinnhaken. »Ich zähl jetzt bis drei«, fuhr er fort, während hinter ihm lautlos die Tür aufging, »und dann fange ich an, dir jeden Knochen einzeln zu brechen.«

Vor Jeffs Augen drehte sich alles, während er spürte, wie sein Kiefer knackte. Er drohte, ohnmächtig zu werden. Wo zum Teufel war Tom, fragte er sich, als ein Schatten das Zimmer Schritt für Schritt langsam verdunkelte und immer näher kam.

»Eins … zwei …«

Ein Schuss fiel.

Dave erstarrte und krümmte sich nach hinten, die Augen in ungläubigem Entsetzen aufgerissen. Dann verschleierte sich sein Blick und wurde starr, bevor Dave wie eine Stoffpuppe über Jeff zusammensackte.

»Drei«, sagte eine Stimme aus dem Schatten.

Jeff musste all seine Kraft zusammennehmen, um Dave von seiner Brust zu schieben. Er wusste schon, dass er tot war, noch bevor er das Blut sah, das aus seinem Hemd sickerte und einen dunklen Kreis um sein Herz bildete. Jeffs Blick schoss zu der Gestalt, die in der Tür stand. Er lehnte sich an das Bett und rang um Atem. »Tom! Mein Gott. Was ist passiert? Wo zum Teufel bist du gewesen?«

»Willst du dich beschweren?« Tom trat mit dem Absatz seines Lederstiefels die Tür zu.

»Scheiße, Mann, bestimmt nicht.«

»Wo ist Suzy?«

»Ich hab sie losgeschickt, etwas zu essen zu holen, und ihr gesagt, sie solle sich Zeit lassen, weil ich mich noch um ein paar Dinge kümmern müsste. Wir haben verabredet, uns in ein paar Stunden wieder hier zu treffen. Ich wollte, dass sie ein Alibi hat. Sie hat keine Ahnung, was passiert.«

»Stets ein Gentleman.«

Jeff meinte, einen Hauch von Sarkasmus in Toms Stimme gehört zu haben, schrieb es aber dem Klingeln in seinen Ohren zu.

»Und was passiert jetzt?«, fragte Tom.

Jeff atmete mehrmals tief ein, bevor er antwortete. Er brachte vor Schmerz fast kein Wort hervor. Sein Schädel pochte, sein Kiefer tat höllisch weh. Ursprünglich hatte er vorgehabt, Dave unter dem Vorwand, dass Suzy dort sei, in das Motel zu locken, was Kristin mit gewohnt selbstsicherem Geschick erledigt hatte. Statt Suzy sollte Dave bei seiner Ankunft dort jedoch Jeff und Tom antreffen. Sie wollten ihn zwingen, in die Everglades zu fahren, wo sie ihn erschießen und seine Leiche in irgendeinem von Krokodilen wimmelnden Sumpf versenken wollten. Aber Dave war zu früh und Tom zu spät gekommen, was alles über den Haufen geworfen hatte. »Alles ist anders«, sagte Jeff laut, und jedes Wort sandte einen frischen stechenden Schmerz durch seinen Kiefer.

»Und das heißt?«

»Nun, zunächst mal müssen wir Daves Leiche jetzt nicht mehr entsorgen.«

»Wie kommst du darauf?«

»Es war offensichtlich Notwehr.«

»Du hast den Wichser nicht getötet«, erinnerte Tom ihn. »Ich war es.«

»Trotzdem war es Notwehr. Du hast ihn getötet, um mich zu retten.«

»Nur dass das Schwein keine Waffe hat«, sagte Tom, nachdem er Daves Taschen gefilzt hatte. »Die Polizei wird sagen, meine Reaktion wäre unverhältnismäßig gewesen.«

»Du guckst zu viel Fernsehen«, nuschelte Jeff. Blut tropfte aus seinem Mund.

»Ich hab keinen Fernseher mehr, schon vergessen? Ich hab ihn kaputt geschossen.«

»Aber du hast mehr als eine Knarre«, erinnerte Jeff ihn, »und keine ist registriert. Wer will beweisen, dass die Waffen nicht Dave gehören, der sie bei sich hatte, um mich umzubringen?«

Tom grinste höhnisch. Typisch Jeff, alles so hinzustellen, dass es sich nur um ihn drehte. Jeffs Problem war schließlich erledigt, zu Boden gestreckt mit einer Kugel aus Toms 23er. Und jetzt sollte Tom sich den Konsequenzen stellen, während Jeff mit der Frau seiner Träume in den Sonnenuntergang ritt.

Kam gar nicht in Frage, dachte Tom. Diesmal nicht.

»Außerdem hat bestimmt irgendjemand den Schuss gehört«, sagte Jeff. »Wir können uns hier nicht einfach mit einer Leiche im Gepäck rausschleichen. Durchaus möglich, dass uns jemand beobachtet oder schon die Polizei alarmiert hat.«

Tom verarbeitete diese jüngste Information und dachte, dass Jeff wahrscheinlich richtiglag. Die Polizei war vermutlich schon unterwegs, was ihm nicht mehr viel Zeit ließ, um zu erledigen, wofür er gekommen war. »Das heißt, du kommst wieder mal als großer Gewinner aus der Sache raus. Der alte und neue Champion.«

»Ist irgendwas nicht in Ordnung?«, fragte Jeff.

»Was sollte denn nicht in Ordnung sein?«

»Am besten rufen wir selbst die Polizei.« Jeff entschied, Toms gehässigen Unterton zu ignorieren, und griff nach dem Telefon. »Wir erzählen ihnen, was passiert ist, bevor sie hier sind. Damit beweisen wir, dass wir nichts zu verbergen haben.«

»Ich weiß nicht. Ich würde sagen, du hast eine ganze Menge verborgen.«

»Was soll das heißen?« Jeff wurde langsam ungeduldig. Was war mit Tom los? Ja, wahrscheinlich hatte er ihm das Leben gerettet, indem er zum richtigen Zeitpunkt aufgetaucht war, aber seine Verspätung hatte Jeff überhaupt erst in diese lebensbedrohliche Lage gebracht. Und wo er nun Zeit brauchte, um seine Gedanken zu ordnen und sich seine Geschichte für die Polizei zurechtzulegen, jetzt, wo sich alles zu fügen versprach, stellte Tom sich ohne Grund quer. Er war offensichtlich betrunken, stand vielleicht sogar unter Schock. »Hör mal. Warum setzt du dich nicht?«, sagte Jeff, seine Schmerzen ignorierend. »Du hast gerade einen Menschen getötet. Das ist nie leicht.«

»Leichter als du denkst«, erwiderte Tom kryptisch.

»Ich hol dir ein Glas Wasser. Und dann rufe ich die Polizei.«

»Du rufst niemanden an.« Tom richtete die Waffe auf Jeffs Kopf.

»Was zum Teufel machst du?«

»Wonach sieht es denn aus?«

»Okay, jetzt reicht's mir langsam mit dieser...«

»Wann hat es dir je gereicht? Wann hattest du je genug?«, wollte Tom wissen. »Von irgendwas?«

»Wovon redest du?«

»Ich rede von der Tatsache, dass es dir nicht reicht, Kristin und Suzy und wahrscheinlich noch den halben Staat Florida zu bumsen. Musstest du auch noch Lainey haben?«

»Was? Bist du verrückt? Du denkst, ich bumse deine Frau?«

»Willst du es abstreiten?«

»Natürlich will ich es abstreiten. Du bist mein bester Freund. Herrgott noch mal, Tom, überleg dir, was du redest. Du weißt, dass ich nie...«

»Ich weiß, dass sie in deiner Wohnung war.«

Jeff versuchte panisch, sich zu erinnern, wann Lainey zum letzten Mal in seiner Wohnung gewesen war. »Sie war nicht... Moment mal. Okay. Ja. Kristin hat mir erzählt, dass Lainey neulich vorbeigekommen ist. Sie wollte, dass ich mit dir rede, aber ich war nicht zu Hause. Ich habe sie nicht mal gesehen. Frag Kristin, wenn du mir nicht glaubst. Oder Will. Er war dabei. Er wird es dir bestätigen.«

»Das hat er schon.«

»Okay, dann...«

»Er hat mir alles über dich und Lainey erzählt.«

»Wovon redest du?«, fragte Jeff noch einmal.

Es klopfte laut an der Tür. »Jeff... Tom...«, rief Will aus dem Flur. »Bitte lasst mich rein.«

»Gott sei Dank«, sagte Jeff erleichtert. »Offenbar hat es ein Riesenmissverständnis gegeben...« Er war auf dem Weg zur Tür, als er einen stechenden Schmerz spürte, der seine Brust zerriss, unmittelbar gefolgt von einem zweiten. »Was zum ...?«, setzte er an zu sagen, als eine dritte Kugel aus Toms Waffe sich tief in sein Fleisch grub, ihn herumwirbeln und mit der trägen Eleganz eines Tänzers abheben ließ. Eine vierte Kugel schickte ihn aufs Bett, wo sein Gesicht in den Falten der zerknitterten weißen Laken versank. Sofort umhüllte ihn Suzys Duft, als würde sie ihn in ihre Arme nehmen.

»Ich liebe dich«, hörte er sie in sein Ohr flüstern, und ihre Worte ließen alle anderen Geräusche verstummen.

»Ich liebe dich auch«, erklärte er ihr.

Jeff spürte ihre Lippen weich und zart auf seinen.

Dann spürte er gar nichts mehr.

Will stand vor der Tür des Hotelzimmers, als Tom öffnete und ihn hereinbat.

Das Erste, was er sah, war Dave, der bäuchlings in einer Blutlache auf dem Boden lag.

Das Zweite, was er sah, war Jeff, ausgestreckt auf dem ungemachten Bett, das Gesicht halb zwischen den Laken verborgen, mit toten Augen zur Decke starrend.

Das Dritte, was er sah, war Tom, der mit einem selbstzufriedenen Grinsen in seinem blöden Gesicht in der Mitte des Zimmers stand, eine Pistole in der Hand seines ausgestreckten rechten Arms. »Schau, was du getan hast, kleiner Bruder«, sagte Tom im Lärm von Sirenengeheul.

Tränen schossen in Wills Augen. Er schwankte, seine Knie wurden weich.

»Okay. Waffen fallen lassen«, hörte er eine Stimme hinter ihnen brüllen und wurde sich erst jetzt der erhobenen 22er in seiner Hand bewusst. »Polizei. Lassen Sie die Waffen fallen«, wiederholte die Stimme. »Sofort.« Wagentüren wurden zugeschlagen, Gewehre entsichert, Schritte nahten.

Wills Finger zuckte am Abzug, sein ganzer Körper sehnte

sich danach abzudrücken. Keine Jury der Welt würde ihn verurteilen, weil er den Mann erschossen hatte, der seinen Bruder ermordet hatte. Aber er selbst war eines viel schlimmeren Verbrechens schuldig, gestand er sich stumm ein und ließ resigniert die Waffe sinken. *Schau, was du getan hast, kleiner Bruder*, hörte er Tom sagen.

Und Tom hatte recht.

Es war seine Schuld, dass Jeff tot war.

Will ließ die Pistole fallen und hob beide Hände.

»Na, ist das eine Überraschung?«, fragte Tom lachend, hob seine Waffe und feuerte den letzten Schuss auf Wills Brust.

Er lachte immer noch, als Gewehrsalven durch das Zimmer hallten.

KAPITEL 32

Der Flughafen von Miami war so voll wie eh und je.

»Gott, wo wollen die denn alle hin?«, fragte Kristin.

»Jedenfalls nicht alle nach Buffalo«, sagte Will und lächelte matt.

Kristin hakte sich vorsichtig bei ihm unter und half ihm durch die Menge zu dem richtigen Gate. Es war schön, Will wieder lächeln zu sehen, dachte sie, egal wie zögerlich. Es war lange her, seit sie zum letzten Mal die Spur eines Lächelns in seinem süßen Gesicht gesehen hatte. »Wie kommst du zurecht?«, fragte sie. »Gehe ich zu schnell?«

»Nein, alles okay.«

Trotzdem verlangsamte sie ihre Schritte, lauschte dem Schlurfen seines linken Fußes, den er beim Gehen nachzog, Folge der Polizeikugeln, die sein Knie und seine Hüfte durchschlagen hatten. Tom hatte Wills Herz um Zentimeter verfehlt, ihn jedoch mit seinem Schuss zu Boden gestreckt und ihm damit ironischerweise das Leben gerettet, als die Polizei das Feuer eröffnet hatte. So viel Glück hatte Tom selber nicht gehabt. In dem Kugelhagel der Polizeigewehre war er sofort tödlich getroffen zusammengebrochen.

Will hatte fast vier Wochen im Krankenhaus gelegen und mehrere schmerzhafte Operationen über sich ergehen lassen müssen, gefolgt von zwei weiteren Monaten in einer Reha-

Klinik. Er hatte knapp zehn Pfund abgenommen, seine Haut war immer noch fahl, beinahe durchscheinend, obwohl in den letzten Wochen ein Hauch von Farbe in sein Gesicht zurückgekehrt war. Seine Mutter hatte ihn öfter besucht und dabei sogar mehrmals bei Kristin übernachtet. Sein Vater hatte die Reise in den Süden nur einmal geschafft, weil er zu beschäftigt mit seiner neuen Freundin war, die im kommenden Frühjahr ein Kind erwartete. »Sieht so aus, als würde ich demnächst einen eigenen kleinen Bruder bekommen«, hatte Will Kristin bei einem ihrer Besuche anvertraut.

»Ich wünschte, du würdest mitkommen«, sagte er jetzt.

»Du weißt, dass ich das nicht kann«, sagte Kristin.

Sie blieben stehen.

»Warum nicht?«, fragte Will, wie er es an diesem Morgen schon mindestens ein Dutzend Mal getan hatte. »Hier hält dich doch nichts.«

»Ich weiß.«

»Dann komm mit mir.«

»Ich kann nicht.«

»Meine Mutter wird schwer enttäuscht sein, wenn du nicht mit mir aus diesem Flugzeug steigst.«

»Deine Mutter wird entzückt sein. Sie glaubt, dass ich einen schlechten Einfluss auf dich habe.«

»Unsinn. Sie liebt dich.«

Kristin setzte sich wieder in Bewegung, sodass Will nichts anderes übrigblieb, als ihr zu folgen. »Sie *toleriert* mich«, verbesserte sie ihn.

»Und was ist Liebe anderes als ein höheres Maß an Toleranz?«, fragte Will.

Kristin lachte lange und laut. »Vorsicht«, sagte sie. »Der Philosoph schimmert schon wieder durch.«

»O nein, nicht der schon wieder.«

»Wir können uns nicht dagegen wehren, was wir sind, Will.«
»Und wer ist jetzt der Philosoph?«

Kristin lächelte und blieb wieder stehen. »Ich werde dich vermissen.« Sie strich ihm mit der Hand übers Gesicht.

»Das musst du nicht. Komm mit mir«, sagte Will noch einmal, fasste ihre Hand und legte sie direkt auf sein Herz. »Wir könnten ganz von vorne anfangen. Wir müssen nicht in Buffalo bleiben. Ich muss auch nicht zurück nach Princeton. Ich kann meine Doktorarbeit überall abschließen.«

Kristin wandte sich mit Tränen in den Augen ab. »Ich kann nicht«, wiederholte sie.

»Wegen Jeff?«

Kristin spürte, wie sie bei der Erwähnung des Namens wie von einem Nagel durchlöchert in sich zusammensackte. Sie verlor Luft, dachte sie, bemüht, sich aufrecht zu halten. »Vielleicht. Ich weiß nicht.« Selbst zwei Monate danach war es schwer zu begreifen, dass Jeff wirklich tot war. Das hätte nie passieren sollen. Kristin schüttelte den Kopf, und ihr langer Pferdeschwanz wippte hin und her.

»Ich mag es, wenn du die Haare so trägst«, sagte Will in dem Bemühen, den Abschied in die Länge zu ziehen, weil er immer noch hoffte, die magische Kombination von Worten zu finden, die sie umstimmen würde. *Und was würdet ihr Pappnasen euch wünschen, wenn ein Flaschengeist euch die Erfüllung eines Wunsches garantieren würde*, hörte er seinen Bruder an jenem schicksalhaften Abend im Wild Zone fragen. Der Abend, der alles in Gang gesetzt hatte.

»Will?«

»Hmmm? Tut mir leid. Hast du was gesagt?«

»Ich sagte, dass ich mir überlege, meine Brustimplantate wieder entfernen zu lassen. Meinst du, ich würde trotzdem okay aussehen?«

»Ich finde, du siehst toll aus, egal was du machst.«

»Du bist so süß.«

»Bin ich nicht«, sagte Will.

Sie erreichten die lange Schlange vor der Sicherheitsschleuse.

»Wird das ganze Metall in deinem Körper nicht den Alarm auslösen, wenn du durch den Detektor gehst?«, fragte Kristin nur halb im Scherz.

»Wahrscheinlich. Vielleicht lassen sie mich gar nicht fliegen«, sagte Will beinahe hoffnungsvoll. »Ich muss nicht hier weg, weißt du.«

»Das haben wir doch schon besprochen.«

»Ich weiß.«

»Du musst, Will. Du gehörst hier nicht hin.«

»Du etwa?«

Sie zuckte die Achseln.

»Und du rufst mich an, falls es irgendwelche Probleme gibt?«, fragte er.

»Es gibt bestimmt keine Probleme.«

»Die Polizei könnte weitere Fragen haben…«

»Bestimmt nicht.«

»Bestimmt nicht«, wiederholte Will.

Die polizeiliche Ermittlung war zu dem Ergebnis gekommen, dass Dave Bigelow von der Affäre seiner Frau mit Jeff erfahren hatte und zum Southern Comfort Motel gefahren war, um ihn zur Rede zu stellen. Wenig später war Tom eingetroffen und hatte unter Drogen- und Alkoholeinfluss erst Dave und dann Jeff erschossen. Der Bericht stellte weiter fest, dass Tom Whitman bereits als zu wahllosen und unprovozierten Gewaltausbrüchen neigend aktenkundig war. Dieses Bild wurde durch die Aussagen seiner von ihm getrennt lebenden Ehefrau, seines ehemaligen Arbeitgebers sowie eines Mädchens von einer Begleitagentur bestätigt, das er kürzlich angegriffen hatte. Auch Suzy Bigelow wurde zu einer Befragung vorgeladen, in deren Verlauf jeder Verdacht, sie könne am Tod ihres Mannes beteiligt gewesen sein, rasch fallen gelassen wurde.

»Hast du irgendwas von Suzy gehört?«, fragte Will jetzt.

Wieder schüttelte Kristin den Kopf. »Sie ist nach den Beerdigungen irgendwie abgetaucht.«

»Nach Daves Tod ist sie vermutlich ziemlich wohlhabend.«

»Vermutlich.«

»Glaubst du, dass sie Jeff wirklich geliebt hat?«

»Ich glaube ja«, stellte Kristin traurig fest. »Zumindest ein bisschen.«

»Darf ich bitte Ihr Ticket und Ihren Boarding-Pass sehen, Sir«, fragte eine uniformierte Sicherheitsbeamtin.

»Sieht so aus, als wäre das für mich hier die Endstation«, sagte Kristin, während Will der streng aussehenden Frau sein Ticket und den Boarding-Pass zeigte, die sie eingehend studierte.

»Es gibt nichts, was ich sagen kann...?«

Kristin drückte Will einen sanften Kuss auf die Lippen. »Ich wünsche dir ein schönes Leben, Will«, sagte sie. »Werde glücklich.«

»Sir, ich fürchte, Sie müssen weitergehen«, drängte die Sicherheitsbeamtin.

Kristin löste sich und trat aus dem Weg. Will trottete, gedrängt von den Passagieren hinter ihm, langsam weiter. »Es ist noch nicht zu spät, es dir anders zu überlegen«, rief er in einem allerletzten Versuch und blieb abrupt stehen.

Er sah sie an der Seite an einer Säule lehnen, sah zum letzten Mal, wie sie ihr blondes Haar schüttelte, ein kurzes strahlendes Lächeln aufblitzen ließ und zum Abschied winkte. Dann verschwand sie in der Menge.

Der Himmel hatte sich bewölkt, als Kristin vor dem Haus im Tallahassee Drive 121 hielt. Die 60er-Jahre-Oldies, die laut aus den Boxen des Autoradios geplärrt hatten, verstummten abrupt.

Kristin blickte zur Haustür des braunen Bungalows mit dem weißen Schieferdach und lächelte. Suzy saß mit nackten Füßen und knallrosa lackierten Zehennägeln auf der Treppe vor dem Haus, ihre Sandalen neben sich auf der Stufe. Ihr braunes Haar fiel in sanften Wellen auf ihre Schultern und rahmte ihr zum Glück unversehrtes Gesicht. Ihre Reisetasche lehnte ein paar Meter entfernt an einem großen Schild im Vorgarten mit der Aufschrift VERKAUFT.

»Hey, du«, sagte Kristin zärtlich und stieg aus dem Wagen.

»Wie ist es gelaufen?«, fragte Suzy, sprang auf und schlüpfte in ihre Sandalen.

»Ziemlich genau so, wie man es erwarten konnte.«

»Tut mir leid, dass ich nicht bei dir sein konnte.«

»So war es bestimmt besser.«

»Hat er nach mir gefragt?«

Kristin nickte. »Ich habe gelogen und behauptet, du wärst nach den Beerdigungen mehr oder weniger von der Bildfläche verschwunden.« Sie nahm Suzys Tasche und wollte sie über ihre Schulter hängen. »Mein Gott. Die wiegt ja eine Tonne. Was hast du denn da drin?«

»Daves Asche«, antwortete Suzy nüchtern.

»Was?« Kristin ließ die Tasche fallen.

»Vorsicht. Sonst zerbrichst du die Urne noch.« Suzy lachte. »Und ich will, dass alles perfekt ist, wenn ich das Schwein an die Krokodile verfüttere.«

»Ich glaube, in San Francisco *gibt* es keine Krokodile.«

»Dann machen wir einen kleinen Umweg«, sagte Suzy. »Hast du was dagegen? Von diesem Moment habe ich jahrelang geträumt.«

»Everglades, wir kommen«, sagte Kristin, nahm die Tasche wieder in die Hand und lud sie auf die Rückbank ihres Wagens.

»Wie alt ist dieses Auto eigentlich?«, fragte Suzy, setzte sich auf den Beifahrersitz und zog ihre Sandalen wieder aus. »Wir müssen Dave daran erinnern, dir ein neues zu kaufen.« Sie lachte wieder, doch das Lachen erstarb, als sie Kristins vorwurfsvolle Miene sah. »Tut mir leid. Das war wohl nicht besonders witzig.«

»O Suzy«, seufzte Kristin. »Wie konnte das Ganze in so einem Schlamassel enden?«

»Dinge geschehen«, sagte Suzy. »Dinge, die man nicht erwartet. Dinge, die man eben nicht vorausplanen kann.«

»Der Einzige, dem etwas zustoßen sollte, war Dave. Will sollte nicht angeschossen werden. Tom und Jeff sollten nicht sterben.«

»Es ist wirklich erstaunlich, nicht wahr?«, stimmte Suzy ihr zu. »Man denkt, man hat alles bedacht, und dann passiert irgendwas, jemand sagt etwas, was nicht im Drehbuch steht, und alles verändert sich.«

»Am Ende haben drei Menschen den Tod gefunden.«

»Aber wir leben. Und ich bin das Ungeheuer endlich los.« Suzy nahm Kristins Hand und führte sie an ihre Lippen.

Kristin blickte nervös aus dem Seitenfenster. »Das sollten wir hier, wo uns alle sehen können, lieber lassen.«

»Es ist okay«, sagte Suzy. »Niemand kann uns mehr etwas anhaben.«

»Ich werde nicht zulassen, dass dir noch mal irgendjemand wehtut«, sagte Kristin und betrachtete Suzys hübsches Profil, die blauen Augen, die ihr zum ersten Mal aus dem Gesicht einer ängstlichen Sechzehnjährigen entgegengeblickt hatten. *Ich kann mein Portemonnaie nicht finden*, hatte sie Suzy irgendwann provozierend angesprochen. *Hast du irgendwas damit zu tun?*

Suzy hatte recht, dachte Kristin, als sie losfuhr. Es geschahen Dinge, mit denen man nicht rechnen und die man nicht vorausplanen konnte. Wer hätte geahnt, dass zwei einsame Mädchen in einem Heim gleichgültiger Jugendfürsorge sich nicht nur verlieben, sondern auch eine Bindung eingehen würden, die stärker war als jede ihrer anderen späteren Beziehungen. Eine Liebe, die Getrenntsein und Entfernung, Ehemänner und Liebhaber, Enttäuschung und Desillusionierung, Zeit und Umstände überdauern sollte?

Dass sie einander überhaupt wiederbegegnet waren, war an sich schon ein Wunder. Suzy war mit ihrem gewalttätigen Ehemann gerade nach Coral Gables gezogen. Verzweifelt und einsam hatte sie im Internet nach Kristin gesucht und herausgefunden, dass sie in einer Bar namens Wild Zone in South Beach arbeitete. Als Dave im Krankenhaus war, war sie eines Nachmittags vorbeigefahren, unsicher, ob Kristin sich überhaupt an sie erinnern würde.

Sie hatten einander sofort wiedererkannt. Die Jahre waren verblasst wie alte vergilbende Schwarzweißfotos, als sie sich gegenseitig im Schnelldurchlauf auf den neuesten Stand gebracht und sich die intimen und bisweilen herzzerreißenden Details ihres Lebens seit ihrem letzten Zusammensein anvertraut hatten. Kristin hatte Suzy von Jeff erzählt. Suzy hatte Kristin von Dave erzählt. Und es hatte nicht lange gedauert, ehe sie auf die Idee kamen, den einen zu benutzen, um den anderen loszuwerden.

Daves Prügel waren immer häufiger und brutaler geworden. Sie hatten es sich nicht leisten können, noch lange zu warten.

Und dann hatte sich plötzlich alles gefügt. Will hatte vor Jeffs Tür gestanden und unangenehme Erinnerungen mit sich gebracht, alte Rivalitäten waren aufgeflackert, neue entfacht worden. Alte Antipathien waren geweckt, neue Allianzen geschmiedet worden.

Zeit für Suzys Auftritt.

Einige wenige wohl gewählte Worte hatten gereicht, um die Kugel ins Rollen zu bringen.

Dann hatte Lainey Tom verlassen, was ihn noch wütender und unberechenbarer gemacht hatte, als er es ohnehin schon war. Ellie hatte Jeff vom bevorstehenden Tod ihrer Mutter berichtet, was ihn verletzlich und verwirrt zurückgelassen hatte. Danach war es nur noch eine Frage des richtigen Timings, des Gespürs, wann man vorpreschen und wann man sich wieder zurückfallen lassen musste, welche Knöpfe man drücken und welche Strippen man ziehen musste, wie heftig man provozieren und wie behutsam man vorgehen musste. Eine tödliche Mischung aus Gerissenheit und Spontaneität, weiblicher List und männlichem Eigensinn, von Gelegenheiten und Losglück.

Beide Frauen hatten ihre Rolle perfekt gespielt. Und auch wenn es schwierig, bisweilen beinahe unmöglich gewesen war, sich voneinander fernzuhalten, sobald der Plan in Gang gesetzt worden war, hatten sie sich darauf geeinigt, ihren Kontakt auf das Allernötigste zu beschränken, bis die Tat vollbracht war.

Natürlich hatte keine der beiden Frauen ahnen können, wie schnell alles gehen würde, wie rasant der langsame Walzer in einen spastischen Jive degenerieren, wie schnell das gemütliche Karussell außer Kontrolle geraten und sich in eine wilde Achterbahnfahrt verwandeln würde.

Und niemand hatte voraussehen können, dass Jeff sich tatsächlich verlieben würde. Kristin erschauderte bei der Erinnerung an die quälenden Augenblicke, in denen sie befürchtet hatte, dass diese Gefühle womöglich erwidert werden und

Suzy sich ebenso heftig und unerwartet in Jeff verlieben könnte wie er in sie. Und vielleicht *hatte* sie sich sogar in ihn verliebt, dachte Kristin jetzt. Zumindest ein bisschen, wie sie Will erklärt hatte.

Genauso wie Kristin sich ein bisschen in Will verliebt hatte.

»Ist dir kalt?«

»Nein, alles ist gut.«

Und so war es. Dave Bigelow war tot. Das Geld aus dem Verkauf des Hauses und seiner Luxuskarossen würde seiner Witwe lange Zeit eine unbeschwerte Zukunft garantieren. Will war auf dem Weg zurück nach Buffalo. Kristin hatte ihren Job im Wild Zone gekündigt. In wenigen Minuten würden sie und Suzy auf dem Highway und nach einem kleinen Umweg, um Dave seinen verdienten Abgang zu verschaffen, auf dem Weg quer durchs Land zu einem neuen Leben in San Francisco sein.

Suzy zupfte an Kristins Pferdeschwanz. »Ich liebe dich«, sagte sie. »So sehr.«

Kristin spürte, wie sich ein Lächeln vom Kopf bis zu den Zehen ausbreitete und sich dann warm um ihr Herz legte. »Ich liebe dich auch.«

So geht es zu Ende.

DANKSAGUNG

Ich halte es für ein großes Glück, dass es jedes Mal mehr oder weniger dieselben Menschen sind, bei denen ich mich bedanken möchte. Das bedeutet, dass das Gerüst, das mich trägt, stabil ist und dass all diese Leute fantastische Arbeit leisten. Also ein weiteres Mal:

Ein großes und aufrichtiges Dankeschön für alles, was ihr getan habt und weiterhin tut, an Larry Mirkin, Beverley Slopen, Tracy Fisher, Elizabeth Reed, Emily Bestler, Sarah Branham, Judith Curr, Laura Stern, Louise Burke, David Brown, Carole Schwindeller, Brad Nartin, Maya Mavjee, Kristin Cochrane, Val Gow, Adria Iwasutiak und all die anderen wunderbaren Menschen bei der William Morris Agency, bei Atria Books in den Vereinigten Staaten und Doubleday in Kanada, die so hart dafür arbeiten, meine Bücher erfolgreich zu machen. Vielen Dank auch an all meine Verleger und Übersetzer im Ausland sowie für die beste Web-Designerin und -Beraterin der Welt, Corinne Assayag.

Ein besonderer Dank geht an den Software-Designer und Personal Trainer Michael Raphael, der mich nicht nur zwei Mal pro Woche in Form bringt, sondern mir auch das in diesem Buch beschriebene Killer-Training zusammengestellt hat.

Zu Hause habe ich Aurora Mendoza zu danken, die mich bekocht und versorgt. Und natürlich meinem Mann Warren für seine andauernde Ermutigung und Unterstützung und dafür, dass er nicht beleidigt ist, wenn ich – wie in meinem letzten Buch – auf die Idee komme, den Bösewicht nach ihm zu benennen. Vielen Dank an meine Tochter Shannon, dafür dass sie a) eine so schöne und talentierte Tochter ist, wie sie ist, und b) meine Twitter- und Facebook-Seiten managt. Vielen Dank auch an meine andere schöne und talentierte Tochter Annie und ihren Mann Courtney, die mich, wenn Sie das lesen, zum ersten Mal zur Großmutter gemacht haben werden.

Und zuletzt wie immer Dank an Sie, meine Leserinnen und Leser, für die sich das alles lohnt.

»Das ist der Stoff, aus dem Alpträume gemacht werden.«
Kirkus Reviews

416 Seiten
ISBN 978-3-442-46659-7

448 Seiten
ISBN 978-3-442-45405-1

352 Seiten
ISBN 978-3-442-46173-8

480 Seiten
ISBN 978-3-442-45642-0

Überall, wo es Bücher gibt und unter www.goldmann-verlag.de

Um die ganze Welt des
GOLDMANN Verlages
kennenzulernen, besuchen Sie uns doch
im Internet unter:

www.goldmann-verlag.de

Dort können Sie
nach weiteren interessanten Büchern **stöbern**,
Näheres über unsere *Autoren* erfahren,
in *Leseproben* blättern, alle *Termine* zu Lesungen und
Events finden und den *Newsletter* mit interessanten
Neuigkeiten, Gewinnspielen etc. abonnieren.

Ein *Gesamtverzeichnis* aller Goldmann Bücher finden
Sie dort ebenfalls.

Sehen Sie sich auch unsere *Videos* auf YouTube an und
werden Sie ein *Facebook*-Fan des Goldmann Verlags!

www.goldmann-verlag.de
www.facebook.com/goldmannverlag